De noordwesthoe

JOHN BURNHAM SCHWARTZ BIJ UITGEVERIJ CARGO

*Keizerin uit het volk*

John Burnham Schwartz

# *De noordwesthoek*

Vertaling Ton Heuvelmans

2011
De Bezige Bij
Amsterdam

Cargo is een imprint van uitgeverij De Bezige Bij, Amsterdam

Copyright © 2011 by John Burnham Schwartz
Copyright Nederlandse vertaling © 2011 Ton Heuvelmans
Oorspronkelijke titel *Northwest Corner*
Oorspronkelijke uitgever Random House, New York
Omslagontwerp Marry van Baar
Omslagillustratie Edward Hopper, *Second Story Sunlight*, 1960. Whitney
Museum of American Art, New York; purchase, with funds from the
Friends of the Whitney Museum of American Art 60.54. © Whitney
Museum of American Art, NY, Photograph by Sheldan C. Collins.
Foto auteur Marion Ettlinger
Vormgeving binnenwerk CeevanWee, Amsterdam
Druk Bariet, Steenwijk
ISBN 978 90 234 6945 2
NUR 302

www.uitgeverijcargo.nl

Voor Aleksandra en Garrick

Je hebt helden en je hebt de rest

*Reservation Road*

# Deel een

# SAM

'Arno – de bus.'

De coach verlaat de kleedkamer weer. Sam hoort de echo van de voetstappen in de lange gang, en nu pas, nu hij weet dat hij de laatste is, haalt hij de handdoek weg die hij over zijn hoofd had gedrapeerd. Hij pakt de bijna negenhonderd gram wegende knuppel die bij zijn voeten ligt, stopt hem bij de rest van zijn spullen in de UConn-plunjezak en ritst die dicht.

De motor van de bus draait al als hij instapt. De voorste rij is nu voor hem. De deuren gaan met een zucht dicht en Old Hank schakelt naar z'n één voor de drie uur durende rit terug naar Storrs.

De avond valt. Sam zet zijn koptelefoon op en probeert zo anoniem mogelijk te zijn.

Op de parkeerplaats van het sportcomplex gaan de busdeuren open: hoge fluorescerende lampen, bakens in de blauwe avond. Er ligt een loopplank, alles is verlicht. Hij zit vlak achter Hank en zou als eerste moeten uitstappen, maar het is minder erg om te blijven zitten waar hij zit, met zijn koptelefoon op, zijn blik in de verte, diep weggedoken in zijn eigen schaamte. Teamgenoten beginnen langs hem te lopen, geuren van handschoenleer en ogenzwart, het felle tikken van spikes.

Een hand op zijn arm. Het is Jake, zijn kamergenoot. Sam trekt de koptelefoon aan één kant een paar centimeter omhoog.

11

'Ga je terug naar de kamer?'

Jakes stem klinkt bijna beledigend sympathiek. De troost die je krijgt nadat alle honken bemand zijn met twee man uit in de tiende inning van de college play-offwedstrijd, en je gaat uit met drie slag zonder één keer geslagen te hebben, wat het einde betekent voor het seizoen van je team.

'Ga in ieder geval douchen. Je ziet er belazerd uit.'

Sam schudt dankbaar zijn hoofd. De knuppel heeft zijn schouder geen moment verlaten.

'Oké... tot straks.'

'Tot straks.'

Dan is de bus leeg, op Hank en hemzelf na.

'Hé, dit is godverdomme je limo niet.' Hanks stem is een grindpad, hij draait zich vanaf de chauffeursstoel naar hem om, een sneeuwwit gemillimeterd hoofd en een dubbele kin. Op het dashboardklokje is het 10.20 uur. Uit respect zet Sam zijn koptelefoon af. Hank zucht diep en doet de deuren weer dicht. 'Ach, wat de fok. Waarnaartoe, DiMaggio?'

Naar O'Doul's, buiten de campus, een derderangskroeg in de stad, waar niemand zijn vriendinnetje mee naartoe neemt. De schoolbus stopt voor de deur. Tl-licht flikkert door de ramen en verlicht de sombere sfeer.

Hij vraagt Hank of hij nog even wil wachten, trekt zijn shirt uit en stopt het in zijn plunjezak. Hij wou dat er niet met grote witte letters UCONN op stond – het is niet zo'n soort kroeg –, maar er is nu niets meer aan te doen. Hij staat nu in zijn twee-kleurige onderhemd, waarvan de mouwen onder de elleboog zijn afgeknipt, en de besmeurde broek voor uitwedstrijden – laag op de heupen, zonder bretels – en de spikes, waardoor elke voetstap klinkt alsof hij met volle knikkerzakken loopt.

'Je ziet er geweldig uit,' grauwt Hank. 'Pak ze, tijger.'

'Bedankt voor de lift, Hank.'

'Iedereen heeft weleens een klotedag, Sammy.'

'Ja.' Plotseling vecht hij tegen zijn tranen.

'Zorg dat je geen problemen krijgt.'

De busdeuren gaan al dicht nog voordat hij met zijn voet op het trottoir staat. Als hij de cafédeur opendoet, zijn Hank en zijn bus alweer vertrokken.

Het is warm en druk in O'Doul's, de muren zijn donker geverfd. Sam staat een lange tijd in z'n eentje te drinken. Als er een barkruk vrijkomt, gaat hij zitten, terwijl hij de UConn-plunjezak in het mengsel van zaagsel en kauwgom onder zijn voeten schuift. Achter de bar hangt een mistige Bacardi-spiegel naast een klok van een St. Pauli Girl waarvan de wijzers stilstaan op twintig voor zes: eeuwig happy hour.

'Nog eentje?'

De barkeeper veegt de bar onder zijn lege flesje droog.

'Ja, met een Jack Daniels erbij.'

'Komt eraan.'

Hij vergeet het steeds. Hij probeert terug te gaan tot vlak ervoor – voordat hij aan slag kwam, zuiver ritueel, het mechanisch bevestigen van de met vinyl beklede donut over de aluminium steel, en dan lekker losjes zwaaien. Naar de pitcher kijken en zijn swing timen. Kijken en timen totdat het zijn *tweede natuur* is.

Niks ervan, hij moet het er met de coach over hebben. Alleen maar de natuur waarmee je geboren bent, die de generaties aan je hebben doorgegeven.

Hij dacht te veel, zelfs nog tijdens de voorbereiding, voordat de eerste pitch was gegooid. Nu het te laat is ziet hij dat duidelijk. Hij was niet leeg, zoals hij wel had moeten zijn – te veel shit in zijn kop. Hij dacht aan wat hij zou doen als de grote kans kwam, hoe een allesbeslissende slag zou voelen. Op de thuisplaat heeft Stemkowski zojuist drie wijd gekregen, en de coach blaft vanuit de dug-out: 'Kijken, Stem. Kijken, jongen!' Het publiek (683 man volgens de speaker) schreeuwt de kelen schor als Stem vier wijd vlak onder zijn nek ziet langsvliegen en rustig naar het eerste honk sjokt, zodat alle honken bezet zijn. En Sam steekt het handvat van zijn bat in het aangestampte zand en maakt de donut los; het gewicht glijdt eraf en de knuppel verandert in een *moordwapen*. En ongeveer een halve minuut lang stroomt er een rauwe, brute kracht, die hij zelf nooit eerder heeft gevoeld, van zijn schouders naar zijn handen, en hij stapt het slagvak in en gelooft dat het nu bij wijze van uitzondering echt gaat gebeuren. De kracht vervult hem en wist het verleden uit; maar hij gaat te ver, de meter schiet in het rood; en omdat het rauw en dreigend en niet echt aanwezig is, glijdt deze illusie van kracht weg en leidt hem recht naar zijn vader. Het gevoel doet hem denken aan zijn vader. En op dat moment komt de eerste pitch op hem af, en hij voelt in zijn bange hart hoe het allemaal zal uitpakken.

# DWIGHT

Om 11.47 uur stapt er een man met een bont vakantieshirt, dat veel weg heeft van het mijne, uit zijn Lexus SUV, gevolgd door zijn zoontje. Ik kijk naar hen door het raam aan de voorkant vanuit gangpad 7 (honkbal, softbal, nog meer honkbal) en ervaar een moment van commercieel respijt en een razendsnelle flashback, een Rawlings-handschoen voor binnenvelders met het grote bungelende prijskaartje tegen mijn neus, en ik adem de geur in van vers leer uit de fabriek. Zoals altijd probeer ik mezelf te verplaatsen in het werkelijke hier en nu. Noem het een vrijwillige ontvoering: ik ben niet langer bij SoCal Sports in het jaar 2006 in Arenas, Californië, maar rond 1966 bij Pat's Team Outfitters in North Haven, Connecticut. Niet vijftig jaar oud, maar tien. Ik kijk omhoog naar het brede, gerimpelde gezicht van mijn ouweheer. Ik hoor zijn raspende stem, die me zegt dat hij de handschoen zal kopen die ik wil hebben, zolang ik zweer op mijn leven dat ik er goed mee zal omgaan. Maar als hij er ooit vetvlekken op ontdekt of hem 's ochtends in de tuin ziet liggen, of als ik hem anderszins misbruik, dan krijg ik er een pak slaag mee, dat belooft hij me plechtig, en dan is het voorgoed afgelopen met honkbal. Heb ik dat goed begrepen? Zo werpt hij een donkere schaduw vooruit over mij en het ding dat ik al zo lang wil hebben. En zo raak ik verdoemd, door de vergiftigde appel die hij me aanbiedt. Maar ik wil die handschoen zo graag hebben dat ik hem de prijs geef die hij van me eist.

En dan, halverwege mijn eerste seizoen bij de Little League, ontdekt hij op een ochtend de Rawlings, dat heilige voorwerp van kalfsleren perfectie, op ons smerige, door de dauw doorweekte grasveld. Zoals hij had verwacht. Ik lig nog in bed en in mijn droom raap ik grondballen in het verre veld, als hij plotseling mijn kamer binnenstormt en me er bont en blauw mee slaat.

Luister goed. Dat is het soort gedachten dat maar al te vaak terugkeert als je dertig maanden in de bak zit. En daarna ook. Er hangt geweld in de lucht, ook al gebeurt er niets. Het idee van persoonlijke macht is gewoon een hersenschim. Wat je er uiteindelijk aan overhoudt voelt bitter, als een echo van je binnenste. Zoals alles wordt een gebouw bepaald door wat erin zit. Een bijenkorf zoemt. Een vuist is niets zonder woede.

De glazen deuren gaan open: de man en zijn zoontje komen binnen. Ik haal de handschoen van mijn gezicht en leg hem terug in het schap. De jongen loopt schuin achter zijn vader, maar hij kijkt glimlachend naar dat vertrouwde gezicht. De man kijkt over zijn schouder – er wordt een grap verteld, of een verhaaltje, bijvoorbeeld over kleffe donuts, terwijl ze vanaf de parkeerplaats binnenkomen, als een koele bries in de zomer. Hun uiterlijk is voor mij verhoudingsgewijs niet interessant, hoewel opvallend: de vader draagt een groot, duur horloge, alsof er een goudklomp aan zijn pols zit geklonken, de Pro Model Dodgers-pet en speciale Tony Hawk-mocassins van de jongen. Gegoede middenklasse, zou ik zeggen. Hij is een opkomende compagnon in een van de investeringsbanken op het onlangs aangelegde bedrijvenpark Arenas, of een fiscaal jurist die geniet van een welverdiende vrije dag; zijn zoon van tien of elf is een veelbelovende leerling op een privéschool met een ongedwongen, innemende persoonlijkheid, hoewel misschien te veel gecharmeerd van de ijshockeycultuur en de lamzakken bij de pier, en daarom bij voorbaat door zijn ouders aangemeld voor een plaatsje op de exclusieve Thacher-kostschool. Lacrosse, schat ik, dat joch gaat lacrosse spelen, terwijl de vader voor in de zaak om zich heen kijkt om een beter beeld te krijgen van de gangpaden alsmede de mogelijkheden om bediend te worden. Hij ziet dat Derek in gangpad 3 dozen met volleyballen in de schappen zet. Maar je eerste lacrossestick is een serieuze aangelegenheid, en Derek, die avondlessen diagnostische massage volgt aan de universiteit van Californië in Santa Barbara en vandaag een paarse zonneklep achterstevoren op zijn hoofd heeft, wekt niet de indruk er veel verstand van te hebben. De man draait zijn blik negentig graden – negeert Sandra, het knappe twintigjarige nichtje van de baas, achter de kassa – en laat hem rusten op mij in gangpad 7. Ik neem aan dat hij me, omdat hij niet op de hoogte is van mijn cv, ten onrechte aanziet voor een betrouwbare winkelbediende. Wie kan hem ongelijk geven? Ik ben vijftig, redelijk fit, maar zwaargebouwd. Op mijn roodplastic label van SoCal Sports staat met duidelijk witte letters DWIGHT ARNO, MANAGER. Onder normale omstandigheden zou ik een toonbeeld zijn van rechtschapenheid en eerlijkheid.

Waaraan ik alleen maar kan toevoegen dat ik dat ook nog steeds wil worden. Ik weet nog hoe het voelt om zo iemand te zijn, en er gaat geen ochtend voorbij of ik zie zijn ambitieuze, zelfverzekerde beeld in de spiegel van mijn fantasie. Dat is waarschijnlijk de reden dat ik hen in gangpad 7, gevangen in de gloed van hun stralende relatie en voorspoed, alleen maar met open mond en kloppend hart kan gadeslaan. Na al die jaren ben ik nog steeds niet in staat afstand te nemen van wat ik ooit bezat – een vrouw en een zoon, wier geluk en gezondheid mijn levensdoel waren. Ik droeg een pak naar mijn werk en kwam thuis met een eindejaarsbonus waarbij vergeleken mijn huidige salaris een luizenfooi is. Met mijn zoontje liep ik winkels als deze binnen, en we ontlokten stilzwijgende, hartver-

scheurende herinneringen aan Minor League-winkelbedien-
den als ik. Want de bedoeling van dit leven is godverdomme
toch niet dat je alles kwijtraakt, dat je anderen afschuwelijk
leed berokkent, dat je je trots en goede naam naar de kloten
helpt. Dat je zo diep zakt in de orde der dingen dat je jaren later, mijlenver van huis, inklokt op je werk en naar voren komt
om een klant en zijn zoontje te helpen en je overmand voelt
door boze geesten terwijl je verstikt wordt door een verlammende, onbereikbare behoefte aan boetedoening. Terwijl het
enige wat die oppassende burgers willen een lacrossestick is.

# SAM

Er komt een meisje vlak naast hem aan de bar staan. Ze bestelt twee drankjes. Later zal hij zich niet meer herinneren wat ze bestelde, en van haarzelf weet hij alleen dat ze halflang bruin haar heeft en dat hij haar geen moment heeft gevraagd zo dicht bij hem te komen staan.

Ze leunt met haar rechterkant links tegen hem aan en haakt een hak over de sport van zijn barkruk.

'Hebben jullie gewonnen?'

Hij schudt zijn hoofd.

'Volgend jaar dan maar?'

Over een maand studeert hij af, voor hem is er geen volgend jaar. 'Ja, zoiets.'

'Ken je mijn vriendje?'

Ze noemt een naam, iets buitenlands, die hij zich later pas weer zal herinneren. Hij schudt opnieuw van nee, zonder haar aan te kijken, maar ze komt nog dichterbij en drukt haar rechterborst tegen zijn biceps.

'Hij is uit het eerstejaarsteam gezet. Niet zeggen dat ik dat heb gezegd, oké? Hij kijkt naar ons.'

Ze is dronken, dat ziet hij nu. Haar gezicht is zo dichtbij dat hij bijna haar lippen tegen zijn linkeroor voelt. Hij heeft enigszins een afkeer van haar, en zonder kwade bedoelingen – alleen maar om wat ruimte te hebben – geeft hij haar een duwtje met zijn schouder.

Te hard: door de zachte aanraking verliest ze haar evenwicht. Alsof de verspilde kracht die eerder door zijn lijf stroomde, daar is blijven hangen. Ze blijft met haar hak achter de sport van zijn kruk haken, en valt met een lage kreet en een verrassend gewicht tegen de zwarte vrouw links van haar.

Hij komt van zijn kruk af en wil zich verontschuldigen, maar hij wordt vastgegrepen en hardhandig achterovergetrokken: een ogenblik lang zien zijn rollende ogen het bruine plafond, hij zweeft door de lucht.

Hij landt met zijn ruggengraat op de grond en knalt met zijn achterhoofd tegen het niet-meegevende hout.

Hij komt versuft overeind, zijn pupillen verwijden zich, en gaat op zijn knieën zitten in het ranzig stinkende zaagsel: zijn geest is zo wazig als de spiegel achter de verbolgen blik van de barkeeper, waarin zijn verdoofde reflectie nog steeds zichtbaar is.

Tot zijn verbazing heeft er zich een kring om hem heen gevormd. Mensen staren van een veilige afstand naar hem, alsof hij nog steeds gevaarlijk is.

Hij is zo stom om geknield te blijven zitten en op zijn achterhoofd te voelen naar bloed.

Plotseling wordt hij door een zware laars tussen zijn schouderbladen getrapt, waardoor hij vooroverduikt over de omgevallen kruk, tegen de onderkant van de bar.

Hij landt op de UConn-plunjezak en de aluminium knuppel treft hem als een koevoet in de borst – een klap die even hard aankomt als een dosis reukzout, zodat er een oudere, rudimentaire pijn vrijkomt. De woede welt in hem op als een gordijn van dierlijk bloed, en plotseling wordt alles, behalve wat er in hem woedt, zo stil als een onderwatertafereel. Hij denkt niet meer, hij handelt alleen maar. In één razendsnelle beweging ritst hij de zak los, trekt de knuppel eruit, springt overeind en draait zich om naar zijn aanvaller – net zo'n jonge hengst als hijzelf en dus zijn medelijden niet waard – en stoot de knuppel met twee handen, en met alle kracht die hij in zich heeft, in de maag van de ongelukkige.

# RUTH

Zittend op de rand van haar bed in haar onderbroek, met de ivoorkleurige beha als een neergeschoten fazant over een stoelleuning, wrijft ze langzaam de belachelijk dure homeopathische crème in de beschadigde zijkant van haar linkerborst.

De operatiewond is goed genezen, zodat de verwijderde lepelvol weefsel onzichtbaar is voor het oog van de onbekende bij drieënzestig procent van alle vormen van belichting (schat ze). Hoe dan ook, het is volgens haar de hippocratische benadering en niet de vraag hoe het eruitziet die het belangrijkst is. In tegenstelling tot haar oncoloog in New Haven, wiens relatie met de niet-wetenschappelijke takken van de geneeskunst in het gunstigste geval afwijzend en in het ongunstigste geval ronduit beledigend is, heeft haar genezer in New Milford uitgelegd dat de voornaamste positieve werking van de crème, die zeldzame Peruviaanse of Senegalese boomschors bevat, een onbekende medische uitwerking heeft en in ieder geval niet pijn doet, waarschijnlijk wordt veroorzaakt door de toepassing ervan, de simpele maar geheimzinnige mogelijkheden van menselijke aanraking die wordt uitgevoerd op een manier die in harmonie is met oude oosterse wijsheden. De genezer, een oudere Roemeen met donkere, onrustige ogen, vervolgde met de opmerking dat deze vorm van handoplegging iets was wat haar echtgenoot zou kunnen doen en hij op dagelijkse basis wellicht prettig zou vinden. (Hij beweerde over enig bewijsmateriaal van die strekking van andere patiënten te beschikken.) En terwijl Ruth in zijn stille, aangenaam geurende kantoor met de veertien potplanten zat, had ze de moed of het lef niet zijn idee belachelijk te maken door te vertellen dat ze, ondanks de ellende die afgelopen winter het gevolg was van haar opstandige cellen, de arme Norris op straat had gezet zonder hem te vertellen over haar medische toestand, zodat ze voortaan een niet-gecertificeerde eenmansmassagesalon dreef.

Ze komt bij het kuiltje in haar borst, en haar vingers deinzen onwillekeurig terug en weigeren te accepteren wat ze voelen. Ze dwingt ze hun taak te vervullen, wat ze schoorvoetend doen, waaruit blijkt, denkt ze, dat haar geest nog sterk genoeg is om die vingers haar verwarde wil op te leggen. Niettemin is het een ontmoedigend moment. In termen van genezing heet dit 'spiritueel', dit niet weten of iets je einde gaat worden, die mengelmoes van onwetendheid en mogelijk bedrog. Misschien is dat het. Maar bovenal is het simpelweg een schandvlek. Op haar zevenenveertigste heeft ze zich allang neergelegd bij de aanval van de zwaartekracht op haar betere delen – ooit had ze schitterende tieten, en een bijbehorende kont –, maar dat snijden in haar met een mes, die koelbloedige verminking, hoe accuraat en noodzakelijk ook, is meer dan ze kan verdragen. Het geeft haar het gevoel – ondraaglijk en op dagelijkse basis – hoe weinig ze altijd heeft voorgesteld.

De tv staat op *Good Morning America*: een reclame voor diepvriespizza, gevolgd door een voor aambeienzalf. Ze wacht met een gênant soort passiviteit op de belachelijk vrolijke weerman die haar zal vertellen waar het vandaag in ons geweldige en hoopgevende land zal regenen en waar de zon schijnt.

Ja, waar niet?

De crème is spoorloos verdwenen. Ze haalt haar vingers weg. En de borst blijft hangen, bewegingloos maar schreeuwend. Ze zal niet luisteren naar de dingen die ze allemaal tegen haar zegt – de terzijdes en bedreigingen, de zelfmedelijdende verzoeken en woedende monologen –, want dat zijn de hare. Op de een of andere manier en zonder vooropgezette bedoeling is ze de maffe buikspreker van haar eigen lichaam geworden.

Ze denkt aan Sam. Die ook van haar is. Die haar gezondheid zal terugbrengen, áls iemand dat al kan. Tijdens de jaren dat ze bij elkaar waren (die voor haar gevoel de enige jaren waren dat ze alles in kleur zag), wat haar persoonlijk ook overkwam, de kleine overwinning of de enorme vergissing, was de gedachte aan hem, van de moeder aan de zoon, al genoeg om zichzelf een plaats te verwerven in zijn leven in plaats van in het hare, haar indien nodig aan de haren uit het egocentrische moeras van haar eigen bestaan te trekken en haar in de vruchtbare, altijd veranderende tuin van het zijne te plaatsen.

Om hem te kunnen zien moest ze zich een voorstelling van hem maken. Om zich een voorstelling van hem te maken moest ze oprecht van hem houden. Om echt van hem te houden moest ze op de een of andere alchemistische manier van zichzelf houden, van de moeder die ze kan zijn.

# SAM

Het gegil komt van de vriendin.

De kroeg is in shock.

Op de met zaagsel bedekte vloer van O'Doul's ligt een jongeman.

Sam voelt dat de lucht om hem heen ijler wordt. Hij maait blind om zich heen, met de knuppel nog in zijn hand: grote en kleine mensen deinzen terug.

Een gedempt kreunen brengt hem terug naar het misselijkmakende midden van de kroeg, waar het lichaam ligt te kronkelen.

'Nic,' zegt de vriendin smekend. 'Blijf liggen. Blijf liggen!'

Sam doet zijn hand open. De metalen knuppel klettert tegen de vloer met de dode echo van een gebarsten klok. Een paar tellen later voelt hij dat zijn arm ruw wordt beetgegrepen, en de barkeeper grauwt achter hem: 'Verroer je niet, godverdomme.'

Zwijgend, maar met alle energie die hij in zich heeft dwingt Sam de gewonde op te staan.

'Ik heb de politie gebeld,' roept iemand van achter uit de zaak.

Plotseling komt de gewonde hijgend en kreunend overeind op een knie. 'Geen politie...'

'Nic, blijf liggen!'

'Geen politie.'

'Stomme klootzakken,' zegt de barkeeper tegen Sam. 'Stomme, ellendige klootzakken.'

Met dierlijke kracht, als iemand die een schuivende berg afval wil beklimmen, komt de man klauwend half overeind. Een paar minuten nog dreigend en nu hijgend en voorovergebogen; hij kijkt niemand aan, zijn ogen zijn poelen van pijn en schaamte. Een Chaplin-achtig gewankel, drie zwalkende stappen; dan grijpt hij naar zijn maag, hapt vloekend naar adem en klapt dubbel.

'Wacht verdomme op de ambulance,' smeekt zijn vriendin.

'Hou je bek, godverdomme.'

Hij zwaait wild een arm om haar schouders, het dode gewicht trekt haar bijna naar de grond. Terwijl de hele kroeg zwijgend toekijkt, weten ze op de een of andere manier de zaak uit te schuifelen als één groot, gewond dier, en ze verdwijnen in de nacht.

In O'Doul's blijft een sfeer van gêne en verwarring achter. Zonder lichaam is het niet helemaal duidelijk wat er precies gebeurd is.

Vanaf de vloer vlakbij staart de UConn-plunjezak hem verwijtend aan, de witte letters lijken te gloeien.

Er is nog een smalle doorgang, uitgespaard door pure agressie, naar de deur. Nog een paar tellen, denkt hij, en ik kan er niet meer door.

# EMMA

Terugdenkend aan het begin weet ze niet meer wanneer ze hem voor het eerst zag. Hij is er gewoon, onderdeel van het geheel, de klasgenoot van haar broer op de Sherman R. Lewis School in Wyndham Falls, twee jaar ouder dan zij, tamelijk klein voor zijn leeftijd, met haar dat de kleur heeft van zonlicht op een goudgeel zandstrand en witte tanden die nauwelijks het daglicht zien. Hij speelt trompet maar niet erg goed, ondanks het feit dat zijn moeder de muzieklerares op school is. Zijn talent voor de trompet komt nooit in de buurt van Josh' talent voor de viool. Niet dat dat per se moet, maar later zal er, zonder dat hij dat wil, geen ontkomen zijn aan die vergelijking. Soms ziet ze hem na school op de bus staan wachten, altijd een beetje apart van de anderen, met het instrument in de zwarte kist, als een vermoeide stofzuigerverkoper. Het verschil is dat hij nog maar een kind is en niet aan het einde van zijn leven staat maar aan het begin.

In 1994, nadat een achtendertigjarige jurist uit Box Corner genaamd Dwight Arno zich eindelijk aangeeft bij de politie voor de hit-and-run van haar broer, krijgt de zoon van die moordenaar – de jongen die bij Josh in de derde klas zat, Sam Arno, de loner, klein van stuk en te verlegen om te lachen, de jongen aan wie ze nooit aandacht had besteed en van wie ze zich niet herinnert wanneer ze hem voor het eerst zag – plaatselijk een negatieve bekendheid.

Denk aan de achterkant van een reclamebord langs de I-95,

met zo'n lelijke metaalconstructie en de verborgen graffiti: als je er toevallig eens goed naar kijkt, rij je per definitie in de verkeerde richting, naar vijandig, tegemoetkomend verkeer.

En ze weet dat ze niet anders is, niet echt.

Ze zijn als twee satellieten: de ruimte in geschoten om rond dezelfde dorre maan te cirkelen, zo nu en dan zien ze een glimp van elkaar door een asgrauwe duisternis, maar nooit stilhoudend om vragen te stellen bij de eigenaardige, gemeenschappelijke omstandigheden waarin ze verkeren of bij hun motieven.

En dat is misschien begrijpelijk: zijn vader zit inmiddels in de gevangenis, en gevangen in de beklemming van hun emotionele verwoesting, geldt dat eigenlijk ook voor haar ouders.

# SAM

Het is bijna vijf uur 's morgens als hij terug is in het studentenhuis. Wat er over is van zijn uniform stinkt naar verschaald bier en angstzweet. Zijn lichaam doet op allerlei onzichtbare plekken pijn. Nadat hij de kroeg was ontvlucht, heeft hij door bekende straten en over onbekende terreinen gerend, gewandeld, gerend en urenlang stilgezeten, uren die aanvoelden alsof hij viel, en hij wist niet wat hij moest doen of waar hij heen moest.

In de gemeenschapsruimte brandt één lamp. Zijn kamergenoot Jake hangt met een ernstige blik onderuit op de doorgezakte bank.

'Het is mijn schuld. Ik had bij je moeten blijven.'

'Ik moet nu echt naar bed,' mompelt Sam, maar zijn benen bewegen niet.

'Ik was op een feestje bij McMahon. Een uur geleden kwam er een gast binnen die zei dat een vriend van hem met spoed geopereerd was. Kroegruzie bij O'Doul's. Inwendige bloedingen of zoiets. Zéér zware verwondingen, verdomme.' Jake leunt voorover, hij kijkt Sam doordringend aan. 'Iemand heeft hem een honkbalknuppel in zijn pens geramd. Er gaan geruchten dat jij het was.'

De plunjezak in Sams handen wordt steeds zwaarder. Hij zet hem neer.

'En godverdomme geen gelul van dat hij begon. Kan me geen zak schelen. Dat heb ik tegen die lul op het feest ook gezegd, ik heb gezworen op de trouwring van mijn moeder dat het uitgesloten was – fokking uitgesloten – dat mijn kamergenoot zo stom of zo gek of zo fout zou zijn om zoiets fokking stoms te doen.'

Er volgt nog meer, maar de woorden vervagen tot een brij. Een deel van Sam neemt de kwalijke implicaties in zich op; een ander deel stoot ze af als een regenbuitje.

Totdat Jake op een bepaald moment opstaat en zegt dat hij moet gaan douchen en daarna wel weer kan nadenken. Vervolgens gaan ze ontbijten. Onder het ontbijt bedenken ze wel een plan de campagne.

Een plan de campagne, ja hoor. Sam knikt naar zijn vriend – althans, dat denkt hij. Hij neemt de UConn-plunjezak mee naar zijn kamer. Hij sluit de deur.

Alleen met zichzelf staart hij naar het steeds feller wordende licht van de zonsopkomst dat zich uitspreidt van het raam tot aan zijn voeten

Er is iets kapot in hem; er is iets afschuwelijks uit zijn schuilplaats gekomen. Hij heeft genoeg in zich om iemand te kunnen doden, of zichzelf. Hij weet niet wat voor gif het is, maar hij weet zeker dat hij nu, op het niveau van bloed, de betekenis van het woord 'ondergang' begrijpt. Een plotselinge overtuiging, als het blaffen van een hond, maakt zich van hem meester: wegwezen, rennen en niet meer omkijken. Iemand vinden, zo ver mogelijk weg, die hem onder zijn hoede kan nemen en hem kan verstoppen voor de schone wereld.

Voor de tweede keer in twaalf uur tijd denkt hij aan zijn vader.

Hij ritst de plunjezak open en smijt de inhoud op de grond. Te midden van de rotzooi van vandaag liggen de kleren die hij aanhad voor de wedstrijd.

Hij pakt razendsnel zijn spullen.

# DWIGHT

Klokslag halfeen. Ik kijk door de grote ruiten naar buiten en zie de crèmekleurige Mercedes coupé van Tony Lopez het parkeerterrein op komen rijden.

Tony laat iedere morgen op weg naar het werk zijn auto wassen. Ik kijk toe terwijl hij een vlekje of krasje controleert, dat op deze afstand voor mij onzichtbaar is. Even poetsen met de zoom van zijn shirt en hij loopt weer verder, terwijl hij een kritische blik op het uithangbord werpt waarop de indrukwekkende verzameling trofeeën staat vermeld die hij en zijn broer Jorge hebben veroverd op de honkbal- en footballvelden van Arenas High School, op het veiligheidshek dat ik niet helemaal heb opgerold. Fronsend herstelt hij mijn nalatigheid, waarna hij de winkel betreedt, een blik werpt op Sandra achter de kassa en haar de opdracht geeft zich behoorlijk aan te kleden, en vlug een beetje.

'Wat is er nu weer?' zegt ze klagend met haar handen in de zij.

Hij heeft gelijk, ik zie het ook: haar haltertopje is als een fluorescerende vitrine voor haar persoonlijke trofeeën, en haar naambadge als een fanatieke extreme sporter die op het punt staat zich van de hellingen van Mount Shasta af te storten, een wisse dood tegemoet.

Sandra roept naar Derek dat hij haar plaats even moet innemen, en beent door gangpad 9 en via de veiligheidsdeur naar het magazijn.

'Die meid,' moppert Tony hoofdschuddend, 'die denkt dat ze gewoon een gratis voorstelling kan geven en dat iedereen daar blij mee is.'

'Sommige mensen zullen er wel blij mee zijn,' zeg ik.

'Maar ze is mijn níchtje,' zegt Tony, waarmee hij het onderwerp afsluit.

Om de paar weken lunchen Tony en ik samen in een nabijgelegen Mexicaanse cantina, een volgend bedrijfje in het bescheiden zakenimperium dat hij langzaam maar zeker aan het opbouwen is. Die gezamenlijke lunches begonnen niet lang nadat hij mij zes jaar geleden in dienst had genomen als verkoper – ongetwijfeld als een manier om een oogje te houden op een nieuwe medewerker met een bepaald verleden. Maar het pleit voor Tony dat ik bij die maaltijden nooit het gevoel krijg dat Grote Broer meekijkt. Hij is een paar jaar jonger dan ik en langer van stuk, maar heeft er geen enkele behoefte aan de nadruk te leggen op onze verschillende posities, afgezien dan van het overduidelijke feit dat ik nu voor hem werk. Hij respecteert het dat ik, voorafgaand aan mijn problemen aan de oostkust, rechten heb gestudeerd en een poosje als advocaat werkzaam ben geweest. (En misschien heb ik hem, om zijn onverwacht welwillende houding tegenover mij niet te frustreren, geen volledig beeld geschetst van mijn vorige professionele wederwaardigheden.) Hij is ook oprecht geïnteresseerd in de verstoorde relatie met mijn zoon.

Want afgezien van de modieuze shirts, dure lichtgewicht broeken en designzonnebril met gouden montuur die hij onafgebroken op zijn gebronsde, kalende schedel heeft, is Tony een echte familieman. Zijn knappe blonde vrouw Jodi, en hun zeven jaar oude meisjestweeling Ruby en Jade (Tony en Jodi zijn volgelingen van een bepaalde trend onder kijkers naar Home Shopping Network om hun kinderen bepaalde namen te geven) zijn de grootste vreugde in zijn leven, en hij heeft de gewoonte pasfoto's van hen uit te delen aan bijna-vreemden. Hij heeft het vaak over zijn geliefde moeder (*Papi* is 'm gesmeerd toen Tony en Jorge nog in de luiers lagen) en de Spaanse wijk van Los Angeles waar hij opgroeide, en bij mij komt dat nooit over als praatjes voor de vaak. Omdat Tony en ik in de loop van de tijd vrienden zijn geworden – hij staat hoog op mijn korte lijstje van mannen met wie ik graag naar football kijk – ga ik zo nu en dan naar het huis van Jodi en hem aan de voet van de Santa Ynez Mountains, voor uitgebreide, feestelijke etentjes waar ik, na een paar tequila's, altijd het gevoel krijg dat er overal ballonnen en piñata's zijn opgehangen, ook al is dat niet het geval.

Vandaag bestel ik bij de lunch de grote kip-tacosalade (die wordt geserveerd in een soort knapperige sombrero, die je, als je er zin in hebt, bij het verlaten van het restaurant op je hoofd mag zetten) en neem me in stilte voor de patatjes te laten liggen. Sinds ik in Californië woon, drink ik overdag alleen nog Dr. Pepper light, en verder probeer ik te eten zoals de inboorlingen. Ik doe elke dag aan sport en ben dol op vers fruit.

Een van de ironische aspecten van gedwongen opname is dat de vele uren nietsdoen die je dreigen te verstikken er ook toe kunnen leiden dat je in een uitstekende vechtconditie komt. Op sommige plaatsen is het mogelijk dat je de handafdrukken van een moordenaar – of van een belastingontduiker, want die zien er vrijwel hetzelfde uit – nog vaag ziet op de smerige betonnen vloer. Die heeft maandenlang, jarenlang dag in dag uit zijn push-ups gedaan om zich voor te bereiden op een confrontatie zonder naam of prijzengeld. Daar zit onze man; zijn borst-, arm- en dijspieren zwellen steeds meer op, hij ontdekt buikspieren die hij sinds zijn middelbareschooltijd niet meer heeft gezien, maar in werkelijkheid maakt hij er niemand bang mee behalve zichzelf. Want ondanks alle energie die hij in zijn lichaam steekt, zal hij dat keiharde pantser dat hij op dagelijkse basis probeert te smeden, het mysterie van het hele systeem – de tragedie waardoor hij hier überhaupt terecht is gekomen – nooit beter leren kennen, en dat zal altijd zo blijven.

Op die ene schitterende dag op de kalender die nooit liegt, zal hij door de staat worden uitgekotst. En als onze man ongelooflijk veel mazzel heeft en vasthoudend is, zal hij uiteindelijk terechtkomen in omstandigheden die lijken op een menselijke samenleving. Een kijkdoos, maar met echte zon. En daarin zal hij zijn dagelijkse oefeningen blijven doen – we noemen het geen 'regime', want dat suggereert een goede gezondheid en verplichte maandelijkse bijdrage – die hij in de gevangenis heeft aangeleerd. Een zeker aantal oefeningen, een bepaalde reeks poses. Met de hem typerende zelfdiscipline bestelt hij de salade; de frietjes zal hij laten liggen. En de ironie van dat alles ontgaat hem niet: dat hij zichzelf in een goede conditie houdt om datgene te tolereren of te bestrijden waar hij niets van begrijpt. En dat, net als het mooie Californische weer, altijd genadeloos op hem af zal blijven komen. Op deze manier zou hij weleens heel oud kunnen worden.

'Hé,' zegt Tony vriendelijk, en hij knipt met zijn vingers. 'Dit is zakelijk.'

'Juist.'

'Als je erbij wilt horen, moet je actief zijn.'

'Ik ben actief, Tony.'

'O ja?' Hij kijkt me sceptisch aan, heeft absoluut geen haast. Er fonkelt iets van de eigenaar in zijn blik, alsof ik een tweede auto ben en hij me controleert op krassen of deuken. Het valt me op, en niet voor de eerste keer, dat hij de enige in de hele staat is die op de hoogte is van mijn strafblad. Hij heeft vanaf het begin beloofd dat hij die informatie voor zich zal houden, zolang ik me houd aan de verantwoordelijkheid die me is gegeven. Ik heb zijn vertrouwen weten te winnen en nu zijn we vrienden geworden. Geen partners, maar een soort teamgenoten – ongeveer zoals de sjouwer in de pitcrew ook een teamgenoot is, die tegelijk met de anderen wordt uitbetaald, ook al mist hij de intelligentie en het talent voor de schijnwerpers.

Ik neem een slok cola light en bereid me voor op Tony's vonnis. In mijn positie breng ik veel tijd door met wachten, me met handen en voeten vastklampend totdat anderen hun oordeel uitspreken.

Uiteindelijk lacht hij zijn *telenovela*-grijns. 'Ik probeer je scherp te houden, *hombre*.'

Ik lach terug.

'Die bakkerij bij het viaduct van de 217? Ik heb het gevoel dat ze willen verkopen. Weinig wandelend publiek en stijgende grondprijs. Ik weet wel raad met zo'n plekje. Misschien moeten we even gaan kijken?'

'Denk je aan sportartikelen?'

'Misschien een sportschool. Atletiekcentrum. Begin van een keten.'

'Dan ga je dus een andere kant op,' antwoord ik behoedzaam.

'Ja en nee.' Tony neemt een laatste slok mineraalwater en werpt een fronsende blik naar de keuken, waar een chaotisch lawaai weerklinkt. 'Kwestie van *branding*.'

Ik knik, omdat dat me de enige juiste reactie lijkt en omdat ik niets zinvols bij te dragen heb aan het gesprek. Bovendien vraagt hij niet naar mijn mening. Ooit – toen ik een jonge advocaat was in Hartford (mijn eerste klus in die zwaar bekritiseerde stad in het noordoosten) en honderden dollars per uur ving, had ik wat te melden, tegen een bepaalde prijs, over ieder voorstelbaar onderwerp.

Voor zover ik me kan herinneren bepalen woorden, volgens de wet, onze lotsbestemming, misschien ook wel onze persoonlijkheid: woorden kunnen ons maken of breken. Maar een nog somberder waarheid is dat het breken meestal in een fractie van een seconde gebeurt, zodat het leven verandert in één enkele, woordeloze handeling. Woorden zijn het laatste wat je hoort voordat je de duisternis van het hiernamaals binnenglijdt, nagels aan je doodskist.

# RUTH

Volgens haar is het bericht dat ze vanavond inspreekt op de voicemail van Sams mobiele telefoon – de enige telefoon die hij heeft, waarvan hij de maandelijkse abonnementskosten betaalt van zijn vakantiebaantje – onbetwistbaar door het gebrek aan emotionele ondertoon: hij kan het volkomen negeren, als hij wil, en er nooit meer aan terugdenken.

Ze zegt niet: *Ik ga er steeds meer uitzien als zo'n oude vrouw die je op straat een dollar zou geven.*

En ook niet: *De echte reden waarom ik thuis zo vaak en zo fanatiek pianospeel is niet mijn levenslange passie voor muziek, maar eerder de wens om mijn groeiende neiging de kop in te drukken om hardop tegen mezelf te praten, en dat, zo weten we allebei maar al te goed, zou uiterst gênant zijn.*

En ook niet: *Ik moest gisterochtend ineens aan je denken en kon er toen niet meer mee ophouden. De hele dag lang, weet je dat? Hoewel ik deed wat ik moet doen om een normaal mens te lijken. Maak je geen zorgen, ik ben niet gebroken. Ik wilde alleen maar even je stem horen.*

Dit is het integrale bericht dat ze wél inspreekt: 'Sam, hoi, met mam... Ik bel gewoon even, je weet wel, niets bijzonders... Gewoon even vragen hoe het met je gaat... Ach, wat stom van me: hoe ging de grote wedstrijd? Sorry dat ik er niet bij kon zijn. Vertel het me allemaal maar eens als je tijd hebt... Oké, nou... Veel liefs... Dag...'

Er zijn toespraken die tot oorlogen en zelfmoord hebben ge-

leid. Dit is er niet zo een. Het is een penny die in een heel diepe put wordt gegooid. Ruth heeft nog héél veel penny's: zo'n
soort vrouw is ze nu eenmaal.

Je laat je muntje los en wacht op de plons en de echo; je
houdt je adem in of je bidt. De rest is een kwestie van hoe je er
verder mee omgaat.

Ze gaat achter de piano in haar woonkamer zitten wachten.

# SAM

De halte van de Greyhound in Las Vegas.

Niemand ter wereld weet waar hij is. Dit zou vrijheid kunnen betekenen, maar dat is het overduidelijk niet.

Zittend op een bank in de wachtkamer, met een baard van drie dagen, kijkt hij toe terwijl de helft van de andere losers met hun rugzakken en versleten koffers wegsluipt in het onvergankelijke licht van deze ochtend in Nevada.

Vegas, baby.

Niemand om hem te begroeten. Als ze vertrokken zijn, mist hij ze, piekert hij over hun lot, hoewel hij tijdens de lange, gezamenlijke reis over het continent halsstarrig iedere vorm van contact heeft vermeden. Die arme ongewassen busfiguren hebben blijkbaar hun bestemming bereikt.

Een glimp van zijn eigen persoon raakt hem onverwacht als een geestelijke stomp in de maag. Hij gaat bijna tegen de vlakte, maar net niet.

# DWIGHT

Tegen vijf uur, één uur voor sluitingstijd, lummel ik wat rond bij de overvolle afvalcontainer achter de zaak, en aan mijn voeten ligt een keurig hoopje halfopgerookte peuken. Eentje per dag is mijn zelfopgelegde maximum – uiterst redelijk, zou ik zeggen, gezien het feit dat ik waarschijnlijk de laatste nicotinejunk in de hele staat ben en in mijn eentje verantwoordelijk voor de instandhouding van de tabaksindustrie. Ik laat het hoopje duidelijk zichtbaar liggen zodat iedereen die erin geïnteresseerd is kan zien dat ik door mijn zelfbeheersing elke kankerstok maar half oprook. Elke zaterdagmiddag veeg ik het hoopje persoonlijk op, zodat ik op maandag opnieuw kan beginnen. Ik ben een gewoontemens. Als een hond die tegen een struik piest.

Maar officieel houd ik toezicht op het uitladen van een vrachtwagen van Nike, die achterwaarts tegen het laadplatform van de zaak staat geparkeerd: grote dozen met Nike-golfclubs en Nike-voetballen en -rugbyballen en Nike-atletiekschoenen met en zonder spikes of noppen, *high-tops* en allerlei andere spullen en kleding van Nike, lycra en katoen, strak en ruimvallend. Noem het wettelijk toegestane pornografie – een man die in het volle daglicht mag toekijken (nee, er zelfs voor wordt betaald, hoewel niet veel) naar het onthullen van bescheiden maar tegelijk heilige voorwerpen (ballen, sticks en netten) die in de juiste handen, op smaragdgroene droomvelden op een mooie dag een hoofdrol zullen spelen in de heroïsche verhalen van zijn onbekende leven, betere herinneringen dan de zijne.

Het geluid van gedribbel onder de basket, echo's uit zijn kindertijd: het is Evander, Tony's aangetrouwde neefje van zesentwintig, die in het magazijn werkt en allerlei klusjes voor ons opknapt, als hij tenminste niet high is en bij de pieren achter de meiden aan zit. Tony is een familieman, er is plaats voor iedereen met een bloedband, en hij zet een ruime financiële paraplu voor hen op. Evander draagt een felgroene kuitbroek à la Nadal en een gestreept paars Pacific Sunwear-singlet, gooit de bal tussen zijn benen door, loopt om de basket heen en probeert een jumpshot.

'Oeoeoesj. Raak.' Hij doet alsof de bal door het onzichtbare net glijdt, en een van de gasten van de Nike-truck – type zwaargewicht met een kaalgeschoren knikker – draait zich om en bekijkt dat grote, woest geklede kind eens goed. De bal die Evander in handen heeft is uiteraard een Nike, vers van de wagen. Het kartonnen frame waar de bal in zat, ligt in stukken gescheurd op de grond – weer zoiets wat het joch nooit van zijn leven zal oprapen of betalen.

'Evander?'

Hij grijnst breed naar me, zijn rechterhand gebogen alsof hij zojuist de winnende driepunter heeft gescoord in het Staples Center.

'Denk je dat je iets nuttigers kunt gaan doen in plaats van nepbasketbal?'

'Zoiets als roken?' De grijns wordt venijnig, alsof hij wil zeggen: Jo, man, ik ben familie en jij niet. 'En kanker krijgen of zo?'

'Ik ben toevallig aan het werk.'

'O ja? Ik ben toevallig Kobe Bryant.'

'Het spijt me dat ik je moet teleurstellen: jij bent blank en klein.'

'*Dude?* Man, hoe oud ben jij helemaal?'

Ontspannen dribbelend huppelt hij het gebouw in.

'Ik ben godverdomme vijftig, lul,' zeg ik tegen niemand in het bijzonder.

De lange gast van de Nike kijkt me verontwaardigd aan. Ik haal mijn schouders op, trap mijn sigaret uit en gooi die op het hoopje bij de afvalcontainer.

Ik loop het gebouw weer in en voel dat de airco te hoog staat. Dat is een gevoelig punt voor Tony, die de rekening moet betalen. Ik loop door het magazijn naar de technische ruimte en zet de airco een paar graden lager. Ik ben functioneel bezig, ik doe van alles, maar in gedachten ben ik bij Penny Jacobs, de knappe en verfrissend openhartige hoogleraar Engels aan de UCSB die morgenavond bij me komt eten – en als de sterren gunstig staan en de goden een beetje veel hebben gedronken misschien ook wel blijft ontbijten.

Ik heb Penny in de week voor Kerstmis hier in de zaak ontmoet, om precies te zijn in gangpad 6 (watersport, kampeerartikelen). Ze kwam kijken naar snorkelspullen voor haar dochter die, zei ze met een lichte ondertoon van vrouwelijke ergernis, naar Florida ging, 'op bezoek bij haar vader'. Die toon en woordkeus trokken mijn aandacht, evenals haar korte bruine haar en slanke, maar gespierde tennisbenen. En ook het grote dikke boek dat ze bij zich droeg (de enige klant die ik dat ooit heb zien doen) in haar ringloze linkerhand. Bij navraag bleek het boek de verzamelde brieven te bevatten van Elizabeth Bishop, een dichteres van wie ik nog nooit had gehoord, maar die een heel beroemde was, daarvan was ik overtuigd. Inmiddels luisterde ik scherp terwijl ik dingen vroeg als: 'En welke schoenmaat heeft uw dochter?' en in haar kastanjebruine ogen staarde terwijl ze vertelde over een literair genie dat in Brazilië had gewoond, lesbisch was en tegelijkertijd waarschijnlijk ook verliefd op een andere grote, behoorlijk krankzinnige dichter, ene Robert Lowell (met wie ze het blijkbaar nooit had gedaan), en die – Bishop, niet Lowell – soms vijftien jaar lang werkte aan één gedicht, waarvan ze de kladversies op haar koelkastdeur plakte. En terwijl ik een paar zwemvliezen uit een doos haalde, zei ik: 'Dit zijn de beste vliezen om mee te snorkelen', of dat soort slap gelul, want dat is mijn werk. Ze glimlachte fijntjes en allesbehalve neerbuigend, met een soort ondertoon van: het geeft vast een kick om dingen te zeggen als 'Dit zijn de beste vliezen om mee te snorkelen', wat in feite, als je erover nadenkt, in al zijn banaliteit ook een soort poëzie is. En dat alles kwam me nogal ongebruikelijk en aantrekkelijk voor onder de gegeven omstandigheden – namelijk in een sportzaak – en kwam veelbetekenend bij me over, en niet alleen omdat ik zo lang als een monnik had geleefd dat ik me begon te voelen als Thomas Merton (de enige monnik wiens naam ik kon onthouden).

Dus voordat ik het wist bood ik Penny Jacobs vijfentwintig procent korting aan voor de artikelen (eersteklas spul en aanbevolen door *Consumer Reports*) in ruil voor haar telefoonnummer.

Ze ging in op mijn voorstel, maar pas na ampele overweging.

'Baas?'

In gedachten verzonken ben ik in de winkel zelf beland, waar ik word begroet door Chang Sook Oh, voormalig manager van het studententennisteam van de UCSB, en veruit onze meest gewetensvolle medewerker, die uit het magazijn komt met twee dozen met ijshockeyschaatsen voor een wachtende klant.

'Wat is er, Chang?'

'We hebben geen Merrells meer in maat 42 tot en met 48. En we zijn ook bijna door de Salomons heen. Zal ik ze bestellen?'

'Controleer eerst even bij Derek waarvan hij te weinig heeft. En zeg tegen Mike van Distributie dat we de kwantumkorting willen. Ze hebben ons de vorige keer te veel laten betalen.'

'Oké, baas.'

Chang draagt keurige kleren, kamt zijn haar en gaat elke zondag naar de kerk. Hij is de enige in heel Amerika die me 'baas' noemt.

'Hoe is het met je moeder, Chang?'

'Een stuk beter vandaag, dank u, baas.'

Ik kijk hem na terwijl hij verder loopt, op platvoeten maar vederlicht. Zijn moeder heeft nierproblemen, waar ze waarschijnlijk binnen niet al te lange tijd aan zal overlijden, maar dat joch klaagt nooit en mist nooit een dag op het werk. Een goede zoon. Ik zie hem in gedachten haar opgezwollen voeten wassen in water dat ruikt naar Koreaanse kruiden, 's ochtends een tupperwarebakje met een lunch voor haar klaarzetten voordat hij naar zijn werk gaat en het dialyseapparaat controleren om zeker te weten dat ondanks de erger wordende chaos van de laatste jaren dit ene belangrijke apparaat blijft werken volgens de garantie.

Natuurlijk zijn dergelijke mijmeringen van een man van middelbare leeftijd over een jongeman van de leeftijd van zijn eigen zoon van een grote subjectiviteit. Zoals de meeste kerels van mijn soort (wat dat ook betekent), ben ik waarschijnlijk gewoon een narcistische zalm die telkens terugkeert naar mijn met lijken overdekte paaigrond, waar ook ik, tenzij er iets nog veel ergers gebeurt, op een dag in alle rust zal sterven.

Eén ding is zeker: als ik kijk hoe Chang Sook Oh zijn op een stoel gezeten klant benadert aan het einde van gangpad 9 (ski's, snowboards, schaatsen, wintersportartikelen, ijshockeyspullen), neerknielt en vol overgave, als op een zilveren dienblad, de koopwaar aanprijst als een speenvarken op een feest, als ik hem met zachte, bemoedigende stem hoor mompelen dat 'deze Bauers echt de allerbeste' zijn, voel ik mezelf al wegzinken in het riool van zelfverwijt dat niets te maken heeft met deze fatsoenlijke jongeman of zijn stervende moeder, maar alles met mijn eigen gemoedstoestand.

Bij de kassa beëindigt Sandra net een telefoongesprek: 'Dank u wel, u hebt een goede keus gemaakt.'

Exit klant met twee blikjes Penn-tennisballen, rollen Tournatennisgrip, een pakje metalen oogjes en een Wilson-zonneklep.

'Nou ja,' mompelt Sandra in zichzelf.

'Is Tony er al?' vraag ik.

'Hij moest met zijn hond naar de dierenarts. Iets met diarree of zo? Dat beest poept het hele huis onder.'

'Klinkt niet best.'

'Wat is Dudley nou voor hondennaam?' Sandra pakt een SoCal-catalogus en wuift zichzelf koelte toe. 'Wat is het allejezus heet hier. Kun je de airco niet kouder zetten of zo?'

'Die heb ik net lager gezet. Betaal jij de elektriciteit?'

'Tony kan soms zo krenterig zijn.'

'Ik ga even een frisse neus halen.'

'Dat heb je net al gedaan.'

Ik kijk haar aan.

Ze zet haar handen in haar zij – haar brutale houding. 'Denk je dat je zeg maar onzichtbaar bent op de bewakingscamera of zo? Jij hebt een nicotineprobleem, Dwight. Dat is niet best.'

'Ik weet het,' grijns ik.

Ik loop de voordeur uit. Op werkdagen is het lang niet zo druk als in het weekend, en het parkeerterrein staat maar voor een kwart vol.

Voor de schaatsklant van Chang gok ik op de Mercedes suv, en de Subaru Outback lijkt me iets voor het leraarstype dat ik zag snuffelen tussen de Patagonia-fleecevesten in gang-

45

pad 3. Gewoon een privéspelletje van me om de tijd te doden. Er staat een palmboom in een groen bosje tussen de parkeerplaats en de vierbaans Calle Real, en heel hoog glinsteren de bladeren in een bries die ik hier beneden niet voel. De hallucinatie van de eerste slok koud bier van die avond kriebelt in mijn keel, en dat is geen onaangename ervaring.

Dan moet ik plotseling gapen, en meteen daarna ben ik doodmoe.

# SAM

Hij pakt zijn plunjezak uit de bagageruimte. De chauffeur wijst hem waar bijna een kilometer verderop de stadsbus stopt, en hij gaat op weg. Het is laat in de middag en zijn hoofd is wazig van vermoeidheid. Hij beweegt zich voort na drie dagen stilzitten; zijn lichaam doet nog pijn van de vechtpartij, als dat van een oude man met Engelse ziekte.

Hij ziet dat Santa Barbara een schone, welvarende stad is, bijna niet echt. De helft van de straten heeft een Spaanse naam. De weinige mensen die hij tegenkomt zijn bruinverbrand, blond en gekleed in shorts, t-shirts, bootschoenen of teenslippers. Als ze al naar hem kijken, is het met een nieuwsgierig soort achterdocht, alsof hij een haveloos en redelijk gênant verschijnsel uit het Hoge Noorden is, een vaststelling waarmee hij het niet oneens kan zijn. Hij bedenkt hoe koud de nachten in het oosten nog zijn. De mist in zijn hoofd trekt langzaam op; hij herinnert zich dat Emma hem die nacht twee jaar geleden in haar armen nam en haar gloeiende hand van voren in zijn spijkerbroek liet glijden terwijl ze hem tegen de roestige voederbak bij de verlaten boerderij in Falls Village drukte. Het gevoel om voor een keer één lichaam te zijn, twee kapotte stukken samengesmeed in het geheime, bedauwde duister.

Zijn arm begint pijn te doen, en hij blijft staan om de plunjezak met zijn andere hand op te pakken. Er staat een lichte bries uit het westen, waarin hij de zurige lucht van zijn eigen lichaam ruikt, maar hopelijk ook de zilte adem van de Grote Oceaan. Hoewel hij die nu niet kan zien, alleen maar het alomtegenwoordige felblauwe licht en de wervelende, wuivende palmen langs de brede zondoorstoofde straten, waarvan de helle lichtheid hem het gevoel geeft van opkomende wagenziekte.

Hij herinnert zich dat hij naast zijn vader op een bank naar honkbal zat te kijken, de geur van leren meubels en verse popcorn, de zware arm van zijn vader op zijn schouder, die hem tegen zich aan drukt; maar wanneer en welke wedstrijd het was weet hij niet meer.

En zo gaat het: de plunjezak gaat van de ene hand in de andere, de geest is helder maar kijkt terug, de schuin staande zon zalft hem als een getroebleerde pelgrim die tot aan de randen van het continent is gereisd voor een zegen waar hij niet in gelooft, maar waar hij voortdurend naar op zoek blijft.

# PENNY

Op donderdag gaat ze veertig minuten later van kantoor omdat Angela, haar lastigste en meest zelfverzekerde studente (brutale, waarschijnlijk lesbische, zwartharige jongerejaars die *point guard* staat in het studentendamesbasketbalteam en die om de een of andere reden tot op de dag van vandaag leek te geloven dat een gedicht, hoe goed ook geschreven, simpelweg een vergelijking is met een simpel antwoord), onder het voorlezen van een gedicht van de hand van Louise Glück over de dood van haar vader, in haar werkkamer in tranen uitbarstte. Allesbehalve discreet en bedwingbaar, dit grote, intelligente, zelfverzekerde meisje, wier eigen vader op sterven blijkt te liggen. Daar zit ze, snikkend en schouderschokkend, binnenstebuiten gehaald – het zachte binnenste waar de pijn zit, en de woorden, mits integer en waar, wortelschieten. Penny kan niets anders doen dan haar troostend de Kleenex toeschuiven en zeggen: *Ik weet het, ik weet het.* Want ze weet verdomd goed waar het om gaat. Zo niet om deze specifieke regels – *Mijn vader heeft me vergeten/ in de opwinding van het sterven* (nee, Penny's vader mag dan hartstikke gek zijn, hij loopt zichzelf nog steeds onmogelijk te maken) – dan wel om de algemenere ervaring van volledig onderuitgehaald worden, waarbij je hart uit je lijf wordt gerukt, door een paar regels tekst op een bladzijde.

Onderweg naar huis koopt ze bij een supermarkt verse kruiden, rucola en een stokbrood voor haar avondeten. Ze wil een omelet en salade klaarmaken, met fruit als toetje, en terwijl Ali werkt aan haar verslag over de Biafraanse oorlog (beetje heftig voor een kind van twaalf, vond Penny), trekt ze zich terug in haar werkkamertje naast de keuken, gaat op haar Eames-fauteuil met voetensteun zitten (waar ze op een bijna gênante manier dol op is, een cadeau voor haar vijftigste verjaardag van Darryl, haar ex, een van zijn weinige altruïstische daden, dat moet ze terugkijkend toch toegeven), pakt haar originele exemplaar van *The Triumph of Achilles* van Glück uit de kast, en stort zich gedicht voor gedicht in het zuivere, vroege werk als in een diepe, heldere poel waarvan ze de onderaardse bijriviertjes met informatie over verre bergketens kan voelen, maar nooit exact zal kunnen herleiden.

Ze parkeert de auto en loopt het huis in via de achterdeur, regelrecht naar de keuken.

'Je bent laat.' Ali begroet haar met de verscholen blik die ze een halfjaar geleden heeft aangenomen en nooit meer heeft afgezworen. Ze zit aan de keukentafel – met haar bruine haar en volgens Penny al veel te goed gevormd voor iemand die nog geen anderhalve meter lang is – met een flesje Vitamin-water, een zakje gummibeertjes, een metallicroze laptop en een dikke pil over het Biafraanse conflict.

Penny zet de boodschappen op het aanrecht en loopt naar de koelkast voor de eieren. 'Sorry, crisis met een student.'

'Om een gedicht?' Het sarcasme is impliciet, indrukwekkend, moeiteloos.

'Eerlijk gezegd wel, ja.' Ze breekt de eieren boven een schaal en begint de kruiden fijn te hakken.

Ali snuift en stopt nog een gummibeer in haar mond.

'Je bederft je eetlust.' En Penny herinnert zich al pratend automatisch een regel uit een ander gedicht van Glück: *Ooit waren we gelukkig, we hadden geen herinneringen.*

'De Biafranen moesten hun honden opeten toen er geen

geiten meer waren,' deelt Ali mee. 'En ze aten ook hun papegaaien op.'

'Wil je je spullen even opruimen en de tafel dekken?'

'Hele gezinnen werden bruut uitgemoord met kapmessen. Sommigen werden levend verbrand. Het was zeg maar een van de wreedste oorlogen uit de geschiedenis.'

Nog een citaat van Glück: *Ik was naar een vreemde stad gereisd, zonder bezittingen/ in de droom was het jouw stad, ik was op zoek naar jou.*

'Wil je het stokbrood liever warm?'

Kwam het door Angela, die taaie meid die instortte in haar kamer, dat ze zich zo kwetsbaar voelt voor die innerlijke woordstromen over het losraken van het verleden? Penny denkt aan Dwight, de man met wie ze de afgelopen maanden omgaat, en wat haar meteen die eerste dag toen ze hem ontmoette in de sportzaak (of eigenlijk toen hij op haar afkwam), opviel was het grote verschil tussen hem en de andere personen in haar leven. Hij is geen beroemde hoogleraar taalkunde zoals Darryl en geen vlijmscherpe prepuberale herrieschopper als Ali. Hij is absoluut niet geïnteresseerd in die stompzinnige academische politiek of wat er wel of niet cool is onder studenten; hij zou het verschil niet weten tussen een goed en een slecht gedicht, al zou je hem een miljoen bieden. Wat hij wel is, voelt ze instinctief (en ze weet nog steeds niet waarom), is een sterke, concrete man: doorleefd, zelfverzekerd, respectvol, fatsoenlijk. Ze hoeft niet in het duister te tasten naar wat ze aan hem heeft en of hij wel betrouwbaar is. Ze hoeft niet, zoals vroeger, eindeloos veel emotie en energie te steken in pogingen hem te slim af te zijn, hem op het verkeerde been te zetten of – erger nog – tegen hem te liegen.

Ze schuift de omelet op twee borden, legt er voor allebei een stuk stokbrood bij en sprenkelt olijfolie en citroensap over de rucola.

'Ga zitten,' zegt ze tegen Ali, die zuchtend met haar ogen rolt en uiteindelijk, omdat ze twaalf is en geen andere keus heeft, bij haar aan tafel komt zitten.

# SAM

Ten slotte slaat hij een korte straat in die Hacienda heet. Zijn arm die de plunjezak draagt, is verdoofd en inmiddels anderhalve meter lang. Zijn GPS bestaat uit een snipper van een gekreukte en beduimelde envelop waarop zijn vader met zijn typische hanenpoot het retouradres heeft gekrabbeld en die oorspronkelijk een kerstkaart bevatte van een ijshockey spelende Kerstman waaronder zoals ieder jaar dezelfde woorden waren geschreven – *Denk vaak aan je. Veel liefs, je vader* – en een cheque van honderd dollar.

De kaart gooide hij weg, net als alle vorige. De cheque verzilverde hij, net als alle vorige, op weg naar de training bij de cafetaria. Het geld besteedde hij aan een denimshirt met nepparelmoeren knoopjes.

Dat shirt zit nu niet bij zijn bagage, is achtergelaten met de rest. Alleen de envelop met de straatnaam: *Hacienda Street.* Gestuukte bungalows in verschillende pastelkleuren, zonder garage, waarschijnlijk met een achtertuintje. Kleurige bloemen aan de voorkant, in dit propere, burgerlijke straatje in zuidelijk Californië.

Niets voor de vader die hij zich herinnert van twaalf jaar geleden, onmogelijk zelfs: keurige schoenendozen van huisjes die nooit het zware, koude gewicht hebben gekend van sneeuw of wroeging.

Het huis is beige, dezelfde kleur als het huis aan de overkant. Hij staat ertussenin, midden op de stille straat, en kijkt van het ene naar het andere. Voor nummer 28 staat een allesbehalve nieuwe Chysler Sebring cabriolet geparkeerd.

Hij doet het lage tuinhek open en betreedt het betonnen tuinpad. Midden op de deur hangt een klopper in de vorm van een geamputeerde hand die een klein model honkbal vasthoudt. Grappig bijna. Sam herkent de greep als een *two-seam fastball*. Hij controleert het door er zijn eigen hand op te leggen, als een soort privé-inspectie. Hij kan er niets aan doen. Het wit gespoten metaal voelt nog warm aan van de zon.

De laatste worp die hij waarschijnlijk ooit zal zien is een *two-seamer*.

Nu hij aan de andere kant van het land is, komt het allemaal terug, springlevend, in golven, en verdwijnt weer als het vlakbij is.

De knuppel nog op zijn schouder.

De knuppel die diep doordringt in het vlees van een ander.

Hij haalt zijn hand van de klopper zonder een geluid te maken. Er is ook een bel, maar die gebruikt hij evenmin. Hij staat als aan de grond genageld. Het dringt in pijnlijke vlagen tot hem door dat zijn vlucht hierheen een jammerlijke herhaling is van de vlucht van zijn vader twaalf jaar geleden voor diens misdaad. In deze wereld is geen plaats voor 'weg'. Er zit niets anders op, nu hij hier toch is, dan wachten voor het peperkoekhuisje van zijn vader, als een parachutist die toevallig uit de lucht is komen vallen. Waar hij behoefte aan heeft is een röntgenblik. Hij wil door die beschermende deur heen kijken of er binnen een radioactieve dreiging is, of er menselijke problemen wachten.

Plotseling slaat de uitputting toe: al die duizenden zinloze kilometers gereisd, en Hacienda Street is gewoon een illusie, net als alle andere.

Hij had een plan moeten maken. Dit is geen plan.

Hij steekt zijn hand uit, draait de knop om en merkt tot zijn verbazing dat de deur niet afgesloten is; voordat hij het weet, voordat hij spijt kan krijgen van zijn daad, is hij binnen, in het huis van zijn vader.

# EMMA

Vier jaar geleden: haar vader, Ethan Learner – ooit een gewaardeerd hoogleraar en literatuurcriticus – staat voor de doorzakkende boekenplanken in zijn werkkamer met een opengeslagen poëziebundel in zijn hand. Emma is zestien, haar vader zesenveertig; hij heeft veel grijs in zijn donkere haar en ook een ruige baard, die hij als gevolg van verwaarlozing heeft laten staan, en boven de ronde uilenbril zwarte Russische wenkbrauwen die nodig moeten worden bijgeknipt.

Ze is stil blijven staan in de deuropening van die kamer, die zo'n duidelijke sfeer van taboe en straf uitstraalt dat zelfs geoefende bezoekers, zoals familieleden, even aarzelen voordat ze verdergaan.

Een lange stilte: nadenkend over een gedicht wijst hij met een vinger in haar richting, maar hij kijkt haar niet aan.

'Pap, ik slaap vannacht bij Paula. Tot morgen, oké?'

Hij lijkt haar niet te horen. Langzaam heft hij zijn hoofd op en neemt haar met zijn ogen knipperend waar; het is altijd een moeilijke weg terug voor hem. In de afgelopen acht jaar is de moordenaar van zijn zoon naar de gevangenis gegaan, weer vrijgelaten en ergens verdwenen, misschien naar zijn eigen privéhel. Maar hier thuis heeft dat allemaal geen enkel verschil gemaakt, voor zover Emma kan beoordelen, behalve dan die baard.

'Ik zal je iets voorlezen,' zegt haar vader, op een toon die veel ernstiger is dan de omstandigheden vereisen.

Door het raam achter hem ziet Emma, voorbij de donkere, schaduwrijke takken van de oude eik die al sinds mensenheugenis in de tuin staat, de oplichtende remlichten van de auto van haar beste vriendin.

'Pap...'

'Een paar regels maar. Ze heette Katherine Philips.'

'Pap, ik ga, oké? Tot morgen.'

Zijn hoofd zakt nauwelijks waarneembaar terug, alsof ze hem, door zijn gedachtestroom te onderbreken en hem te beroven van zijn gevoel (hoewel ze duidelijk wil maken dat het gevoel eigenlijk niet zíjn gevoel is, maar toebehoort aan weer zo'n dode schrijver), op wrede wijze heeft afgesneden van zijn enige bron van troost. Beledigd richt hij zijn vochtige ogen weer op het boek, en een schuldgevoel kruipt omhoog en doet haar blozen. Hij is Sisyfus, verdomme, snapt ze dat dan niet? En opnieuw heeft dat egocentrische kind ervoor gekozen hem niet te helpen bij het beklimmen van zijn berg.

Ze laat hem daar staan en gaat naar buiten.

In deze tijd van het jaar, de late herfst, is de schemering zo donker als de nacht. Vanuit Paula's auto kijkt ze om, en ze ziet dat haar moeder haar nakijkt vanuit de open voordeur. Ze kijkt alleen maar. Afgetekend tegen het licht van de hal, in een modieus vest, het blonde haar chic gekapt: uiterlijk is ze op haar drieënveertigste de getalenteerde en succesrijke tuinarchitecte die sommige mensen uit Wyndham Falls zich nog herinneren uit de tijd vóór de tragedie.

Maar bij nadere beschouwing is er iets aan de hand met haar. Ze zwaait niet en roept niet: 'Veel plezier, meiden!' zoals alle andere moeders zouden doen. In plaats daarvan mompelt ze, zo zacht als een gewond vogeltje dat in de vallende duisternis naar je toe fladdert: 'Oppassen, hoor!' Gevolgd door het volstrekt overbodige 'Rijd voorzichtig!' waardoor haar dochter haar wil omhelzen en tegelijkertijd wil wurgen. Want dit gaat al zo lang door – de helft van Emma's leven al – dat de herinnering aan die eerdere, zogenaamd gelukkige tijd aanvoelt als een oud laken dat te vaak gewassen is: dun, gevlekt, gescheurd, hier en daar doorzichtig – je kunt er dwars doorheen kijken.

En zo staat het leven er nu voor.

Haar moeder, Grace Learner, draait zich om en doet de deur dicht. Opnieuw afgesloten is het huis enige tijd niets anders dan wat het lijkt te zijn: een 'waardig' oud huis in koloniale stijl, volgens de makelaar, die het over een paar jaar tevergeefs te koop zal aanbieden.

Geur van uitlaatgassen: Paula wacht. Maar Emma kan zichzelf er niet toe zetten nog weg te gaan. Ze blijft gehypnotiseerd door het tafereel staan kijken, een dichtgevroren meer met bevroren levens, en haar blik gaat als vanzelf door het felverlichte raam, naar haar vader, die nog steeds bij de boekenkast gedichten staat te lezen die alleen maar bestaan dankzij de dood van kinderen.

En zoals ze kan voorspellen, verschijnt haar moeder een paar seconden later in de deuropening van haar vaders werkkamer en blijft daar staan wachten, zoals vroeger haar nog levende jongste kind wachtte, tot de man des huizes opkijkt door zijn tranen en haar herkent.

# DWIGHT

Na het werk ga ik naar huis en sta lang onder de douche. Ik blijf zo stil mogelijk staan en laat de harde, kalkhoudende waterstraal op me neerkomen. Daarna trek ik een badstof badjas aan en loop naar de keuken om het eerste pilsje van de avond in te schenken.

Het huis is leeg als ik de badkamer in ga, maar niet meer als ik eruit kom. Ik voel dat er een andere man in mijn huis is; ik schrik, ik voel hem voordat ik hem zie. Mijn spieren verstrakken, en ik loop met kleine, gespannen stappen naar de woonkamer.

Maar in plaats van een vreemde die met een keukenmes staat te zwaaien of er met mijn tv vandoor gaat, tref ik tot mijn verbijstering een knappe, slanke, gespierde, ongewassen jongeman aan op de bank, zijn lange benen voor zich uitgestrekt.

Ik blijf als aan de grond genageld staan. Met zijn dichte bos vettig zandkleurig haar, geprononceerde jukbeenderen en wijd uiteenstaande ogen lijkt hij nog het meest op zijn moeder, afgezien dan van het kuiltje in zijn kin, dat hij van mij heeft.

'Je had de deur niet afgesloten.'

We hebben elkaar in twaalf jaar niet gezien of gesproken. Zijn stem is niet meer zo hoog en lief als toen hij nog een jongen was, maar heeft een klank van schuurpapier: zwaar en een beetje vlak. (Dat heb ik gemist, besef ik met een zwaar gevoel in mijn maag: het breken van zijn stem, zijn eerste scheerbeurt, zijn einddiploma, en alle andere dingen die hij gedaan heeft zonder mij.) Maar vooral zijn toon, alsof ik hem zojuist ergens van heb beschuldigd, hoewel dat niet het geval is.

Het duurt even voordat ik me zo goed en zo kwaad als het gaat van de schok heb hersteld.

'Hoe gaat het, Sam?'

De vraag is misschien te existentieel voor zijn doen: hij kijkt naar zijn handen.

'Heb je dorst?' hoor ik mezelf aandringen. 'Wil je iets drinken?'

Hij is weer tien jaar en ligt in bed bij ons thuis in Box Corner. Het sneeuwt en de zon komt net op, maar door de sneeuw voel je geen warmte. Ik stop hem in, zijn geur is zo onschuldig dat ik me niet kan voorstellen ooit betrokken te zijn geweest bij zijn conceptie. Ik zeg dat hij weer moet gaan slapen. Alles komt goed, zeg ik, hoewel dat niet zo is, al een hele tijd niet meer zo is, en het ook nooit meer goed zal komen. En Sam gelooft me. Hij vraagt of ik later met hem ga sleeën en dat beloof ik. Hij doet zijn ogen dicht, ik kus hem ten afscheid en loop de gang in, waar de werkelijkheid van wat ik heb gedaan en wie ik heb gekwetst, me opwacht.

En dat is het einde, en het begin.

'Heb je bier?' vraagt hij nu.

In de keuken, buiten zijn gezichtsveld, leun ik tegen de muur.

De koelkast met de ongeopende flessen en het koele, helverlichte innerlijk: soms is dat het enige in je leven wat je wilt bereiken.

Ik haal er twee flesjes bier uit en ga terug naar de kamer. Hij heeft zijn benen ingetrokken en zit nu als een gewone gast. Hij staart naar zijn handen, die zo smerig zijn als die van een kind. Voor hem ziet er allemaal behoorlijk lullig uit in mijn Californische huurwoning, en waarom ook niet?

Ik geef hem een biertje en ga tegenover hem zitten, niet te

dichtbij om hem niet af te schrikken. Ik heb een bange, metalige smaak in mijn mond. Mijn handen snakken ernaar hem aan te raken.

'Zo. Hoe is het op school?' Een poging tot een normaal gesprek, om voor mezelf een uitgangspositie te verwerven. Veilig genoeg, lijkt me.

'Mee gestopt,' zegt hij op kalme toon tegen zijn handen.

Ik staar hem zwijgend aan.

'Ik heb gevochten.'

Hij neemt een grote, dorstige slok van zijn bier. Nijdig veegt hij de condens van het flesje af met zijn T-shirt, waarop een natte plek achterblijft.

'In een kroeg.'

Hij neemt nog een slok en staart weer naar zijn handen.

'Iemand viel me van achteren aan, en ik...' Hij schudt zijn hoofd. 'Ik verloor mijn zelfbeheersing.'

'Hoezo?'

Hij knikt plechtig – een gebaar dat niet bij hem past, en door wat hij me vertelt schiet mijn hartslag zo snel omhoog dat ik het voel in mijn hoofd.

'Ik heb hem geslagen met mijn honkbalknuppel,' zegt hij.

'Wát?'

'Hij begon.'

'Met een honkbalknuppel? Jezus, Sam, ben je gek geworden? Hoe erg was hij eraan toe? Was hij nog bij bewustzijn? Bloedde hij?'

'Hij stond op en liep zelf de kroeg uit.' Zijn stem klinkt plotseling stijf, en hij bloost – van schaamte, denk ik, omdat hij uitgerekend tegenover mij moet toegeven dat hij zijn zelfbeheersing heeft verloren.

Ik adem langzaam uit, voel dat mijn hartslag iets zakt. 'Is er een aanklacht ingediend?'

'Nee.'

'Godzijdank. Jezus, je hebt geluk gehad.'

Hij richt zijn blik op mij en kijkt me doordringend en vol weerzin aan.

Het is stil in de kamer. Ik zie mijn buurman, Ramón Hernandez, langs mijn raam rijden en voor zijn huis parkeren.

Sam staat op. Ik houd hem bijna tegen, maar ik zie dat hij nergens heen wil: hij laat zijn schouders verslagen hangen en heeft zijn plunjezak laten staan. Halverwege de kamer blijft hij staan en draait zich doelloos om – niet oud, of dapper of doortrapt genoeg, durf ik te wedden, om iemand met een honkbal te lijf te gaan in een kroeg.

'Ik wilde hem zo hard mogelijk raken.'

Zijn stem is zo rustig dat ik niet zeker weet of ik hem wel goed heb verstaan.

'Wat?'

Hij wendt zijn blik af en herhaalt zijn woorden niet.

'Weet je moeder ervan?'

'Die heeft genoeg aan haar hoofd.'

'Hoe bedoel je?'

'Niets. Ik wil even onder de douche, oké? Ik heb drie dagen in een bus gezeten en ik wil even douchen, als je het niet erg vindt.'

Het komt aan als een ballon vol gifgas: waarom hij, na mij al die jaren genegeerd te hebben, nu eindelijk voor mijn deur staat.

Het gevoel van smerigheid, dat niet af te wassen is omdat het onder zijn huid zit en onbereikbaar is.

Hij is in de badkamer, achter de gesloten deur, en de douche begint te stromen.

Ik hoor het wanneer hij onder het water stapt, daar zijn mijn oren op ingesteld. Ik stel me het lange, gespierde bovenlijf van mijn zoon voor, en het water dat zich op hem stort.

Het vuil aan de buitenkant spoelt van hem af – ander vuil dan het mijne, zijn eigen vuil.

Terwijl ik hoor hoe hij zich schoonschrobt en nog steeds verbijsterd ben dat hij hier is, heb ik er moeite mee de knagende angst van me af te zetten dat er iets duisters is in mijn leven waardoor hij gevlucht is voor wat hij heeft gedaan, net als ik al die jaren geleden.

Maar wat moet je met zo'n gedachte, behalve die zo snel mogelijk achter je laten? Ik ga naar mijn kamer, doe de badjas uit (die onder de omstandigheden plotseling belachelijk aanvoelt) en trek wat kleren aan. Ik ga op bed zitten en tel dertig seconden af.

Een oude truc uit de verloren tijd.

Twee jaar geleden heb ik die voor het laatst toegepast, maar het telefoonnummer van Sams moeder schiet me zonder mankeren te binnen. (Ooit was het ook mijn huis.) Na het eerste cijfer weten mijn vingers de weg. Wat misschien bewijst dat zoiets als een ex-vrouw niet bestaat. Het lange, langzame overgaan van haar telefoon is rustgevend, totdat er wordt opgenomen.

'Ruth, met Dwight.'

Ze zwijgt zo lang dat ik de draad kwijtraak. Ik meen op de achtergrond een tv te horen en een schuivend ritselend geluid gevolgd door ritselend papier – waarschijnlijk slaat ze een tijdschrift dicht dat ze in bed heeft liggen lezen.

'Ruth?'

'Ik hoor je wel.'

'Sam is hier bij mij.'

'Wát?'

Voordat ze nog meer kan zeggen, vertel ik haar in het kort wat er is gebeurd, plus nog wat willekeurige details.

Haar geschoktheid heeft begrijpelijkerwijs vele facetten. Ze bombardeert me met vragen die ik niet kan beantwoorden. Niettemin doe ik mijn best.

Als ik klaar ben merkt Ruth op, zonder het als een compliment te bedoelen: 'Je lijkt wel een advocaat.'

Ik wil me al gaan verdedigen, als ik Sam plotseling in de gang zie staan, met nat bovenlijf en een handdoek om zijn middel geknoopt. Over zijn gespierde borst een bloeduitstorting als een aubergine. Zijn schoonheid, die zo simpel en verbijsterend voor me is en een schok betekent voor het ouderlijke instinct: alsof de jongen die hij vroeger was – ook mooi, maar heel anders en ver weg – zonder het te willen in deze gekwetste man past; alsof deze persoon man en kind tegelijk is.

'Waar is hij? Ik wil met hem praten. Alsjeblieft, Dwight, geef hem in godsnaam even.'

Ik bied hem de telefoon aan: 'Je moeder.'

Sam schudt zijn hoofd.

'Praat tegen haar.'

Hij schudt nu heftig, bijna agressief nee. Hij draait zich om – ik vang een glimp op van een tweede venijnige blauwe plek bij zijn schouder, ter grootte van een vuist – en hij verdwijnt in de logeerkamer en doet de deur dicht.

'Hij lijkt er nog niet aan toe te zijn, Ruth.'

'Ik begrijp nog steeds niet wat hij daar zoekt. Hij zou híér moeten zijn, verdomme.' Er klinkt een frommelend geluid aan de andere kant van de lijn, en ik stel me voor dat ze naar iets zoekt – kauwgom of een slaappil – in de la van het nachtkastje. 'Ik heb altijd geweten dat er zoiets zou gebeuren.'

'Hoor eens, Ruth. Ik begrijp de situatie net zomin als jij. Gun me wat tijd met hem, en ik zal proberen hem met zichzelf in het reine te laten komen en een plan te bedenken.'

Haar lach klinkt zo bitter en sarcastisch dat ik er kippenvel van krijg.

'En wie zorgt dat jíj met jezelf in het reine komt, Dwight? Dat is de hamvraag.'

En voordat ik een antwoord kan bedenken hangt ze op.

# RUTH

Ze stapt uit bed, de telefoon nog in haar hand, en rent naar de badkamer, zonder te weten of ze moet plassen of overgeven. Uiteindelijk doet ze geen van beide, blijft voor de wastafel staan en staart naar de afgetobde vogelverschrikker die ze ziet in de spiegel. Ze heeft een paars vest aan over haar nachtpon, er gapen witte plekjes hoofdhuid tussen de piekerige nieuwe aangroei van haar hoofdhaar. Als ze zo'n beeld van een andere vrouw 's avonds in een badkamer zag, dan zou ze ongetwijfeld – gezien het vest en de nachtpon, het belabberde kapsel, de tweedehands troep – allerlei hardvochtige conclusies trekken over haar en haar leven, te beginnen met de vraag of ze een goede en verantwoordelijke moeder was. Want als je niet beter voor jezelf kunt zorgen dan zo – als je, hoewel je natuurlijk niet meer zo piep bent, zo diep gezonken bent dat je pluizige vesten draagt in bed en rondloopt met een kapsel dat nog het meest weg heeft van een lege schaal popcorn; als je in de badkamerspiegel kijkt op een tijdstip dat de meeste vrouwen lekker tegen hun man aan kruipen voor een aflevering van *An Affair to Remember* in plaats van alleen voor *The Daily Show*, wat je dan naar je ziet terugstaren, dat ben jij niet zoals je jezelf herinnert, maar een antwoord op een van de meer absurde vragen in de puzzel van *The New York Times* – nou ja, tel uit je winst. En dat heeft ze gedaan; ze heeft haar winst al uitgeteld. En daarom waarschijnlijk gaat er, staande in de badkamer, ondanks het vest en haar dikke wollen sokken plotseling een koude rilling door haar heen en voelt ze de kou van april in haar vergiftigde botten op een manier die veel verder gaat dan het meteorologische gemiddelde van de streek (Bow Wills heeft niet voor niets de bijnaam 'de koelkast van Connecticut') of het feit dat ze, verantwoord voor een vrouw die een paar maanden geleden besloot dat ze liever alleen en ziek wilde verder leven dan met een rare man die ze vaker wilde uitlachen dan dat ze óm hem lachte, de thermostaat 's avonds op zeventien graden zet.

De hand met de telefoon erin trilt nog steeds, weer – en dat heeft niets te maken met de kou. Ze legt het zwartplastic toestel op de schuine rand van de wastafel, ziet dat het wegglijdt en tot stilstand komt op het beslagen chromen roostertje. Ze kijkt naar het luidsprekerdeel waaruit de stem van haar ex-man haar heeft overvallen met dat afschuwelijke nieuws, en ze voelt de neiging opkomen de kraan open te draaien en dat rotding krachtig te elektrocuteren.

# DWIGHT

Als Sams deur dichtblijft, pak ik een tweede biertje, ga naar het achterplaatsje en begin daar als een dier in een dierentuin te ijsberen. Ik zie dat er onheilspellend veel onkruid omhoogkomt aan de rand van het beton, en ik neem me voor dit weekend de hele handel dood te spuiten met Roundup. Een paar deuren verder is iemand in zijn achtertuin kip aan het barbecueën, de gemarineerde rook komt zwaar geurend langs gekringeld; bij een andere buurman begint een hond hongerig te blaffen en vervolgens nog ergens een. Plotseling zwijgen beide dieren als bij toverslag, en de avondstilte keert terug.

Zo gaan er minuten voorbij, de schemering valt in – die luie, arrogante, trage schemering van zuidelijk Californië, waar de wereld aan je voeten ligt en er genoeg tijd is voor allerlei dromen. En ik herinner me dat mijn zoon, die ik tot een uur geleden, tegen beter weten in koppig bleef beschouwen als een gevoelige, eeuwig jonge knaap, inmiddels tweeëntwintig is, een volwassen vent die een ander heeft neergeslagen met een honkbalknuppel: de fysieke uitdrukking van een of andere troebele, duistere kern die ik maar al te goed herken, omdat ik die ook bezit.

Op zo'n moment dien je je af te vragen: wat voor kansen heeft een kind om op te groeien als zijn vader vastzit voor het doden van een jongen, per ongeluk of niet? Wat voor kansen heeft hij überhaupt? Zelfs mijn ouweheer heeft dat zijn gezin niet aangedaan.

67

Mijn flesje is leeg. Ik laat me op die ene stoel in de achter-tuin zakken.

Morgen ga ik een nieuwe stoel kopen, neem ik me bijna voor; en nog wat borden, en misschien ook een grotere vriezer. Ik moet eens goed nadenken over wat er vandaag zoal is ge-beurd en lijstjes maken van wat er moet veranderen, en ik neem me voor me aan die lijstjes te houden met een hoopvolle vastberadenheid die ik eigenlijk niet van mezelf ken.

Ik sta op en ga naar binnen.

Het is stil in huis, ik loop de korte gang in en leg mijn oor tegen de deur van de logeerkamer. Ik hoor niets. Na een paar tellen klop ik zacht en doe de deur open.

Mijn zoon ligt op zijn rug op bed, mond wijd open, nog steeds met die handdoek om zich heen geslagen, zijn ene arm hangt over de rand. Hij beweegt zich niet, en één afschuwelijk ogenblik denk ik dat hij dood is, dat hij op de een of andere manier de hand aan zichzelf heeft geslagen, dat hij het hele continent is overgestoken om dat hier in mijn huis te komen doen.

Ik ben bijna bij het bed, stap in paniek over mijn halters heen die op de grond verspreid liggen, en zie zijn borstkas om-hooggaan.

Ik blijf staan kijken hoe hij in- en uitademt, tot ik het zeker weet. Daarna loop ik, langzaam en behoedzaam als iemand met een hartkwaal, achterwaarts de kamer uit en laat hem rus-tig slapen.

# EMMA

Achteraf gezien was er in hun huis nooit echt ruzie; er was sprake van gedwongen afzondering over bergen en langs bitterkoude rivieren. Je telkens weer afzonderen, telkens weer uitkijken naar de vijand, die een geest is. De oorlog is allang voorbij, er is geen frontlinie meer. De oorzaak van het afschuwelijke conflict – de dood van een kind, een zoon, een broer – is taboe.

Er blijft echter een levend kind achter. Maar niet de uitverkorene. Nee, dat was haar broer.

In tegenstelling tot andere kinderen die ze kent, wilde Emma nooit enig kind zijn, met de eenzame, obsessieve schuld van het enig kind, de noodzaak om voor alles en iedereen klaar te staan. Maar zo is het leven, ondanks alles, wel voor haar geworden.

Haar ouders waren ooit close en liefdevol, daar is ze vrijwel zeker van. Er zijn foto's die, zo niet het bewijs, dan toch de emotionele aanwijzing leveren voor huwelijks- en gezinsgeluk. Twee ouders, twee kinderen, een hond, een fraai oud huis. Haar moeder creëert schitterende tuinen voor anderen. Haar vader onderwijst gretige geesten en schrijft briljante toelichtingen bij belangrijke letterkundige werken. Haar moeder is mooi en nog jong. Haar knappe vader...

Ze is zeventien en heeft zich ingeschreven aan de universiteit als haar vader plotseling drie koffers pakt en naar Chicago vertrekt – een 'praktische overplaatsing' noemen haar ouders het, alsof ze niet goed bij haar verstand is en het verschil niet ziet: verwijdering, scheiding, het langdurige, kille terugtrekken in een steeds kleiner wordend, geïsoleerd deel van het hart. Wat valt er verder nog te zeggen over een man die niet langer wenst te doceren over de romans van Henry James en de gedichten van Wallace Stevens en een boek gaat schrijven over twaalf – nee, sorry, elf – zinnen uit de Talmoed?

Het is vroeg in de ochtend. Er hangt mist, dat is geen illusie. Een taxi stopt voor het huis en toetert. Ze draagt een van de koffers. Haar moeder is niet naar buiten gekomen en staat ook niet achter een van de ramen. Alles is doortrokken van een doodse kilte. De ogen van het huis zijn gesloten; het gazon voor het huis is overgroeid met onkruid. Haar vader kust haar, niet teder op haar wangen zoals hij vroeger altijd deed, maar op haar voorhoofd, als een boetedoening. Iets uit het Oude Testament, denkt ze.

Ze probeert niet te huilen, en slaagt daarin.

De taxi vertrekt en ze gaat terug het huis in. De deur van haar moeders slaapkamer is dicht. Emma luistert aandachtig, maar door de muur is geen gesnik of gehuil te horen; ze hoort niets.

De stilte aan weerszijden voelt aan als haat. Misschien is het altijd zo geweest, en heeft ze er nooit iets van gemerkt.

Ze pakt haar boeken bij elkaar en rijdt naar school in de auto die haar vader heeft achtergelaten.

# DWIGHT

Even na tweeën in de ochtend sluip ik zijn kamer in om mijn halters te halen. Ik ben klaarwakker. Ik wil zweten en mezelf pijn doen totdat ik een zuiverder toestand heb bereikt – en als dat niet lukt nog een paar uur slapen voordat de zon opkomt.

De deur van de logeerkamer kraakt een beetje. Ik blijf even staan en luister naar zijn diepe ademhaling. Sam ligt nog steeds op zijn rug, op zijn jukbeenderen en blote bast schijnt een lichtje dat er anders niet is. De halters zijn vage schaduwen op de grond, als rondsnuffelende dieren. Ik tast ernaar in het donker en breng er telkens twee zijn kamer uit en naar de mijne. Als ik wil vertrekken met de laatste twee hoor ik zijn door de slaap gesmoorde stem.

'Mam?'

Hoe reageer je daarop? Behalve door te zeggen: Nee, je vergist je. Dat is de andere. Degene die je liefdevol heeft grootgebracht.

'Ik ben het maar.'

Maar hij slaapt weer en hoort me niet.

# SAM

In het donker, vlak voor zonsopkomst, wordt hij wakker in die vreemde doodskist die het huis van zijn vader is. De gewitte muren van de kale kamer en de ietwat onoprechte ochtendschemering, met de belofte van meer daglicht dan hij heeft verdiend.

Hij probeert zich op zijn rug te rollen, maar de pijn schiet vanuit de blauwe plek op zijn borst recht naar achteren, naar de blauwe plek op zijn rug. Hij kreunt en blijft zwaar ademend bewegingloos liggen.

Niettemin is hij wakker geworden met een koppige, keiharde stijve, een menselijke steigerpaal. Het soort stijve dat wel zes kilo weegt en pijn doet, al zo lang aan je vastzit dat hij je vijand en ziel is geworden. Hij leeft zijn eigen leven – je kunt niets bedenken wat je ermee zou willen doen, behalve hem één keer per maand goedkoop ergens in stoppen.

Opnieuw wordt hij wakker met Emma in gedachten, na een lange, overwegend betekenisloze, bijna vergeten droom, die hem bijblijft als het vlekkerige nabeeld van een flitslicht. Een droom die meer is dan een droom, omdat je weet dat hij zal terugkeren in een van zijn honderdzevenenzestig variaties. Al twee jaar is dat een vast gegeven in zijn leven, niet meer en niet minder. En nu is hij het hele continent over gereisd om te ontdekken dat ze hem gewoon achterna is gereisd. En zonder zich er iets van aan te trekken. Hij heeft alle pogingen gestaakt er iets van te begrijpen: een enkele, bijna woordeloze daad die

hem sindsdien steeds heeft gegijzeld; hij is vrij genoeg om achter andere meisjes aan te gaan en een nieuw leven te beginnen,
maar is emotioneel te zeer gebonden om het spel ooit nog te
kunnen spelen.

Met zijn hand probeert hij nu zonder enige hoop zich voor
één dag van haar te bevrijden. Maar natuurlijk wel gebruik van
haar makend. En hij krijgt waarvoor hij gekomen is. Alsof hij
háár de baas was, en niet omgekeerd.

Daarna rolt hij zich op zijn zij. Eindelijk overvalt de slaap
hem, zacht maar onherroepelijk.

# RUTH

Het is de ochtend nadat Dwight heeft gebeld. Ze staat achter het fornuis vier plakjes bacon te bakken en laat in gedachten de afgelopen twaalf jaar de revue passeren, waarin ze, hoe je het ook bekijkt, altijd de belangrijkste ouder voor haar zoon is geweest, degene die het heft in handen hield en de regels vaststelde. (In dit verband kan ze met geen mogelijkheid Norris meetellen; hij is simpelweg een te grote slapjanus.) Terwijl onzichtbare vetdruppels tegen haar hand spatten, draait ze met een vork de halfgare plakjes stuk voor stuk om, en ziet in gedachten Sam slagen voor zijn middelbare school. Ze brengt hem weer met een volgeladen auto op zijn eerste dag naar de universiteit. Ze ziet voor zich hoe hij twee jaar geleden – de herinnering verdringt vreemd genoeg de tussenliggende gebeurtenissen – tijdens de voorjaarsvakantie in zijn tweede jaar een weekend naar huis kwam.

Hij kwam vrijdagsavonds vlak voor het eten. Inmiddels was ze ermee opgehouden te klagen dat hij zo weinig op bezoek kwam, ondanks het feit dat de universiteit vlakbij was (een autorit van anderhalf uur). Toch had ze haar armen al om hem heen geslagen toen hij nauwelijks was uitgestapt, terwijl in het licht van de veranda de schaduw van hun kortdurend verbonden gestalten bijna tot de rand van de oprit reikte. Haar verdediging was niet bestand tegen de schoon-vieze honkbalgeur van zijn kleren terwijl ze op zijn wang de vegen zwarte smeer zag die hij onder de douche na de training over het hoofd had gezien – ze veegde het vet weg met haar vinger, alsof hij nog steeds tien was; een bewuste moederlijke vergissing die ongeveer tweeënveertig minuten duurde, tot het moment dat hij de door haar bereide maaltijd van stoofvlees, aardappelen en zwartebessentaart achter de kiezen had, van tafel ging en mompelde dat hij had afgesproken met een paar vrienden van de middelbare school en dat ze niet op hem hoefde te wachten. Ze zag hem pas weer toen hij de volgende ochtend om elf zijn kamer uit kwam, waarna ze hem weer te eten gaf, bergen was voor hem deed en later de gevouwen was naar de woonkamer bracht, waar hij languit op de bank naar de Red Sox lag te kijken.

Vraag: had hij toen al problemen? Zoals hij daar de hele dag schitterend lui voor de tv hing, roepend naar het scherm om een stootslag die terechtkwam bij een speler van de tegenpartij of om het 'wielspel', wat dat ook mocht zijn. Had hij al problemen die tweede avond, toen hij zijn toetje naar binnen schrokte, opsprong en weer wegging, deze keer naar een feestje in Falls Village? 'Dag, mam' – zoen op de wang, korte omhelzing. 'Wacht maar niet op me, hoor', en weg was hij.

Om tien uur lag Norris te snurken, rond middernacht was ze zelf ook bewusteloos. Verdorie, had Sam toen al problemen?

En ze moet denken aan de zondag, hoe ze wakker werd op die mistige voorjaarsochtend en toen Norris al weg was voor zijn gebruikelijke achttien holes op de countryclub. Ze kwam uit bed en liep meteen naar het slaapkamerraam, om vast te stellen dat Norris' oude auto – een Honda Civic die Sam van hem mocht gebruiken op de universiteit vanwege de Japanse degelijkheid en het indrukwekkend lage benzineverbruik – op de inrit stond. Waar Sam de vorige nacht ook was geweest, hij was in ieder geval heelhuids teruggekeerd. En nu hadden ze nog de hele dag samen voordat hij terug moest.

Ze waste zich en kleedde zich rustig aan, deed wat lavendelwater op en genoot van de uitzonderlijke rust van de ochtend: haar zoon lag, of hij nu wel of niet bij haar thuisbleef in zo'n weekend, een eindje verderop lekker te slapen in zijn oude kamer.

Een uur later, toen ze bacon stond te bakken – net als vandaag, met een vork en vetspatten op haar hand –, van haar koffie nipte en de koppen las van de nauwelijks opwindende *Winsted Register Citizen*, hoorde ze zijn voetstappen op het linoleum achter zich. De glimlach waarmee ze hem begroette bleek volkomen misplaatst, want ze zag onmiddellijk dat hij zijn spijkerjack met de beige corduroy kraag droeg en de UConn-plunjezak bij zich had waarmee hij gekomen was; de zak was stampvol en de rits dicht. Hij ging vroeg terug, begreep ze onmiddellijk, met de shirts en boxershorts die ze gewassen en gevouwen had, terwijl hij haar achterliet met een pan vol gebakken bacon en veel te veel eieren. Hij had de kleren van de vorige avond nog aan. Hij was nauwelijks thuis geweest.

'Ga je al?' Ze zorgde ervoor dat er geen spoortje beschuldiging of emotie doorklonk in haar vraag.

'Ik heb training.'

'Op zondag?'

'De coach,' verklaarde hij met een hulploos schouderophalen, alsof hij boer was en 'coach' een eufemisme was voor 'hagelbui' of 'sprinkhanen' – wat het in zekere zin ook was, dat zag zij ook wel.

Ze bekeek hem aandachtig. Het was duidelijk dat hij loog, want hij kon haar niet recht aankijken – hij keek naar de grond, ja, naar de magnetron, de stukjes keukenpapier op het aanrecht waarop de plakjes knapperige bacon lagen uit te lekken.

Ze draaide het gas uit. 'Ik loop wel met je mee naar de auto.'

Van dichtbij leek het alsof hij niet had geslapen. Er liep een rauwe plek als een open wond van zijn linkeroor naar zijn kaak, maar ze wilde hem of zichzelf niet in verlegenheid brengen door ernaar te vragen. Hij wilde volwassen zijn; laat hem dan maar volwassen zijn. Ze volgde hem door de hordeur. De veters van zijn werkschoenen waren los, hoewel dat volgens haar misschien mode was, alsof het hem geen moer kon schelen dat hij over de grond slofte – ongeveer, stelde ze vast, zoals hij het weekend door het huis had gelopen. Ik ben op doorreis, mevrouw.

Op het grasveld bleef een konijn doodstil zitten, vaag door het zonlicht dat door de mist viel, de oren plat achterover. Toen Sam de kofferbak openklikte, rende het in paniek weg.

'Nou...' Ze stond vlak naast hem.

'Sorry, mam.' Hij keek haar nog steeds niet aan. De omvang van haar mislukking, die ze nog niet kon bevatten, dreigde de dag uit te wissen als ze hier niet snel een eind aan maakte.

'Bel je me volgende week?'

Ze boog zich vooorover en kuste hem op zijn wang. Hij rook naar iemand anders. Niet naar haar zoon die in de zandbak of ergens anders speelde, maar naar een man, ouder en minder wijs, met wie ze geen raad wist. Ze deed een stap terug, voordat hij haar in zijn armen kon nemen en laten verdwijnen.

# EMMA

Ze herkent Sam Arno niet meteen als die in het voorjaar van
2004 tegen de achtermuur leunt in de woonkamer van het
huis van haar klasgenoot in Falls Village. In de eerste plaats
heeft ze hem een paar jaar niet gezien; in de tweede plaats
hebben ze elkaar sindsdien alleen maar terloops gegroet. Met
de haast van iemand die wil ontsnappen is hij zes jaar geleden
van Wyndham Falls naar Torrington High verhuisd, en hij
nam de lange reistijd voor lief om maar weg te zijn. Waarom
hij onuitgenodigd verschijnt op een middelbareschoolfeest,
terwijl hij op UConn een gevierd honkballer is (zo wordt be-
weerd), is haar een raadsel. Hoewel dat alles niets te maken
heeft, voelt ze intuïtief aan, met de schok die ze voelt nu ze
hem weer ziet.

Hij is veranderd. Hij is langer en breder, er is niets meer over
van dat lusteloze jongetje met de trompetkoffer. Hij is, met
schijnbare tegenzin, mooi geworden. Zijn lichaam is lang,
slank en gespierd. Zijn handen zijn groot, met spannende ade-
ren. Zijn gezicht wordt gekenmerkt door scherp afgetekende
vlakken en precies de juiste natuurlijke interpunctie. Emma
neemt dat alles in stilte waar als ze, nadat ze haar blik door de
rumoerige, druk bewegende ruimte heeft laten gaan, door innerlijke drang gedreven de lege plaats naast hem tegen de
muur inneemt, zich naar hem toe draait, hem aandachtig bekijkt en vraagt wat hij hier doet. Waarop hij haar aankijkt met
zijn groene ogen, waarin goudschilfers sprankelen, en haar een

antwoord geeft dat ze meteen weer vergeet. Omdat ze het vertrekpunt al heeft bereikt, het moeilijk vindt hem aan te kijken zonder langs hem te kijken, naar het volgende moment en dat daarna, en ze zich in het diepst van haar voorstellingsvermogen alleen maar kan voorstellen dat hij die sterke handen op haar legt, eerst ruw, dan teder, dan weer ruw, en haar laagje voor laagje afpelt, tot er niets overblijft.

Na ongeveer twintig minuten vertrekken ze. Ze staan vlak bij elkaar; ze kijkt op en ziet dat hij haar hunkerend aanstaart, alsof hij zojuist heeft gemerkt dat hij sterft van de honger.

Ze volgt hem door de menigte. Mensen gaan aan de kant voor hen. Het komt niet bij haar op om niet met hem mee te gaan.

Het is koud op de slecht verlichte veranda. De voordeur valt achter hen dicht en ze zijn alleen, de muziek en het geschreeuw verstommen. Ze weet al dat ze niet terug zullen keren naar het feest.

'Ik wil je iets laten zien,' zegt hij.

Achthonderd meter verderop langs de onverlichte landweg staat een huis waar niemand in woont. Terwijl ze in het maanlicht aan de kant van de weg lopen en de twijgen knappen onder hun voeten, vertelt Sam haar dat het ooit een boerderij was, een soort herenboerderij, en toen de eigenaar, een weduwnaar, te horen kreeg dat hij kanker had en niet lang meer zou leven, en zijn familie al die ellende wilde besparen, maakte hij al zijn papieren in orde en schoot zichzelf met een jachtgeweer dood in zijn schuur, en nog voordat hij begraven was, kregen zijn kinderen ruzie over de erfenis, hebzuchtig als ze waren om alles te verdelen en te verkopen in tegenspraak met zijn testament, en er werden advocaten bij gehaald en de rechtbank schortte de hele zaak op, en nu stond de boerderij er al jaren leeg en half vergaan bij. De weduwnaar heette Carmody; de vader van Sam was zijn advocaat geweest en ook heel kort executeur-testamentair.

Nadat Sam dit heeft verteld, wordt hij somber, misschien had hij er spijt van dat hij de familierelatie heeft genoemd. Emma vertelt niet dat haar ouders op de een of andere manier ook aanwezig zijn, een soort vroegtijdig schuldgevoel dat zich in haar gevestigd heeft, ondanks of juist dankzij het warme, vochtige zoemen tussen haar benen telkens als ze hem met een heup of een arm aanraakt, haar tepels stijf in de avond die te koud is voor de krekels, en het feit dat zij, die zich nooit echt heeft willen geven aan de plaatselijke jongens, nu over een paar minuten wil neuken met deze sombere, mooie jongen en door hem geneukt wil worden, hard en langdurig, met een rauwe begeerte die in niets lijkt op wat ze ooit eerder heeft ervaren, behalve misschien haar onblusbare verlangen, tijdens de totale eclips na zijn dood, dat haar broer zou terugkeren naar deze wereld.

Het huis is afgesloten en dichtgetimmerd. Geen van beiden wil de schuur in, waar die ouwe vent zich door het hoofd heeft geschoten, en dus blijven ze buiten in de kou staan, duwend en sjorrend tegen een roestige voederbak. Er staat een paar centimeter water in de bak – en in dat laagje water ziet ze onwillekeurig een driekwart maan hangen als een glazen kerstboomversiering; totdat hun lichamen de trog in beweging brengen, het water rimpelt en de maan in stukken breekt.

Ze is drijfnat en steekt haar hand in zijn losse spijkerbroek. Hij snakt naar adem, en dat klinkt als een kleine explosie in haar oor. Hij grijpt haar stevig vast bij haar heupen, zijn handen klauwen in haar spijkerbroek: het volgende moment wordt ze door zijn sterke armen opgetild en als een ontbrekend onderdeel op hem geplaatst, als één huiverend, hunkerend geheel. Ze schreeuwt het uit en stelt zich voor dat ze in zijn borstkas grijpt en zijn kloppende hart voelt. Met haar vingers krabt ze per ongeluk langs zijn gezicht, hoewel hij geen pijn schijnt te voelen, hij herhaalt alleen maar haar naam, bijna onhoorbaar, zijn halfgesloten ogen weerkaatsen het maanlicht, tot op het moment dat hij openbarst.

Na afloop zet hij haar zachtjes neer – alsof ze, nu het voorbij is, net als de maan in stukken kan breken. Zwijgend brengen ze hun kleren in orde. De linkerkant van zijn gezicht, waar ze hem heeft gekrabd, is vuurrood. Ze heeft er geen spijt van. Ze sopt van hem, lekt hem in haar ondergoed, ruikt hem met elke ademtocht en trilt zo erg dat Sam haar als een deken met zijn lichaam moet bedekken. Niet koud meer, eindelijk helemaal niets meer. Hij tilt het haar op dat over haar gezicht is gevallen en kust haar tussen de ogen – een teder, volwassen, mannelijk gebaar, en ze vraagt zich af wie ze, door met elkaar te neuken, zijn geworden.

# DWIGHT

De volgende ochtend om acht uur sta ik, terwijl Sam nog bewusteloos is, in de keuken in de open koelkast te kijken. Eerlijk gezegd is de voedselvoorraad niet ingesteld op een lang verblijf, zelfs niet voor het bezoek van één persoon. Hoewel ik nog niet helemaal helder kan denken, omdat ik al om halfzes op was en als een proefdier rondjes liep in mijn zonovergoten kooi, en wachtte tot mijn zoon zijn kamer uit kwam.

Wat zal ik hem precies aanbieden? Een vaderlijke toespraak? En welkomstomhelzing? Een idee voor het leven? Het is bijna een opluchting dat hij zo lang blijft slapen – hij was zo moe dat het leek alsof hij helemaal vanuit Connecticut was komen lopen. En toch ratelt het briefje dat ik voor hem op de keukentafel wil achterlaten veel te lang door over allerlei vage onderwerpen die niets te maken hebben met het ontbijt, laten we wel wezen. Onderwerpen als familie en de toekomst. Ik zet mijn mobiele nummer erbij voor het geval hij vragen heeft of zich gewoon wil melden terwijl ik weg ben (lijkt onwaarschijnlijk). Ik schrijf dat ik over een uur terug ben en me verheug op een ontbijt met hem samen. Dat hij moet denken in termen van *mi casa su casa*, zolang hij zin heeft om te blijven. Misschien vertelt hij onder het eten meer over zijn plannen, als hij die tenminste heeft, hoewel ik geen enkele druk op hem wil uitoefenen of hem meteen in het diepe wil gooien als hij daar niet voor in de stemming is. Ik ben inmiddels aanbeland op de achterkant van het blaadje dat ik van een blocnote heb gescheurd, en het is tijd – dat snap ik zelfs – om ter zake te komen. De toon luchtig en vriendelijk houden, zoals het een ouder betaamt, maar niet té. Na lang nadenken onderteken ik met 'papa', wat natuurlijk een gegeven is, maar ik laat zorgvuldig 'liefs' weg: ik wil mijn zoon niet tegen me in het harnas jagen door herinneringen op te halen (ongewenst voor ons beiden), wat hem het vermoeden kan geven dat ik er opnieuw niet in geslaagd ben iets voor elkaar te krijgen. Daar is nog gelegenheid genoeg voor. Door een tweede kop koffie is mijn handschrift bibberig, alsof ik bezeten ben.

Voordat ik van huis ga, bel ik mijn baas thuis. Tony is altijd vroeg op, hij is al druk bezig geweest in zijn privéfitnessruimte en zit nu aan de ontbijttafel met de *L.A. Times*, een beker koffie en een bakje cornflakes met halfvolle melk. (Het is een deprimerend feit dat alle mannen van een bepaalde leeftijd precies op de hoogte zijn van de hopelijk levensverlengende praktijken van andere mannen op middelbare leeftijd – vaak moeizaam verkregen informatie waar je helemaal niets aan hebt.) Aan de wand boven Tony's hoofd hangen ingelijste kleurenfoto's (doorgaans van professionele fotografen) van de familie Lopez aan het werk en bij het spel, gerangschikt in een speels mozaïek. Al met al een uiterst aangenaam decor voor het gezinsontbijt.

Een van de meisjes neemt op en kwettert met volle mond: 'Hallo.'

'Hallo. Spreek ik met Ruby?'

'Nee, Jade.' Haar stem klinkt ineens geërgerd. Het verwisselen van de tweeling is niet het meest geëffende pad naar hun hart.

'O, juist. Sorry. Hé, Jade, met Dwight Arno.'

'Pap! Dwight Arno!'

'Menéér Dwight Arno, schat,' hoor ik Tony mompelen terwijl de telefoon wordt doorgegeven. 'De winkel?' Tegen mij, op zakelijke toon.

'Goeiemorgen, Tony.'

'Wat is er?'

'Niets. Alles is prima met de winkel.'

'Weet je het zeker?' Ik hoor zijn vingers trommelen op het tafelblad, en Jodi zegt tegen een van de meiden dat ze haar bord moet leegeten. 'Weet je, ik word helemaal zenuwachtig als ik een telefoontje krijg dat ik niet verwacht.'

'Sorry. Alles is in orde. Ik bel alleen omdat ik graag een vrije dag wil.'

'Ben je ziek?'

'Mijn zoon is op bezoek.'

'Wie?'

'Mijn zoon. Sam. Uit Connecticut.'

'O ja, ja...' Tony's geheugen werkt deze ochtend bijna hoorbaar. 'Wacht eens... Hij is toch niet...'

'Hij stond gisteravond ineens bij me voor de deur.'

'Zomaar? Wauw, man – wat een verrassing, niet? Alles goed en zo?'

'Alles goed. Punt is dat hij misschien een poosje blijft, en ik moet hem... je weet wel, even helpen settelen.'

'Ik snap het. Familie, hè?'

'Precies. Familie.'

'Je kent me, ik ben een familieman, Dwight. Ik wilde vanmorgen toch al naar de zaak gaan. Ik doe wel open.'

'Dank je.'

Ik hoor hem van zijn koffie slurpen en een bladzijde van de krant omslaan. 'Heb je gisteren *Dateline* gezien? Ouders aan de oostkust doen hun kinderen allemaal op squash, zodat ze gemakkelijker op een chique Ivy League-universiteit kunnen?'

'Nee, niet gezien.'

'Iets om over na te denken – een squashclinic aan de westkust of zo. Spullen inkopen. De mensen hier willen hun kinderen ook op Ivy League-universiteiten hebben, niet dan? Misschien kunnen we een paar squashbanen aanleggen. We hebben het er nog over.'

'Oké.'

'Oké. Tot morgen.'

Zoals meestal na een gesprek met Tony waarin ik hem om een of andere gunst moest vragen, hang ik op met het gevoel dat ik op de een of andere manier de kans heb laten liggen om iets voor mijn eigen waardigheid te doen, hoewel ik geen idee heb wat precies. Frustratie hangt als een wolk muggen zoemend boven mijn hoofd. Ik blijf zo even zitten, zet mijn zonnebril op en verlaat het huis. Ik sla het dak van de Sebring open en rijd de stad in, mijn arm buitenboord en de zon in mijn gezicht.

De joggers joggen, godzijdank, en de sprinklers sproeien maar door, en de zeemeeuwen vliegen boven de jachthaven en de stranden. Ik ga naar de supermarkt in het winkelcentrum, zoals iedere rechtgeaarde Amerikaanse staatsburger. Duw mijn winkelwagen door de helder verlichte, twee meter brede gangpaden en stop hem vol noodzakelijkheden en dergelijke, en een paar diepvriestoetjes. Tot aan de rand vol. Haal mijn creditcard door de lezer en stel zonder een spier te vertrekken vast dat de onkosten 169,87 dollar zijn. Sinds vanochtend, terwijl mijn zoon wonder boven wonder in mijn huis ligt te slapen, voel ik me ruimhartig. En dat moet ik ook zijn. Ik moet me kunnen concentreren op de werkelijk belangrijke vragen (en dat zijn?). Ik weiger me vandaag te laten intimideren door de tegenvallers van alledag, de waanzinnig hoge melkprijs of dat ene kapotte ei in het doosje van twaalf. Dat soort dingen gebeurt; ze zijn niet persoonlijk van aard. Haal je creditcard door de lezer en maak dat je wegkomt, man. Aan het eind van de maand betaal je wel bij. Dat is typerend voor ons mooie leventje.

Op weg naar huis benzine tanken. En – waarom ook niet? –

ik smijt nog eens vijftien dollar stuk en laat mijn auto wassen. (Ik heb twee volle tanks te weinig op mijn stempelkaart voor een gratis was- en boenbeurt. Maar ik begrijp dat er vandaag geen sprake kan zijn van wachten, uitstellen of onderhandelen.) Ik geef te veel fooi aan het Mexicaanse personeel, dat mijn wagen vertroetelt (met de tederheid van verpleegsters), zelfs het bekraste achterste stuk, en besef dat het enige wat hen onderscheidt van mij een verblijfsvergunning is, en dat zij over het algemeen een betere staat van dienst hebben dan ik ooit nog zal krijgen.

Dan is het nog vijf kilometer tot thuis. De auto is schoon en ruikt lekker fris, de motorkap glanst als een opgepoetste bowlingbal. In de kofferbak zitten spullen voor ontbijt en lunch en nog veel meer maaltijden. Er vormt zich een plan, of zoiets. Het enige wat ik nog moet doen is ophouden met twijfelen of Sam er nog wel zal zijn als ik terugkom. Hij is slim genoeg. Als hij vannacht zijn situatie heeft overdacht en van gedachten veranderd is over de mate van zijn wanhoop. Als ik hem al weggejaagd heb. Als ik thuiskom en het bed waarin hij gelegen heeft onaangeroerd aantref. Als dit alleen maar een herinnering is die me weer dwarszit, maar misschien is het nu echt.

# SAM

Hij loopt door de woonkamer in zijn boxershort, de ogen vol korsten door het slechte slapen, ziet de voordeur openzwaaien, en er komt een bekende, breedgeschouderde man binnen met twee bruine zakken vol boodschappen.

Zijn vader blijft staan en staart hem aan: een verschijning. 'Dus je bent er nog.'

Op het laatste moment voegt hij er een ongewilde grijns aan toe, om van de vaststelling een vraag te maken en van de vraag een grapje. Maar de blik in de ogen blijft gespannen, en welbeschouwd is er niets grappigs aan de situatie.

'Ik heb een briefje voor je achtergelaten op de keukentafel.'

'Ik heb het gezien.'

'We hadden niet veel eten meer.'

Sam knikt. Ze kijken naar elkaar als vreemden op tegenover elkaar gelegen perrons in een metrostation.

'Honger?'

Hij haalt zijn schouders op.

'Nou, ik ga ontbijt maken voor ons beiden.' Hij loopt naar de keuken. 'Er zijn nog meer boodschappen in de auto.'

Sam loopt naar de logeerkamer en trekt een spijkerbroek aan. Bij daglicht is de kamer vrijwel onherkenbaar, een stal met rubbermatten en een paar halters op de grond. Een plek voor wanhopige lichaamsoefeningen, niet om te slapen. Hij stelt zich zijn vader voor in een grijs sweatshirt waarvan de mouwen afgeknipt zijn en een gymbroek die te ruim zit voor zijn leeftijd, terwijl hij hier elke ochtend in zijn eentje drukt en heft en trekt, zwetend en kreunend, en zijn verslappende spieren oprekt tot ze geen pond meer kunnen tillen. Een routine die hijzelf vaak toepaste in de fitnesskamer van zijn studentenhuis in Storrs, 's avonds laat als hij zich rot voelde, zo lang dat Jake zich soms hardop afvroeg wat er aan de hand was. *Waarom zo intensief?* Goede vraag. Blijkt dat hij zichzelf ook grenzeloos kan straffen, zonder enige terughoudendheid, half verliefd op het zwarte gordijn van zelftoegebrachte pijn.

Hij loopt zonder shirt het huis uit.

Een meter gras, een paar betonnen tegels; de auto van zijn vader – met het canvas dak dat betere tijden heeft gekend, maar dat vanochtend glanst alsof de kaboutertjes het hebben gepoetst – vult het hele betonnen vierkant van de oprit. De kofferbak staat open, en er liggen genoeg boodschappen in voor een logeerpartij die nooit meer ophoudt. Alsof die dure overvloed alle begane fouten kan doen vergeten, alles ongedaan kan maken.

Hij pakt een bruine zak en een tray met twaalf Dr. Pepper light, wil zich omdraaien en naar binnen gaan, maar blijft stilstaan als zijn blik valt op een oudere Latijns-Amerikaanse vrouw die van achter een raam in het beige huis aan de overkant naar hem kijkt, terwijl ze met haar handen de losse flappen van haar perzikkleurige nachthemd dichthoudt. Ze kijkt waarderend naar zijn blote, gekneusde bovenlijf, met een afwezige glimlach die niet voor hem bestemd lijkt – alsof hij een marmeren beeld is en zij in zichzelf kijkt, naar een beeld dat zij alleen kent. Hij knikt glimlachend, maar ze draait zich abrupt om, zodat hij als een idioot de lege straat begroet.

Terug in de keuken zet hij de boodschappen op het aanrecht. Er staan glazen sinaasappelsap op het tafeltje en een bord met geroosterd brood, en het ruikt er naar gesmolten boter. Zijn vader staat achter het fornuis en breekt eieren boven een koekenpan waar de rook vanaf slaat.

'Wil je je ei nog steeds met de dooier heel?'

Een behoedzame glimlach. Omdat er geen onschuldige vragen meer zijn, en die er al heel lang niet waren.

Het is dat 'nog steeds' dat hem dwarszit. De woorden klinken verouderd, als een archeologische vondst. Graaf maar op, stof ze af en laat ze onderzoeken, gebruik ze desnoods zo nu en dan weer, zoals ze in historische tijden werden gebruikt. Maar dat betekent niet dat de waarde of de betekenis nog bestaat. De waarde en betekenis van die woorden zullen altijd horen bij de oorspronkelijke mensen in het oorspronkelijke leven. Een jongen en zijn vader. Mensen die zo goed als uitgestorven zijn, of in het gunstigste geval teruggebracht tot goedkope replica's van zichzelf in het verre buitenland.

'Ik heb geen trek.' Hij loopt naar buiten.

# RUTH

Ze heeft het niet zien aankomen, maar de zaterdag blijkt zo'n dag te zijn waarin alle schoonheid en gruwel van het leven op het platteland zijn samengebald. Het is een typische voorjaarsdag in New England, de vorst is definitief uit de grond, de bloembedden geuren naar vruchtbare compost, de narcissen die ze heeft geplant bij de voordeur komen vrolijk en zelfverzekerd op.

Ze begint de ochtend met pianoles in haar woonkamer, de leerlingen zijn vierdeklassers – Carrie Lockheart, die goed noten kan lezen maar trage vingers heeft, en Adam Markowitz, wiens talent precies omgekeerd is – en daarna heeft ze de tijd aan zichzelf en laadt ze een stoel die een nieuwe zitting moet hebben in de Subaru en rijdt ermee naar Great Barrington; dan terug via Canaan naar het vierkante kerkplein van Wyndham Falls, historische plaats in de Amerikaanse Revolutie, waar vandaag ballonnen hangen en met geruite kleedjes bedekte tafels staan met daarop allerlei soorten etenswaren: potjes met jam, eendenpaté en groenten in het zuur, alsmede kraampjes met allerlei vormen van handvaardigheid: zelfgebakken potten, indiaanse kralenkettingen en gebreide vesten met houten knopen zo groot als je duim. Met andere woorden: een jaarmarkt, druk bezocht door buren en weekendgasten van Goshen in het noorden tot aan Ashley Falls.

Ze heeft maar één geheim doel, en dat zijn de kalkoenquiches van Lucinda Jarvis, vrouw van Andy en moeder van haar

leerling Ben, aan wie ze op dinsdag en donderdag op school pianoles geeft met een zekere mate van ergernis (haar mededo-
gen met zijn gebrek aan muzikaliteit wordt meer dan gecom-
penseerd door zijn ongelooflijke brutaliteit). De familie Jarvis
is niet echt aardig, maar hun quiches zijn goddelijk. Ze neemt
er een mee naar huis, en om zes uur vanavond zal ze hem onder het genot van een glas witte wijn (mag niet van de dokter)
dampend uit de oven halen en er precies de helft van opeten,
genietend van elke hap van de knapperige, beboterde korst; en
morgenavond eet ze met nog een glas wijn uit dezelfde fles de
andere helft op. En zo komt dan haar weekend ten einde, stik
maar met die chemo.

Tot zover het mooie deel van de dag in een notendop: een
onafhankelijke vrouw, die tijdelijk de persoonlijke en medische eisen negeert en een kalkoenquiche koopt op een jaarmarkt. Het vervelende deel is meestal ingewikkelder.

Ze laat de quiche inpakken en wacht bij het tafeltje op haar
wisselgeld, terwijl Lucinda langzaam het papiergeld uittelt en
indirect bij Ruth vist naar complimentjes over de muzikale
prestaties van haar zoon ('Ik hoorde Ben laatst oefenen en hij
klonk zo... hoe moet ik het zeggen, Ruth... zo rijp voor zijn
leeftijd'), en Ruth mompelt een vrijblijvende instemming ('Hij
komt achter de piano best wel zelfverzekerd over'), wanneer ze
plotseling een hand op haar schouder voelt. Ze draait zich om
en staat oog in oog met Norris.

Typerend voor het weekend gaat hij kleurrijk gekleed voor
het golf, tot en met de sokken met een patroon van kleine put-
ters die ze hem cadeau heeft gedaan op zijn zesenveertigste verjaardag. Hij heeft minder haar dan zes weken geleden (maar,
houdt ze zichzelf voor, dat geldt ook voor haar), en een paar
passen achter hem staat een vrouw van ongeveer haar leeftijd,
niet bijzonder knap en met een nerveuze en pedante uitdrukking op haar gezicht, alsof ze in haar leven meer heeft meege-

maakt dan ze in het openbaar wil bespreken, zodat ze nooit serieus zal worden genomen. Naast de vrouw staat een jong meisje met een bril met dik hoornen montuur, dat angstvallig veel op haar moeder lijkt.

'Heb je even, Ruth?' vraag Norris met zachte stem.

Lucinda is een en al oor, telt het wisselgeld langzaam uit voor Ruth en zet geen stap.

'Ik heb zo les,' liegt Ruth, en ze stopt het geld in haar schoudertas. 'Ik moet naar huis.'

'Het duurt maar heel even.'

Hij wil blijkbaar dat ze hem volgt, en in een aanval van passiviteit en zeulend met de zware quiche in de plastic tas laat ze zich meevoeren.

Als ze bij de vrouw en haar dochter zijn aangekomen, blijft Norris staan en zegt stijfjes: 'Ruth, mag ik je voorstellen aan Wanda Shoemaker en haar dochter Celine?'

Er volgt geen nadere informatie, maar Ruth concludeert onmiddellijk dat de vrouw de weduwe moet zijn van Ralph Shoemaker uit Salisbury, die afgelopen winter is omgekomen nadat hij door het dunne ijs op de Housatonic was gezakt (ze herinnert zich ook dat er nooit een bevredigend antwoord is gegeven op de vraag wat die man midden in de nacht op een zojuist dichtgevroren rivier deed). Dus Norris heeft een weduwe gevonden om hem gezelschap te houden, en de weduwe heeft hem gevonden. Dat is allemaal prima, hoewel ze zich afvraagt waarom de dochter Celine heet terwijl ze niets Frans heeft. Ruth is in de verste verte niet jaloers, maar voelt zich alleen nog een beetje meer geïsoleerd.

De vrouw en zij knikken naar elkaar – de quiche schudt heen en weer tussen hen in, en dus is handen schudden te gevaarlijk – waarna Norris doorloopt en zij hem volgt.

Het gaat allemaal nogal onhandig, maar dat is typerend voor Norris. Hij heeft bepaalde ideeën over alles, maar die ideeën munten nooit uit door realiteitszin, en wat hij ook zegt of doet, het komt vrijwel altijd ergens in een niemandsland terecht, het is vlees noch vis, en niemand is tevreden of gerustgesteld. (Hoewel hij verzekeringen kan verkopen als de beste, hij schijnt er een gave voor te hebben.) Ze lopen tussen groepjes mensen door die muffins met blauwebessenjam eten en cider en koffie uit kartonnen bekertjes drinken, en kinderen die tikkertje spelen. Mensen herkennen elkaar, meestal zwijgend, en er worden blikken gewisseld tussen de verzamelde volwassenen, en Ruth ziet het allemaal aan en is zich bewust van de blikken en geruchten om hen heen betreffende haarzelf en deze man met wie ze ooit getrouwd was en van wie ze zich niet meer kan voorstellen dat ze hem ooit heeft begeerd.

Norris blijft staan onder een reusachtige esdoorn aan de oostkant van het plein, draait zich om en wacht op haar. De schaduw van de boom biedt een soort privacy en lijkt hem het zelfvertrouwen te schenken dat hij nodig heeft, en na een paar onhandige bewegingen met zijn lange, magere armen zet hij zijn handen in de zij, een slechte imitatie van een cowboypose, waardoor de roze golfpolo en die sokken met puttermotief des te meer opvallen. Ze blijft vlak voor hem staan en besluit hem niet uit te lachen. Dat zou ze nooit doen, want volgens haar is spot de munitie van losers en lafaards, en in de tweede plaats zou het nooit leuk zijn voor haarzelf, hoewel ze inziet dat het tafereel iets komisch heeft. Daarom gaat ze ook van hem scheiden. Norris zal nooit meer iets kunnen zeggen of doen dat ze leuk vindt, en dat spijt haar echt.

Door de verrassende zwaarte van de quiche beginnen haar armen pijn te doen. Ze besluit de eerste stap te zetten en het gesprek open te breken, wat het onderwerp ook zal blijken te zijn.

'Ik neem aan dat je de papieren hebt gekregen?'

'Eind van de week zijn ze bij je advocaat,' antwoordt Norris afgemeten.

'Dank je.' Ze zwijgt even en probeert tevergeefs een vorm van waardigheid te vinden. 'Ik vind het allemaal heel vervelend, Norris. Maar ik ben blij dat je een aardig iemand hebt gevonden om je gezelschap te houden.'

'Wanda en ik hebben elkaar gevonden,' antwoordt Norris, iets te verbeten.

Ruth zwijgt. Ze voelt het koele gevogelte in de quiche door het aluminium schaaltje heen, en vreemd genoeg loopt haar het water in de mond. Als ze had geweten dat ze Norris tegen het lijf zou lopen, had ze de quiche later gekocht – sterker nog: dan was ze helemaal niet naar de jaarmarkt gekomen. Geen kalkoenquiche, hoe goddelijk ook, weegt op tegen een scène als deze.

'Ik heb gehoord dat Sam met zijn studie is gestopt,' zegt Norris. En nu hij zijn dramatische boodschap kwijt is, kijkt hij haar veelbetekenend aan omdat hij weet dat hij nu haar volle aandacht heeft. Maar ze merkt dat zelfs zijn verontwaardiging haar doet denken aan een oude, lekke autoband.

'Van wie weet je dat?'

'Dat doet er niet toe', op een toon waaruit blijkt dat niets in heel New England er meer toe doet. 'Ik ken toevallig mensen aan de universiteit.'

'Hebben die mensen niets beter te doen dan te roddelen over andermans kinderen?'

'Sam is mijn stiefzoon, en je had het me moeten vertellen.'

'Dat zou wel erg vreemd zijn geweest.'

'Kan me niet schelen.'

'Ik heb het een en ander te doen gehad, zoals je je misschien kunt voorstellen.'

'Volgens mij heeft hij me nodig, Ruthie. Ik heb het idee dat hij nogal in de war is: zomaar stoppen met zijn studie zonder duidelijke reden.'

'Misschien heeft hij wel een reden.'

'Ik wil graag je toestemming om hem te bellen en hem uit te nodigen bij Wanda en mij thuis.'

Ze staart hem aan, oprecht verbijsterd. 'Maar Norris, Sam mag jou helemaal niet.'

'Dat is nou weer echt iets voor jou om te zeggen. Kijk, ik vind het naar dat je ziek bent, Ruth, maar je moet echt een manier vinden om je woede te handelen.'

'Ik ben helemaal niet kwaad op jou. En mijn gezondheid heeft hier niets mee te maken. Volgens mijn arts zijn mijn vooruitzichten uitstekend.'

'Ik ken je arts toevallig – Cusack van Yale-New Haven? Ik heb vorig jaar nog met hem gegolfd.'

'Bemoei je niet met mijn zaken, Norris. Jezus, ik ga een dezer dagen nog eens verhuizen van deze vissenkom naar de grootste stad die ik kan vinden.'

Ze staat zich ondanks zichzelf toch weer op te winden en praat te hard. Ze kijkt van onder de zware takken in het felle zonlicht daarbuiten en ziet dat een paar mensen omkijken om net te doen alsof ze hen niet afluisteren. Lucinda Jarvis verkoopt bijvoorbeeld niet één kalkoenquiche meer voordat deze poppenkast afgelopen is.

'Ik moet naar huis, Norris.'

'Wil je dan in ieder geval aan Sam vragen of hij me belt? Zeg maar dat ik er voor hem ben als hij me nodig heeft. Zeg dat maar.'

'Dat zal ik zeggen.'

Op een tak hoog boven hen kwettert een eekhoorn die zijn eekhoornleventje leidt, en er valt een afgebroken tak tussen het donkere gebladerte door; hij komt op een paar centimeter van Norris' linkervoet terecht. Hij schrikt van het geluid, en bloost dan omdat hij geschrokken is.

Ruth loopt met geheven kin en op trillende benen terug over het kerkplein naar waar haar auto geparkeerd staat, en ze draagt de goudgele quiche als een trofee voor goed gedrag; ze is radio-actief, haar eigen kleine Tsjernobyl. Mensen staren naar haar achter hun zonnebril.

Maar ze vraagt zich wanhopig af wie er uiteindelijk aanwe-zig zal zijn om haar uit te zwaaien naar de overkant.

Ze rijdt weg, veegt de tranen van haar wangen en kan zich geen voorstelling maken van haar avondeten.

# DWIGHT

De werkdag verstrijkt. Tijdens mijn lunchpauze komt Sandra naar me toe en vraagt of ze me even onder vier ogen kan spreken. We gaan naar de technische ruimte, en ze vertelt me dat het haar niets kan schelen dat Evander zeg maar haar neef is of zo, maar dat ze het spuugzat is dat hij allerlei shit jat uit de winkel en dat doorverkoopt aan jongelui achter de middelbare school en dat ze er schoon genoeg van heeft, oké? Ik kalmeer haar, stuur haar terug naar de kassa en zeg dat ze er met niemand over mag praten. Ik controleer de boeken met de inventarislijst, en haar verhaal blijkt te kloppen. Er zit nu niets anders op dan te wachten tot Tony terugkomt van zijn lunchpauze.

Aanvankelijk gelooft hij de feiten niet – 'Familie steelt niet van familie. Krijg de kanker, Dwight, oké!' – en het scheelt niet veel of hij noemt me ronduit een leugenaar. Ik wind me op en het dreigt uit te lopen op een confrontatie, maar dan stormt Sandra het kantoor binnen en noemt haar neef een godvergeten klootzak van een dief (zoals gebruikelijk is Evander in geen velden of wegen te bekennen, hij is weer niet op het werk verschenen), en omdat zij ook familie is en de overtuigende taal van de straat spreekt, gelooft haar oom haar. Tony zegt op afgemeten toon dat hij de zaak zelf wel afhandelt, oké – familie onder elkaar –, en daar blijft het voorlopig bij.

De werkdag verstrijkt. Dat is alles wat ik weet. Wat familie betreft, daar begrijp ik geen bal van. Mijn zoon vindt het niet de moeite waard mij te bellen op mijn mobiele nummer, en hij heeft me het zijne niet gegeven, dus dat vreet aan me. Op een gegeven moment heb ik er genoeg van en bel ik mijn huis, maar ik krijg alleen mijn eigen stem te horen op het antwoordapparaat – een ontnuchterende, deprimerende ervaring, om het zacht uit te drukken – en ik weet niet hoe gauw ik op moet hangen.

# SAM

Hij is in de logeerkamer bezig met de gewichten van zijn vader als zijn mobiel trilt ten teken dat hij een gemiste oproep heeft. Hij schakelt over op voicemail.

'Sam, met Jake. Je moet als de sodemieter terugkomen. Die gast die je te grazen hebt genomen – Bellic? Ik heb net gehoord dat hij is overgeplaatst naar de intensive care. Ik weet niet precies hoe het zit, maar het gaat bepaald niet goed met hem. Moet je horen, je moet zo snel mogelijk hierheen komen, want anders zit je dik in de shit.'

Sam luistert het bericht van zijn vriend nog een keer af. Dan deletet hij de stem van zijn vriend, klapt zijn telefoon dicht en legt hem op de gewichtenbank.

Zijn gezicht druipt van het zweet. De spieren in zijn polsen trillen vreemd.

Hij staat op en loopt naar de keuken. Hij pakt een flesje bier uit de koelkast, draait de dop eraf en drinkt het in één keer leeg.

Het is laat in de middag in Californië. In Connecticut, bedenkt hij, begint de zon onder te gaan.

Hij draait zich om en kotst in de roestvrij stalen gootsteen.

# PENNY

Haar garderobe is niet zo uitgebreid dat het haar zoveel tijd had hoeven kosten om kleren te kiezen voor een afspraakje met een man wiens persoonlijke stijl, gebaseerd op de vier maanden dat ze hem redelijk intensief heeft kunnen observeren, het best kan worden omschreven als 'nonchalant, amateur, atletisch'. En toch, na twintig minuten en drie volledige verkleedpartijen, terwijl het bed bezaaid is met een ruime afgekeurde of twijfelachtige kledingkeus (het glinsterding terzijde gelegd omdat ze nooit een twintigjarige country-and-westernzangeres uit de Blue Ridge Mountains is geweest en ook nooit zal worden), is ze er nog steeds mee bezig: ze bekijkt zichzelf zijdelings in de passpiegel, die ze alleen kan zien als de badkamerdeur helemaal openstaat, een jurk met het hangertje er nog in tegen haar beha aan drukkend en een paar sandalen die het ook niet helemaal zijn. Deze kledingstukken smijt ze ook al snel op het bed, zodat ze vrijwel naakt voor het meedogenloze spiegelglas staat en zich nergens kan verschuilen voor de harde waarheid van haar lijf van boven de veertig: verontrustende rimpels, waardoor haar hals in segmenten is verdeeld in plaats van één vloeiende lijn vormt; het zachte, langwerpige vlees boven haar heupen dat begint toe te geven aan de zwaartekracht en in bad steeds meer dienstdoet als een persoonlijke drijfkurk; en haar benen, die ooit iemand tot een sonnet hadden kunnen inspireren en er nu vreemd genoeg Japans uitzien (te veel tennis!), en nauwelijks een haiku waard zijn door een reizende boeddhistische priester.

Ali verschijnt achter haar in de spiegel, met iPod-oortjes in en een sexy Lolita-tuinbroek aan: een soort genetische extrapolatie, die hier volgens haar moeder tot uitbarsting komt.

Penny aarzelt en vermant zich. 'Heb je nog tips?'

Haar dochter reageert fronsend omdat haar een rechtstreekse vraag wordt gesteld, en verwijdert haar oortjes. 'Wat?'

'Laat maar.'

'Mam, wij hebben een totaal verschillende stijl, weet je.'

'Dit is een noodgeval, Ali. Ik ga even door een esthetische kledingcrisis.'

Het meisje zwijgt en bekijkt haar van top tot teen. Dan zegt ze met een knikje: 'Ik zou iets mouwloos doen.'

Penny reageert geschokt. 'Mouwloos?'

'Je hebt sexy armen, mam.'

'Echt waar?'

'Ja, en een rok, niet lager dan de knie – je hebt geweldige benen. En hakken.'

Ali stopt de oortjes terug en vertrekt. Penny kijkt haar verbijsterd na.

# DWIGHT

Sam is weg als ik rond zessen thuiskom. En hij komt nog niet terug terwijl ik me douche en scheer, en buiten de houtskool verhit in de barbecue. Geen spoor van hem terwijl ik een schone kakibroek en wit buttondown shirt aantrek, mijn eerste biertje drink en de biefstukken van de supermarkt kruid, een paar vleestomaten in plakken snijd en wat aardappelen op 200 graden in de oven zet. Het is vijf over zeven, de deurbel gaat en ik denk dat hij het is, maar het is Penny, gekleed in een mouwloze jurk tot op de knieën en sandalen, het haar als een parelduiker zo strak naar achteren gekamd en ongelakte nagels. Op dat moment biedt haar sprakeloze verschijning een volmaakt tegenwicht voor de schuldige, hoopvolle, bijna ondraaglijke druk van de komst van mijn zoon in mijn zorgvuldig aangeharkte Californische leventje, en mijn abrupte fysieke verlangen naar haar slaat toe als een plotselinge high. Ik kus haar lang en hard in de deuropening, en terwijl ik haar een minuut later in de slaapkamer uitkleed, heb ik het contact met alles en iedereen verloren.

Het is mogelijk om tegelijkertijd meerdere levens te leiden en die handig uit elkaar te houden, en iemand die ervaren en goed getraind is, kan dat een hele tijd volhouden. Ik heb daar zelf ook ervaring mee, hoewel het niet altijd opzet was. Het heeft te maken met een zekere ironie en onschuld, en het komt voort uit oprechte hoop. De hoop is dat als uiteindelijk de grote afrekening komt (en ik heb het niet over de wet – die hebben we al gehad – en ook niet over God), je goede bedoelingen misschien concreet meetellen, of in ieder geval zijn opgevallen bij iemand die begrijpt dat er van slechte bedoelingen eigenlijk geen sprake was, maar dat die per ongeluk opdoken bij een soort kruispunt van wegen en op de een of andere manier de overhand kregen en toen alles naar de filistijnen hielpen. Wat ik bedoel heeft te maken met het feit dat Penny vanavond in mijn huis verscheen terwijl mijn zoon afwezig was, en die twee vormden parallelle lijnen, ze wisten vrijwel niets van elkaar of van mijn voortdurende terughoudendheid over de kwestie. Omdat ik in mijn leven zoveel schade heb aangericht en in de nasleep van een welverdiende straf wat geluk heb gehad waarvan ik weet dat ik het niet heb verdiend, wil ik misschien geen stomme fout maken waardoor ik alles weer verpest en voorgoed verlies. Uit zelfbescherming heb ik mezelf aangeleerd zo weinig mogelijk te vertellen over mijn persoonlijke situatie in het heden en het verleden tegen wie ook, vooral tegen de paar mensen met wie ik een goede band wil onderhouden. Het is sowieso veiliger om vragen te stellen dan om antwoorden te geven, heb ik gemerkt. Dat wordt beschouwd als een kwestie van goede manieren, maar ik zie het ook als een behoedzame, instinctieve tactiek om niet te verliezen, een strategie die alle losers kennen, totdat je op een dag ontdekt en je realiseert dat je die andere tactiek vergeten bent omdat die verdwenen is.

# PENNY

Ze brengt een fles chardonnay mee, die hij bij de deur van haar aanneemt terwijl hij haar kust, en pas later, wanneer ze halverwege de avond weer naar huis gaat, herinnert ze zich, liggend in zijn armen en met haar lippen op de zijne geklemd, dat als ze die fles wijn nooit meer terugziet en er geen slok van te drinken krijgt, dat geen verlies is omdat ze toch wel aan haar trekken komt.

En je kunt haar van alles noemen, maar geen fantaste, want dit is allemaal echt gebeurd. In zijn slaapkamer, die net zo leeg is als de koelkast van een student en waar ze op de een of andere manier luttele seconden na haar aankomst al belanden, ritst hij met één hand haar rok los, wurmt de andere in haar slipje en dringt bij haar binnen. Een warming-up waar ze bijna van omvalt. Ze werpt haar hoofd achterover: *Ik lachte, ik huilde.* Precies. Als je jonger bent denk je dat dit – neuken wie en wanneer je maar wilt – op middelbare leeftijd iets schandelijks is en een verspilling van tijd, en niet de moeite waard om mee te tellen in het jaaroverzicht, of dat het gewoon een cliché is, maar dat hoeft blijkbaar dus niet zo te zijn. Ze ritst zijn broek open en zijn penis springt in haar handen. Hij is een grote man, en dat vindt ze heerlijk, die alles van haar wil. Dan ligt hij boven op haar, spreidt haar uit op bed, bedekt elke vierkante centimeter van haar naakte vlees en penetreert haar. Het is zeker niet hun eerste keer, maar ze voelt dat wat hij vanavond uitstraalt een verrassende behoefte is die ze moeilijk kan verklaren – alsof hij in zijn vorige leven, hoe dat ook verlopen is, jarenlang niet heeft geleefd, het al die jaren in de kast heeft gelegd en zich voor zichzelf verborgen heeft gehouden terwijl het echte leven doorging.

Maar dit gaat niet voorbij; het is hier, er wordt niets achter- of terzijde gehouden. Hij straalt iets puur lichamelijks, iets bijna dierlijks uit, wat na al het praten, praten en nog eens praten wat ze in de loop van de jaren heeft gedaan en aangehoord (jezus, dat academische oreren en poseren, met al die mensen die ze nooit heeft willen begrijpen of bereiken), voor haar aanvoelt als een geschenk, dat ze met onnoemelijk veel vreugde en opluchting in ontvangst neemt.

Ze besluit dat ze toch van die wijn wil drinken. Wijn na seks is als poëzie, zeiden de Grieken – althans, zo kan het zijn. Alles kan poëzie zijn – dat is haar mantra tijdens haar colleges: *Zet je zintuigen open! Gebruik vorm en taal om ieder aspect van de mens te onderzoeken! Wees niet bang om te zien! Slik alles in!* Nu ze heerlijk geneukt heeft, loopt ze half gekleed door het huis van haar minnaar en trekt ze haar rok recht terwijl ze van de slaapkamer naar de keuken dwaalt met één oog op de ongebakken biefstuk, en ze denkt dat ze haar eigen standpunt helder heeft...

In de woonkamer blijft ze plotseling stilstaan en bedekt haar naakte borsten met haar handen.

Er staat een jongeman bij de voordeur. Hij is lang, knap en sjofel gekleed. Zijn schok om haar hier in huis te zien lijkt nog groter dan de hare – hij kijkt kwaad. Hij heeft sterke armen en een brede borst, en ze voelt een instinctieve angst voor hem.

Ze staren naar elkaar. Dan draait hij zich plotseling om, grist Dwights autosleutels van het tafeltje bij de deur en beent het huis uit.

'Hé!' roept ze hem na – een soort 'Houd de dief!' van een lafaard – en verzet geen voet.

'Laat hem maar.'

Ze draait zich om: Dwight staat achter haar, naakt. De uitdrukking van triomfantelijke seks die hij een paar minuten geleden nog op zijn gezicht had, is verdwenen. Hij is verslagen, ziet ze. Zijn gelaatsuitdrukking is nu die van een betrapte leugenaar.

# SAM

Hij rijdt in de auto van zijn vader in de enige richting die hij kan bedenken in deze streek die niet de zijne is: een kwartier in zuidelijke richting. Geen plannen voor zaterdagavond, geen wegenkaart, *nada*. Wat hij op dit moment vooral mist, terwijl hij blindelings de onofficiële gemeente Arenas uit rijdt en de stad Santa Barbara nadert, zijn de groene verkeersbordjes met de witomrande landkaartjes in de vorm van de noordwesthoek, als welkomstvlaggetjes die je vertellen welk stadje je net hebt verlaten en waar je zojuist bent aangekomen: Salisbury, Box Corner, Canaan, Wyndham Falls, Bow Mills...

Indiaanse tatoeages onder zijn huid waaraan hij tot op dit moment nooit eerder heeft hoeven toegeven, waarschijnlijk omdat hij zich nog nooit zo ver van huis heeft gevoeld.

Hij parkeert langs de hoofdstraat, als het de hoofdstraat is, niet ver van de jachthaven. Hij hoort stemmen en muziek uit restaurants en cafés langs de straat, open winkelpuien vanwege het zoele weer als onbeschermde gezichten – en opnieuw lijkt het niet op thuis. Hij loopt de andere kant op en steekt een smal parkje over naar de pieren. Hoog in de palmbomen ruist een briesje, een gefluister dat te exotisch is om waar te zijn, en verderop knallen de touwen onder de ankerlichten waarmee de horizon bezaaid is als sterrenbeelden aan een touw, nerveus en met een eigen ritme tegen minstens honderd scheepsmasten.

Dit alles hoort hij, maar kan hij niet geloven. Beelden en geluiden zijn nooit genoeg; hij moet altijd zijn eigen theorie van emotionele relativiteit hebben, wachtend op een onmogelijke bevestiging. Hij kan zich bijvoorbeeld niet één keer herinneren dat het hem onbewust niet als volkomen vanzelfsprekend voorkwam dat zijn vader hem als vijfjarig joch met zijn vuist vol in het gezicht sloeg, alleen maar omdat hij op die jonge leeftijd en om een reden die hij niet kan bevatten behoefte had aan een pak slaag en het zo regelde dat hij dat ook kreeg. Dat hij dit nooit zal kunnen bewijzen maakt het niet minder echt.

Hij loopt langs de ene pier na de andere. Er liggen partyboten met gezellige bijeenkomsten aan dek, koeltassen met bier en hier en daar een blender die daiquiri's en margarita's uitspuugt. Hij is een schildwacht of een nachtwaker, of de plaatselijke Batman: dronken mensen kijken hem ontnuchterd na als hij langsloopt. Op andere boten is het donker. Daar blijft hij staan, tuurt in de donkere cabines terwijl de boten rusteloos bewegen op het onzichtbare tij. Dertig meter achter hem komt veel geluid uit een oesterbar boven de havenwinkel, het licht valt in helgele vlekken op het olieachtige wateroppervlak. Een prachtig gezicht, en hij wordt er bijna zeeziek van. Hij moet even gaan zitten. Vlak bij het borsthoge metalen hek dat het zich scheepsvolk noemende scheidt van de rest, ontdekt hij onder een zwakke gemeentelijke lantaarnpaal die bezaaid is met suïcidale motten een bankje waarop een oude man met een gedeukte kapiteinspet op uit een fles drinkt die nog in bruin papier is ingepakt. Sam gaat zitten en laat wat ruimte tussen de man en hemzelf. Hij ruikt nu wat er in de fles zit, of anders stinkt de adem van de man: Jack Daniel's. *Met een scheut J.D. deze keer*, denkt hij. En Nic Bellic ligt languit op de smerige vloer bij O'Doul's; Nic Bellic staat op als Lazarus of Frankenstein, en Sam ziet met een duizelingwekkende scherpte hoe het lemmet van een scalpel een vuurrode lijn trekt over de bleke buik van een man die Nic Bellic heet. En hij zegt goedenavond tegen zijn Amerikaanse buurman, de man met de gedeukte pet, hij staat weer op en loopt naar de havenwinkel, die gesloten is, en naar de houten trap die hem naar Captain Cook's lokt. Over een minuut zal hij die trap beklimmen, op een kruk gaan zitten in de bar waar niemand hem kent, en daar zal hij alles aantreffen wat hem herinnert aan waar hij vandaan komt.

# DWIGHT

'Het is een kwestie van vertrouwen,' zegt Penny zonder me aan te kijken terwijl ze een beker koffie – mijn vierde van die ochtend – voor me neerzet. Ze ziet er fit en knap uit in haar witte tenniskleding, maar verder is ze zo hard en kil als een Grieks standbeeld. Ik zit aan de keukenbar waar vroeger haar ex-man Darryl zat, onvast op een hoge kruk, en hij was de situatie net zo meester als een man die een emoe wil bereiden.

'Ik ben het met je eens, Pen.'

'Ik keek gisteravond naar hem, de zoon over wie je het vrijwel nooit hebt, terwijl ik geen flauw idee had dat hij in de buurt was. In jouw huis zelfs. Een heleboel geschiedenis – ik voelde het zonder hulp van jou. En weet je wat? Jij bent niet veel beter dan een leugenaar. Ik ben erachter gekomen dat ik je eigenlijk niet ken.'

'Dat is niet waar. Je weet meer over mij dan wie ook hier.'

'Dat zegt niets.'

'Ik weet het niet, maar als jij mij was...'

'Als ik jóú was?' Penny buigt zich voorover tot op een paar centimeter van mijn gezicht, en haar geelbruine ogen zijn vochtig maar spuwen vuur. 'Als ik jou was, dan zouden we hier niet zitten te praten. Dan zou ik niet betrokken genoeg of dapper genoeg of gemotiveerd genoeg zijn om jou, een andere persoon met de gevoelens en verlangens van een andere persoon, te vertellen wat ik echt denk. Waar ik om geef. Wat het echte verhaal is. Wat ik bereid ben... Wat ik... Wat ik godverdomme ter sprake wil brengen.'

'Ik snap het.'

'Er valt niks te snappen, lul.' Haar ogen vullen zich met tranen. Ze draait zich abrupt om en loopt naar de gootsteen, waar een stapel vuile vaat richting de kust helt. Ik verwacht dat ze nog meer zal zeggen, maar in plaats daarvan draait ze de kraan open. Een straaltje wasmiddel op een spons en ze begint de borden af te spoelen en de vaatwasser in te ruimen.

Ik merk dat ik mijn beker te stevig vasthoud en zie nu dat ik koffie heb gemorst op de bar: weer een vlek.

Ik zet de beker neer, sta op, loop naar de gootsteen en sla van achteren mijn armen om haar heen. Voordat ik haar zelfs maar aanraak krijg ik weer een stijve.

'Sorry,' mompel ik in haar oor.

Ze slaat de kraan met een klap dicht en de waterstraal stopt. 'Opzij.'

Ik doe een paar passen naar achteren terwijl ze met een zware braadpan van de gootsteen naar de vaatwasser loopt. Historisch gezien zijn potten en pannen in de handen van gekwetste vrouwen niet mijn grootste vrienden, en tegen de tijd dat Penny wasmiddel heeft toegevoegd en het apparaat heeft aangezet, is mijn erectie nauwelijks meer dan een herinnering.

Ze draait zich om, kijkt me aan en droogt haar handen aan een keukendoek. Haar ogen zijn niet vochtig meer. Het is zelfs moeilijk voor te stellen dat we ooit geneukt hebben of 's morgens koffiedronken als een stel dat geen woorden nodig heeft om een paar belangrijke dingen van elkaar te weten.

'Moet je horen, Pen...'

'Volgens mij heb je een heel verkeerd beeld van mij, Dwight. Waarschijnlijk al vanaf het begin.'

Haar toon is zo zeker en definitief dat het moeilijk is ertegen in te gaan. De vaatwasser schakelt naar een hogere versnelling en valt dan plotseling stil. Om iets te doen ga ik terug naar de ontbijtbar en mijn eenzame koffiebeker – maar onder het lopen voel ik dat er een zakje met wanhoop begint te lekken in mijn borst, wat me verbijstert en beangstigt. Het is onduidelijk of dit gevoel met Penny te maken heeft, of met mezelf, of met deze zonnige Californische ochtend die nu al het voorteken lijkt te zijn van de zoveelste heilloze onderneming.

'Wat is er met je gebeurd?' vraagt ze streng. 'Met die vraag werd ik vanochtend wakker. Waarom ben je verdomme zo?'

Ik neem een slok koffie, hij is koud. Ik loop met de beker naar de gootsteen en spoel hem om.

# PENNY

Ze begeeft zich met een zwaar gemoed naar het tennispark van de universiteit van Santa Barbara, waar ze als personeelslid mag spelen als ze er zin in heeft – evenals haar dochter, tenminste als dat bijdehante kreng ervoor voelt. En als je op een zondagochtend niets anders te doen hebt, kun je zien hoe ze daar haar romantische frustraties afreageert op haar eigen vlees en bloed, met snoeiharde forehands en dubbelhandige backhands van de ene hoek naar de andere, doodvallende dropshots à la Wimbledon en onhaalbare lobs vol topspin over het hoofd van de vastberaden maar niet al te lange puber, zo vaak als ze wil. Waar zijn die lui van de Kinderbescherming als je ze nodig hebt? Wordt de jeugd niet meer verdedigd? Ze zouden haar in de boeien moeten slaan, arresteren en opsluiten met zo'n enkelband voor witteboordencriminelen.

Ali kijkt toe als er weer een lob hoog boven haar hoofd verdwijnt, voor de lijn neerkomt, wegspat door de topspin en buiten haar bereik is. Ze zet geen stap.

Game, set en match.

*Gefeliciteerd, professor Jacobs! U hebt zojuist uw puberdochter gesloopt, wier idee van ware topsport een middagje seizoenopruiming bij Abercrombie & Fitch is.*

Moeder en dochter staan op de baan naar elkaar te kijken. Moeder heeft al een schaapachtige uitdrukking op haar gezicht.

Laat ons de video even bekijken: moeder mompelt vage verontschuldigingen voor haar zwakzinnige gedrag op de baan; dochter besluit de verontschuldigingen te negeren, loopt de baan af, haalt paperbackeditie van *His Dark Materials* van Philip Pullman uit rugzak, gaat op de harde grond zitten en begint te lezen.

Zo, die zit, mam. Trut.

Mam veegt zweet van gezicht met handdoek, ziet hoe dochter onmiddellijk wordt opgezogen in beter, volwaardiger, alternatief universum, waarin mam zich ook wel zou willen laten opnemen, hoewel ze weet dat ze dat genoegen niet heeft verdiend. En dat brengt haar tot de onvermijdelijke conclusie dat ze, ondanks het indrukwekkende bordje op de deur van haar kantoor, een expert in helemaal niets is. Waardoor ze een vluchtweg probeert te verzinnen. Waardoor ze hardop tegen haar dochter zegt: 'Kan ik je een kwartiertje alleen laten? Ik moet even iets doen in mijn kantoor.' Maar dat is gewoon verzonnen; er valt helemaal niets te doen in haar kantoor; er heerst alleen maar stilte, dat schijnbeeld van vrede en rust. Hoe dan ook, dochter negeert haar opnieuw.

Mam aarzelt, loopt dan weg van de moederlijke plaats delict en denkt clichématig en aforistisch, wat haar nog meer deprimeert door het gebrek aan originaliteit: *Weer een dag, weer een ramp.*

Denkt: *Ik haat je, Pullman. Dank je, Pullman.*

Denkt: *Ik heb een gebroken hart en ik ben bang want een man is een man is een man.*

# EMMA

Dit herinnert ze zich haarscherp: dat haar vader, toen ze als eerstejaars haar intrek nam op Yale, haar opwachtte bij Dundee op de Old Campus.

Sinds zijn vertrek naar Chicago heeft ze hem maar één keer gezien, tijdens een weekendbezoekje aan zijn nieuwe stad, dat – daar waren ze het later samen over eens – te vroeg had plaatsgevonden, ook al was er behoorlijk veel tijd overheen gegaan. Nu omhelst ze hem behoedzaam en twijfelt aan wat ze zal voelen. Dat is niets nieuws, maar nu wordt de twijfel versterkt door zijn verschijning. Hij is afgevallen en zo slank als een immigrant. Zijn baard is verdwenen, zijn dikke peper-en-zoutkleurige haar is gemillimeterd. Hij draagt een andere bril – met een dik, zwart montuur, in de stijl van joodse intellectuelen van de generatie van zijn ouders, die hij, zo vertelde hij zijn dochter ooit, de rug had toegekeerd.

Hij glimlacht krampachtig en spreidt zijn armen. 'Je dacht toch niet dat ik je hier helemaal alleen aan zou laten beginnen, hè?'

Hij spreekt tegen haar, maar had zich evengoed tot haar moeder kunnen richten, die van schrik of uit weerbarstigheid een paar meter naast de auto is blijven staan met een doos boeken in haar armen.

'Hallo, Grace.'

'Ethan. Ik wist niet dat jij ook zou komen.' Een scherpe blik naar Emma. 'Heb jij hem uitgenodigd?'

Het antwoord is ontkennend, maar Emma zwijgt, knikt niet ja en schudt niet nee.

Haar moeder loopt langzaam door, haar blik op de grond gericht, alsof ze bang is dat ze zal struikelen. Ze duwt Emma's vader de doos boeken tegen de borst en houdt hem net zo lang vast tot hij hem van haar overneemt.

'Nu je hier toch bent,' zegt ze, en ze loopt terug naar de auto om nog een doos te halen.

Bij Frank Pepe's Pizzeria, waar het vol zit met eerstejaarsstudenten en hun ouders, bestellen de drie samen een grote vegetarische quiche en een karaf rode huiswijn. De lunch, die duidelijk feestelijk bedoeld is, wordt een afmattende vertoning, tot op het absurde af. Haar moeder gedraagt zich te voorbeeldig, met een ingehouden scherpte als die van de getande pizzasnijder die naast hen op het tafeltje ligt en symbool lijkt te zijn van een amputatie waarvan geen van hen het bestaan durft te erkennen.

'Nog een stuk, Ethan...?'

Haar vader drinkt het grootste deel van de wijn. Hij poetst zijn bril iets te vaak schoon met zijn servet, en hij begint te zweten.

'Ik denk dat ik zo langzamerhand weer eens naar het vliegveld moet.'

Emma kijkt van de ene ouder naar de andere, en een sterk gevoel van misselijkheid grijpt haar naar de keel. Zo voelt het als je weet dat je niet vergeven wordt.

# DWIGHT

'En?' zeg ik.

Sam en ik hebben ieder twee bier achter onze kiezen en zitten bij Loney's, een kroegachtig soort eethuis waar ik vaak kom vanwege het kabelabonnement dat ze er hebben op Red Sox Nation, en dat doet me denken aan thuis. Niet dat zoiets per se een voordeel is, maar het hoeft ook niet rampzalig te zijn. Ik had gehoopt dat Sam het ook leuk zou vinden, en wel om min of meer dezelfde redenen.

Helaas is de wedstrijd Sox-Angels al begonnen op het breedbeeldscherm boven de bar en is de tent voor driekwart leeg, en die ambiance lijkt eerder geesten uit het verleden op te roepen: de verloren jaren en maaltijden en de rest, de avonden die anders verliepen dan deze.

'Hoezo en?' zegt Sam.

'Heb je er problemen mee je woede in toom te houden?'

'Of ik problemen heb mijn woede in toom te houden?' Een spottende grijns verschijnt op zijn gezicht – mijn zoon is, net als zijn ouweheer, geen amateur: hij ziet dat zijn mimiek mij begint te irriteren. 'Zoals jij, bedoel je?'

'Dat soort problemen heb ik niet meer, Sam. Ik heb momenteel andere problemen, waar we het later wel over kunnen hebben, als je er geïnteresseerd in bent. Maar zou je nu mijn vraag kunnen beantwoorden?'

'Jij eerst, *pap*.'

'Goed. Ik heb geen flauw idee. De laatste keer dat ik je zag was je een schattig joch dat te lijden had onder veel te veel shit waar een kind nooit aan onderworpen zou mogen worden. Een joch met lef, volgens mij – een prima joch. Je had een beetje pech met je ouweheer, oké, maar je sloeg toen nog niemand verrot met een honkbalknuppel.'

'Iedereen wordt uiteindelijk volwassen,' mompelt Sam somber, terwijl zijn blik op de tv boven mijn schouder is gericht.

Ik schrik van de kalme verbittering van die opmerking. Ik pak mijn glas, maar het is leeg.

Plotseling lijkt de tijd stil te staan en zelfs achteruit te lopen, terwijl ik naar de boze jongeman kijk die tegenover me aan tafel zit en geen spoortje terugzie, hoe aandachtig ik zijn gezicht ook bestudeer, van het dunne witte litteken dat links langs zijn kaaklijn hoort te lopen: het litteken dat mijn vuist achterliet toen hij zich als vijfjarige wilde bemoeien met de dronkenmansruzie die Ruth en ik hadden op de avond dat ons huwelijk uit elkaar spatte. Elke seconde van die avond was voor ons alle drie een ongeval van het rampzaligste soort. Van het ene moment op het andere liep zijn leven – en het mijne – volledig uit de rails, door mijn schuld. Hoewel de meer dramatische gebeurtenissen die nog zouden volgen zich nog niet aankondigden – maar dat doen ze nooit, totdat het te laat is.

Ik heb gehoord, en kan het uit eigen ervaring bevestigen, dat als je jezelf aangeeft voor een misdaad die je hebt gepleegd, je recht hebt op een zekere mate van verlossing. Maar die stelling kent haar beperkingen, meen ik, hoewel je daar de ethisch filosofen tegenwoordig niet vaak over hoort. Als je te lang wacht met je mening is je kans ineens verkeken. Je zit je straf uit, maar komt nooit meer echt vrij.

'Alles oké hier?'

Onze blonde serveerster, half zo jong als ik, met de brede schouders van een surfer en een stralende Californische glimlach: een en al zon en zout verpakt in een strakke kakibroek en een blauwkatoenen shirt. Ze deinst terug voor mijn brede grijns, en ik word overvallen door herinneringen en verlang vol weemoed terug naar alle serveersters die ik ooit heb gekend in de noordwesthoek, die nooit zo jong waren als hier maar niettemin stuk voor stuk sterren in wording, met hun donkere nagellak, winterkleurig haar en kraaienpootjes bij hun ogen, en een aantrekkelijke glimlach.

'Laat maar horen als jullie nog iets willen bestellen,' zegt ze tegen mijn zoon, wiens knappe, lome woede haar volle aandacht heeft.

'Komt voor elkaar.' Ik grijns opnieuw vermoeid naar haar terwijl ze wegloopt. 'Als je haar zo blijft negeren,' zeg ik met een knipoog tegen Sam, 'dan loopt ze zó met je mee naar huis.'

'Zal wel.'

We zwijgen.

Aan het begin van de avond – toen de zon nog scheen en dit etentje niet meer was dan een voornemen – was ik serieus van plan mijn zoon over te halen terug naar school te gaan. *Haal eerst je diploma, haal dat verrekte papiertje; dat kunnen ze je nooit meer afpakken, wat er verder ook gebeurt...*

Maar het juiste moment voor die peptalk deed zich niet voor; of misschien had ik de moed niet hem terug te sturen naar het Oosten nu hij eenmaal hier was.

Ik volg Sams blik naar het breedbeeldscherm boven de bar. De wedstrijd bevindt zich in de achtste inning en de Sox, die een man op het tweede honk hebben, proberen een achterstand van twee runs goed te maken. Ik zie dat Coco Crisp op het punt staat een honk te stelen, en Big Papi is aan slag; hij staat te stampen, drukt de onderkant van de knuppel in zijn kruis, spuugt in die enorme handen van hem en beweegt zich als een circusvechter die net is losgelaten uit zijn kooi.

'Daar gaan we dan!' juicht de verslaggever, die bijna in zijn broek piest van de spanning. 'Oké, jongens, daar gaan we!'

Ik kijk naar mijn zoon, die geen belangstelling meer heeft voor de wedstrijd, of voor wat dan ook. Er trilt een spiertje op zijn kaak, hij verbijt woedend alle woorden die hij nooit zal uitspreken.

Ik steek mijn hand uit en knijp hem in zijn arm. Mijn stem klinkt dik en onvertrouwd voor ons allebei. 'Wat de situatie ook is, Sam, wat er verder ook gebeurt, we komen er samen wel uit.'

Zijn gelaatsuitdrukking zegt me dat hij me niet kan of wil geloven.

Wat dat betreft zijn we tenminste gelijk.

# PENNY

Loslaten is het gemakkelijkst. Dat zou het allergemakkelijkst zijn, en het slimste. Ze beschouwt zichzelf graag als een intelligente vrouw met een zelfstandige geest. Ze zou Dwight Arno gewoon kunnen laten teruggaan naar waar hij vandaan komt, waar dat ook is.

Dat zou ze kunnen doen.

De deur van haar kantoor is dicht. Het is tien voor vier in de middag, dus over tien minuten begint haar werktijd. Ze bevindt zich in haar veilige schuilplaats. Doos met tissues bij de hand, naast haar stukgelezen exemplaar van *The Rattle Bag*.

Tien minuten: ze zou nu de telefoon kunnen pakken en hem bellen.

Haar telefoontoestel hier is zwart en ouderwets. Gekocht in een antiekzaak, geen retrotoestel, maar origineel; het weigert mee te doen aan de rage van verandering omwille van de verandering. Het weegt ruim een kilo. Ze fantaseert graag dat ze er een rubberboot mee tot zinken zou kunnen brengen, of de president van de Verenigde Staten mee zou kunnen bellen (nee, bedankt), of (wat een gotspe) er een breedgeschouderde man mee bewusteloos zou kunnen slaan.

# DWIGHT

Tony Lopez, erkend familieman en gewiekst zakenman, heeft mijn zoon de baan aangeboden in het magazijn en achter de kassa's die eerder door zijn neefje werd vervuld. Ondanks zijn misdrijven blijft Evander zijn vorstelijke salaris ontvangen, maar hem is de toegang tot het bedrijf ontzegd; hij is alleen nog een medewerker in naam en kan alle dagen naar hartenlust roken en ijshockeyen. Sam, die geen familie is, krijgt daarentegen één dollar boven het minimumloon en heeft een proeftijd die net zo lang duurt tot Tony vertrouwen heeft in een langeretermijnsituatie, waarna ook de mogelijkheid van promotie ter sprake kan komen.

'Misschien kun je het werk van je ouweheer doen,' zegt Tony tegen hem, met een grijns die slechts kan worden omschreven als sluw.

We zitten op een dinsdagavond met z'n drieën in Mama's Taqueria. De werkdag is voorbij, er hangt een olieachtige kaasgeur van nacho's in de lucht. Ik nip aan mijn Dos Equis en bedenk hoe dit tafereel bij Ruth zou overkomen – een onbeduidend baantje in een magazijn voor onze losgeslagen zoon – en ik schaam me omdat ik niet meer voor hem kan doen. Maar tegelijkertijd verheug ik me bijna schuldig op het vooruitzicht dat ik elke morgen met hem naar het werk kan rijden en elke avond weer naar huis, en dat moet haast wel leiden tot een onuitgesproken kameraadschap en intieme, betekenisloze gesprekken. Ik popel bij het vooruitzicht.

Tony zet zijn glas mineraalwater met limoen op tafel en buigt zich voorover. 'Over één ding moeten we het goed eens zijn, Sam, oké? Over de problemen die je gehad mag hebben op school? Je vader hier' – hij knijpt me venijnig in mijn onderarm – 'kan het je precies vertellen: ik tolereer geen shit in mijn zaak. Begrijp je wat ik bedoel? Niet in mijn zaak.'

'Dat begrijpt hij heel goed, Tony,' zeg ik.

Tony fronst zijn wenkbrauwen zonder zijn blik van Sam af te wenden.

'Dat begrijp ik, meneer Lopez.'

Tony bekijkt de jongeman aandachtig. Als hij daarmee klaar is, werpt hij een blik op zijn gouden Rolex, schuift zijn stoel naar achteren en staat op. Het is zeven over zeven, en dat betekent dat hij zeven minuten te laat is voor zijn gebruikelijke avondeten met Jodi en de meisjes. Hij is een familieman, reken maar, en dat stelt zo zijn eisen.

'We hebben dit weekend een softbaltoernooitje,' zegt hij. 'Ik heb gehoord dat jij echt gehonkbald hebt – derde honkman in de studentencompetitie?'

'Tot een paar weken geleden,' zegt Sam blozend.

'Ik ben zelf ooit middenvelder geweest. Mijn broer Jorge was catcher – net als Posada bij de Yankees. Man, heb ik je dat nooit verteld? Die Jorge wist godverdomme wel raad met dat hout. Zat bij Cape Cod in de Summer League, totdat hij zijn knie verpestte.'

'Je moet Sam eens zien slaan. Die kan er ook wat van, hoor!'

Sam draait zich om en staart me aan; de kleur is weggetrokken uit zijn gezicht

'Goed...' Tony is al op weg naar de deur. 'Als je zondag maar naar het sportpark komt met je ouweheer. We kunnen wel wat extra power gebruiken in het team.' Hij blijft even staan, grijnst over zijn schouder naar ons en vertrekt.

Eenmaal buiten blijkt het een kille Californische avond te zijn geworden. Sam en ik staan als toeristen bij een autoshow naar Tony te kijken, die met zijn Mercedes behoedzaam het parkeerterrein verlaat. We stappen in onze eigen auto, doen het bewerkte canvas dak dicht tegen de verrassende voorjaarskilte en rijden naar huis.

Geen van beiden zeggen we een woord. Sam probeert een paar van mijn cd's, haalt ze met een grimas om die ouwelullenmuziek weer uit de speler en zet hem af. We rijden zwijgend door de donkere, schijnbaar verlaten stad, alsof het niet de goede stad is, maar een andere. Mijn zoon zit naast me, maar is tegelijkertijd mijlenver weg. Ik kan weinig anders doen dan toegeven dat ik niet over de juiste middelen beschik om nu te doen wat ik zou willen doen. Een stevige, altijddurende brug bouwen tussen twee mensen – laat staan tussen een vader en een zoon met onze geschiedenis – is een ongelooflijke menselijke prestatie, en dat ik hier zit te denken dat ik dat in mijn eentje even zal klaarspelen, zonder enig voorafgaand succes op dat terrein (sterker nog: te veel fouten om op te noemen), met een tube lijm, een paar stokjes en wat spuug is je reinste hoogmoed. En zoals de Grieken al zeiden: hoogmoed is dodelijk. Het koor zingt je naam, totdat ze je in de laatste akte begraven en vergeten.

Ik draai mijn raampje open, omdat ik plotseling de oceaan wil ruiken, omdat ik wil weten waar ik ben. Maar wat ik ruik is niet de oceaan, hier op de 101, maar de uitlaatgassen van andere opgesloten, vermoeide dromers die heen en weer scheuren langs de kust, en het door hen veroorzaakte geraas klinkt in mijn oren als bloed dat door een tunnel stroomt.

Vijf minuten later rijd ik mijn inrit op. Ik zet de motor af.

'Morgen vroeg aan het werk,' zeg ik. 'We moesten maar eens vroeg naar bed.'

Sam reageert niet. We gaan het huis in, ik loop naar de keu-

ken voor een glas water. Ik voel hoofdpijn opkomen. Als ik terugkom is hij al in zijn kamer, de deur is dicht. Ik ga op een
stoel tegenover de tv zitten. Maar ik zet hem niet aan, drink
niet van het water en doe niets behalve erover nadenken dat ik
– zoals mijn zoon duidelijk opmerkte en attent genoeg niet
van commentaar voorzag in het bijzijn van een derde – hem
nog nooit heb zien honkballen. Drie jaar lang, tussen zijn zevende en zijn tiende, speelden we samen zo nu en dan vangbal
op mijn gehuurde gazon in Box Corner. Destijds betekende
dat erg veel voor me, dat geef ik ronduit toe. Het gevoel dat ik
er toen bij had was dat van twee teamgenoten, oud en jong –
die prachtige eerste innings van wat uiteindelijk een lange, be-
tekenisvolle wedstrijd zou worden die van de middaguren tot
in de late, met sterren verlichte avond van ons leven zou duren.
En we zouden allebei ons leven lang de herinnering aan die
wedstrijd blijven koesteren.

Maar om diverse redenen loopt alles natuurlijk altijd anders
dan je denkt.

# RUTH

Als het telefoontje komt, tegen het einde van een middag in mei, zit ze achter de piano in haar woonkamer, met een beker gloeiend hete groene thee op een onderzetter, en speelt ze een deuntje waar Sam dol op was als baby, nog voordat hij kon praten. Haar geheugen is niet zozeer de spreekwoordelijke zeef als wel een steeds roestiger wordende rasp die kleine stukjes en sliertjes van het originele geheel afschaaft. Soms weet je waar een stukje vandaan komt, maar vaak ook niet. Giechelen om het dwarrelende stof in een zonnestraal? Een plotseling gebalde vuist? Gepiep als het wrijven over een ballon? Het geluk van Sam als kind kon overal vandaan komen. In plaats van zekerheid te krijgen kan ze hier gewoon die deun spelen, een Amerikaanse klassieker die ouder is dan haar grootouders, en die voor haar nostalgische beelden oproept van graanakkers en hooimijten, schone rivieren en houtvuren. En dat alles, zonder tekst om de noten te begeleiden, slaat misschien nergens op, maar toch is het niet betekenisloos. Het maakt niet uit dat ze zelf nooit is opgegroeid met dat soort iconische dingen. Een verloren herinnering waarmee ze kan leven, maar geen verloren gevoel.

Ze speelt drie opeenvolgende akkoorden en zucht. Ze speelt er nog drie. Ze begint te neuriën, en denkt op haar eigen manier terug aan haar baby.

De draadloze telefoon gaat, en ze pakt hem op.

Een officieel klinkende man stelt zich voor als de studentendecaan van haar zoon.

126

Correctie. Wat hij in werkelijkheid zegt is dit: 'Mevrouw Wheldon, u spreekt met Chas Burris. Ik ben studentendecaan aan de universiteit van Connecticut. Is Sam thuis?'

'Nee, Sam is er niet.'

Haar stem klinkt redelijk, denkt ze. Maar haar andere hand ligt al niet meer op de toetsen, maar gebald in haar schoot. Ze schuift de pianokruk naar achteren en neemt afstand: er staat hete thee die kan omvallen, er is muziek.

'Weet u waar hij is, mevrouw Wheldon? Het is erg belangrijk en ik moet hem spreken.'

'Is er iets gebeurd?'

'Mevrouw Wheldon, hebt u een mobiel nummer waarop ik uw zoon nu kan bereiken?'

Het herhaaldelijk noemen van haar naam, beseft ze, is het allergevaarlijkste aan die man.

'Pas als u me vertelt wat er aan de hand is.'

'Mevrouw Wheldon, we hadden eerder contact met u willen opnemen, maar de feiten bereikten mijn kantoor tamelijk laat. De kamergenoot van uw zoon heeft niet echt medewerking verleend.'

'Waar hebt u het over?'

'Mevrouw Wheldon, uw zoon, Sam Arno, is officieel verwijderd van de universiteit van Connecticut. Hij krijgt geen diploma, nu niet en in de toekomst niet. En dat zou nog weleens zijn minst erge probleem kunnen zijn.'

Ruth probeert iets te zeggen, maar de angst knijpt haar keel dicht.

'Er heeft zich een gewelddadig incident voorgedaan in een café buiten de campus. Misschien hebt u daar iets over gehoord. Kort daarop schijnt Sam spoorloos verdwenen te zijn van de campus, met achterlating van zijn meeste bezittingen. Hij heeft al negen dagen geen colleges meer gevolgd. Misschien bent u daarvan ook op de hoogte. Helaas, zoals ik eerder al meldde, hebben al deze feiten mij pas in een laat stadium bereikt. Ik moet u dus opnieuw dringend vragen, mevrouw Wheldon: weet u waar uw zoon zich op dit moment ophoudt?'

'Nee, dat weet ik niet.'

'Goed. Maar u dient zich wel te realiseren, mevrouw Wheldon, dat de situatie ernstiger is geworden. Op ditzelfde moment ligt er een jongeman in kritieke toestand in het ziekenhuis. Wettelijk gezien is uw zoon volwassen. Het is van belang dat u en uw familie dat beseffen, en passende maatregelen treffen. Ik kan me voorstellen dat u een advocaat in de arm wilt nemen, als u dat al niet hebt gedaan. En waar Sam nu ook is, hij mag de staat Connecticut onder geen beding verlaten.'

'Wettelijk gezien?'

Ze hoort zichzelf vaag door de telefoon, in het lege huis, terwijl ze probeert hun levens bij elkaar te houden met één simpele vraag, maar het is de dialoog van vreemden. De hele dag is plotseling afgesneden van de tijd. De muziek is dood. De graanakkers zijn verbrand.

# DWIGHT

Het staat voor mij vast dat softbal rustig de ware Amerikaanse vrijetijdsbesteding kan worden genoemd. De slordige, soepele regels, de altijd wat sjofele veldjes met veel zand en weinig gras, ergens in stadsparken of op onbebouwde percelen in het hele land, dat zijn de droomvelden voor de gemiddelde Amerikaanse burger.

Kinderen met ongewassen smoelen in het afdankertje van hun oudere broer, gescheiden vaders met meer bier dan spieren in hun pens. De grote maar onhandige bal, de knuppel zo licht als een veertje, maar met een extra grote aluminium *sweet spot*. Het pitchen gaat meestal traag, en er zijn talloze mogelijkheden voor een homerun, zodat het plebs zich ook een superster kan voelen. Je staart naar die enorme bal die in een grote boog op je afkomt, geworpen door je vriend, collega of rare oom, en het beste moment van de week breekt voor je aan.

Mijn zoon ziet dat natuurlijk anders. Als ik me op zondag om negen uur in zijn hol waag – de logeerkamer, waar het inmiddels vol ligt met smerige sweatshirts, t-shirts en spijkerbroeken, is een schurkenstaat die bezig is zich af te scheiden van de rest van het huis – om hem te wekken, verwoordt hij in smerige taal zijn tegenzin om met me mee te gaan. Pas nadat ik heb uitgelegd dat hij waarschijnlijk zijn baan verliest als hij niet komt opdagen – hij heeft pas drie dagen gewerkt en het astronomische bedrag van 146 dollar netto verdiend – trekt hij met tegenzin wat stinkende UConn-sportkleding en oude

129

sportschoenen aan, drinkt de beker koffie op die ik hem in zijn hand duw en loopt achter me aan naar de auto.

De meeste van de ruim twintig aanwezigen deze morgen in het gemeentelijke sportpark van Arenas zijn werknemers van SoCal of familie van Lopez, of allebei. De meeste mannen staan onder dokterstoezicht of verkeren in een toestand van dreigend overgewicht. Een bij elkaar geraapt zootje aan uniformen. Koeltassen met frisdrank staan klaar achter de thuisplaat voor constante dorstlessing, opfrissing en gezelligheid in het algemeen. Ik begroet de anderen met kameraadschappelijke vuiststoten en hier en daar zelfs een schouderklop, en stel Sam aan iedereen voor. Het weer is schitterend, het gras in onze betrekkelijk welvarende gemeente is keurig gemaaid en de pas aangebrachte lijnen glimmen als verse dekverf. Achter het niet-afgeschermde buitenveld en omgeven door zes hoge, soepel deinende palmbomen, bevinden zich de twee gemeentelijke tennisbanen, en tussen ons joviale, door bier geïnspireerde geschreeuw van 'Mooie klap!', 'Wat een sukkel!' en 'Noem je dat een swing?!' (en we zijn nog niet eens begonnen) hoor je het verre, holle *plok*, *plok* als er een tennisbal wordt geraakt, wat mij om de een of andere manier altijd raar in de oren klinkt, als een echo voorafgaand aan het geluid.

Tony voorziet dit alles van een serieuze ondertoon, wat komisch zou overkomen als het niet zo dreigend en competitief bedoeld was. Je hoeft alleen maar te kijken naar zijn op de middelbare school gescoorde trofeeën in de prijzenkast van de winkel om te zien dat hij gewend is om te winnen en, sterker nog: gloeiend de pest heeft aan verliezen. Als Tony tegen je in het strijdperk treedt, wil hij je het liefst onder de grond schoffelen en je bovendien nog tegen je achterhoofd trappen, zodat je tanden eruit vliegen. Dat is een van de redenen, vermoed ik, dat ik me bij hem op mijn gemak voel. Het feit dat we geen echte softbalcompetitie zijn, maar eerder een losse federatie van Romeinse slaven die bijeengekomen zijn om te vechten tegen de leeuwen onder het toeziend oog van de keizer, doet niets af aan zijn standpunt dat het spel een microkosmos is van alles wat we moeten zien te bereiken voor zijn zakelijke belangen. De teams worden op de vertrouwde feodale manier samengesteld, wat wil zeggen dat Tony optreedt als de ene aanvoerder en ik – strikt genomen de tweede man aan de SoCal-totempaal – als de andere. Als Groot Opperhoofd kiest Tony als eerste uit het verzamelde talent – wat op sommige weekends even zinloos lijkt als met een lang, slepend net dode paardenvliegen uitkiezen in een zwembad.

Nu Sam voor het eerst aan de selectie is toegevoegd, is er echter sprake van opwinding in de gelederen als de spelers verdeeld gaan worden. Geruchten over zijn prestaties op de honkbalvelden aan de oostkust hebben SoCal en de uitgebreide Lopez-clan bereikt, en terwijl Tony bezitterig naar mijn zoon knikt en hem als eerste kiest, klinkt er waarderend gemompel onder de honkballiefhebbers. Zoals alle echte atleten lijkt Sam deze waardering van zijn talent als vanzelfsprekend te beschouwen, en zelfs te ontspannen te midden van de beginnende bewondering. Hij rolt relaxed met zijn schouders en loopt op zijn gemak en als de beroemde volbloed die hij is over de onzichtbare streep naar Tony's stal.

Ik ben aan de beurt en kies Derek, die ondanks zijn wietgebruik en onaangepastheid een behoorlijk gemiddelde slaat en prima fungeert op het tweede honk. En zo gaat het verder, en ik eindig met mijn keuze voor Sandra als catcher. Ik loop met mijn team naar het gazen hek achter de thuisplaat en we maken ons klaar om als eerste te gaan slaan. Hoewel ik het zonder Sam moet doen, ben ik niettemin redelijk tevreden met mijn opstelling. We hebben een paar kleine, maar belangrijke voordelen. Sandra heeft bijvoorbeeld laag op haar rug een tatoeage van een naakte engel die telkens in zicht komt als ze achter de thuisplaat hurkt of in de richting van de palmbomen slaat, en haar aanwezigheid in ons team heeft een ondubbelzinnige bonus voor ons moreel, als die al geen voorwaarde is voor oudere mannen.

Als Sam in de derde inning staat te batten met twee man op de honken, slaat hij een bal zo hoog en ver dat die over de twaalf meter hoge palmbomen gaat en op de verste van de twee tennisbanen terechtkomt, ongeveer op een meter afstand van een kalende tandarts die net naar het net wil komen. De tandarts slaakt een noodkreet die tot in de verste uithoeken van het sportpark te horen is, en de vallende meteoor stuitert op de harde ondergrond, vervolgt zijn vlucht en komt uiteindelijk zo'n twintig meter verderop neer in een zandbak. Gelukkig is er niemand in de zandbak en vallen er dus geen gewonden. Afgezien van mijn zoon, die nederig langs de honken loopt, lijkt het hele sportpark tot stilstand te zijn gekomen en in een toestand van volstrekte eerbied te verkeren. De tandarts leunt op het net, te zeer van zijn stuk gebracht om verder te spelen.

Tony is de eerste die de held begroet op de thuisplaat. De aanvoerder straalt, hij pompt van pure vreugde zijn linkervuist op en neer, de ogen opengesperd in een uitdrukking van 'Zag je dat, godverdomme?', terwijl hij met zijn rechterhand Sam verticaal de hand schudt, de greep die meestal eindigt met een wederzijdse borstbons en die Tony uitsluitend reserveert voor familieleden en supersterren.

Om privéredenen ben ook ik door het dolle heen door Sams prestatie en diep onder de indruk van zijn fysieke capaciteiten (dat lichaam dat hij deels van mij heeft, ook al zie ik op dat moment het verband niet), terwijl ik op het eerste honk sta mee te juichen met de rest van de aanwezigen. Er is maar één ding waar ik nu behoefte aan heb, en dat is oogcontact met mijn zoon. Eén blik maar, een privémoment tussen ons beiden, hoewel ik besef dat dit een egoïstische en sentimentele impuls is, niet het doorgeven van de vaderlijke toorts (ik ben geen Athener), maar een kinderlijk soort verlangen om me te koesteren in de warmte van zijn helder brandende vlam, terwijl hij doorloopt naar andere, glorieuzere Olympische Spelen. Misschien is het dan ook niet zo gek dat mijn blik niet aankomt en hij die niet beantwoordt, maar de verrassing is er wel (zoals altijd van de kant van de ouder), samen met de pijn die langzaam opduikt en lang blijft hangen. De volgende slagman staat al klaar, en iedereen neemt zijn positie weer in.

En dat is het enige waar ik me bewust van ben tot aan de zevende inning, als Sam weer naar de plaat loopt, deze keer met niemand op de honken, terwijl zijn team met vijf runs voorstaat. Een oninteressante wedstrijdsituatie, ware het niet voor de jonge god op de plaat, die, met één epische klap en een paar handige manoeuvres in het veld, ons allemaal tot zijn groupies heeft gemaakt, inclusief zijn ouweheer.

We kijken toe terwijl hij de eerste drie pitches laat gaan, die hij geen van alle goed genoeg vindt. De pitcher, Tony's accountant Brew Donadio, die naar het rechtsveld is verwezen vanwege artrose in een heup, heft zijn handpalmen op ten teken van gespeelde frustratie, alsof hij wil zeggen: Wat wil je dan? Aan de zijlijn begint iemand te zingen: 'Slagman, loser!', waarna er ironisch gegrinnik weerklinkt vanuit het publiek, hoewel Sam zelf onberoerd op de plaat staat, zo kalm als een sluipschutter. De volgende pitch is onderweg, een onderhandse streep, en Sam stapt op de bal af met een lange pas van zijn linkerbeen, zwaait losjes vanuit de heup en ramt de bal in het gat tussen rechtsveld (Tony's neef Chuckie) en middenveld (Chang Sook Oh). Zodra ik de bal zie vliegen – een klassieke niet-homerun – ren ik naar de thuisplaat om als achtervang voor Sandra te dienen. Na een paar passen bereikt Sam zijn topsnelheid en schiet langs me heen naar het eerste honk. Hij neemt het tweede als de bal een van de palmbomen in het buitenveld raakt en terug het veld in stuit, zodat Chang de kans krijgt hem razendsnel op te rapen en naar Derek te gooien, die zich omdraait en de bal naar mij achter de thuisplaat werpt, daarmee Sandra, die een pas opzij heeft gedaan, passerend.

De bal komt met een klap in mijn handschoen neer terwijl Sam een paar passen voorbij het derde honk is en keihard komt aangelopen. Ik kijk langs de lijn naar mijn zoon, die op me af komt gestormd, en grijns naar hem – alsof ik in alle vrolijkheid wil zeggen: Hé, kijk eens wat ik hier in mijn handschoen heb! Ik ga je uittikken, jochie! Ik blijf staan, handschoen en bal duidelijk zichtbaar, en wacht tot hij zich gewonnen geeft, zijn overwinningssprint onderbreekt en komt aansjokken in de wetenschap dat ik hem te pakken heb.

Maar hij houdt niet in. Sterker nog: hij rent steeds harder. Ik kijk naar hem met starre verbijstering en zie dat hij zijn schouder naar beneden buigt.

Van de eigenlijke botsing op de plaat kan ik me niets herinneren. Ik ben redelijk lang, heb een brede borstkas en ben stevig gebouwd. En mijn zoon heeft ook een flink postuur, hoewel hij slanker en sneller is dan ik en over de meer verfijnde genen van zijn moeder beschikt. Maar wat Sam ook heeft, en wat ik waarschijnlijk altijd te weinig heb gehad, is pure wilskracht. Hij wil veilig thuiskomen en – belangrijker nog – hij wil desnoods dwars door me heen rennen om er te komen. Eigenlijk is het heel simpel.

Iemand helpt me overeind. Ik weet niet meer wie. Ik herinner me niets meer van die seconden, maar de bal ligt ergens op de grond en hij is daarheen gerold nadat hij met kracht uit mijn handschoen is geslagen. Het zand op mijn tong. En de pijn midden in mijn borst waar hij me geraakt heeft met zijn schouder. En mijn lange, prachtige zoon, die opgestaan is en veilig thuis is verklaard, staat tussen zijn nieuwe teamgenoten, neemt hun gejuich en felicitaties in ontvangst en ziet eruit alsof hij geweldig de pest heeft aan zichzelf.

# Deel twee

# RUTH

Haar vlucht landt om halfdrie in Los Angeles. Ze huurt een auto en rijdt twee uur langs de kust aan de hand van een routeplanner die ze heeft gedownload van Google. Zelfs halverwege de middag is het verkeer op de freeway erg druk, claustrofobisch: even doorrijden en dan komt alles weer tot stilstand. Ze heeft het raampje dicht en de airco hoog, en neemt slokjes uit een fles water die ze heeft meegenomen uit het vliegtuig.

Na een uur langzaam rijden en stilstaan in haar gekoelde wagentje begint ze te rillen. Ze zet de airco af, maar houdt de raampjes dicht. Ze is nog steeds onnatuurlijk mager; misschien blijft dat wel zo. Hoewel ze onlangs heeft gezworen het woord 'altijd' niet meer te gebruiken, omdat het misleidend is. Alleen het nu bestaat; het gaat nu hierom. Ze is op weg naar haar zoon. Haar blik flitst heen en weer tussen de kleine, zorgvuldig ingestelde spiegels, en het enige wat ze ziet zijn andere auto's, achter haar, voor haar en om haar heen. Het worden er steeds meer, alsof niemand in dit vreemde, ontspoorde land ooit nog op zijn bestemming terecht zal komen.

Ze wilde Dwight door de telefoon niet alle details vertellen over Sam; eigenlijk zou ze liever zo weinig mogelijk zeggen. Ze vertrouwt hem niet met het slechte nieuws en vreest dat hij de zaak er alleen maar erger op zal maken. Ze wil zelf aanwezig zijn om in te grijpen tussen vader en zoon, te bemiddelen, te begeleiden en te hergroeperen; een schijnbaar verstandig plan dat ze kreeg in het vliegtuig, toen het niet veel meer was dan een paar losse gedachten.

Maar nu ze de parkeerplaats van de winkel in sportartikelen op rijdt en haar ex-man peinzend en rokend op haar staat te wachten, voelt ze toch een schok. Onbuigzaam als een gestapelde muur in New England, grijze sporen in zijn korte bruine haar, zijn mannelijke en hardnekkige uiterlijk – dit alles is groter dan een herinnering aan haar vorige leven. Waardoor ze onmiddellijk boos wordt – op hem, op zichzelf; maar ook op de manier waarop hij naar haar staart, die kritische niet-begrijpende uitdrukking van de arrogante kok op de boerenjaarmarkt die een magere oorlogskip ophoudt en wil weten waarom dit geen schitterende fazant uit de zeven vette jaren is. Ze is niet van plan hem erop te wijzen, omdat hij dat zelf verdomd goed weet – dat er nooit vette jaren zijn geweest. De beloften die ze elkaar ooit hebben gedaan waren haastig gekrabbelde schuldbekentenissen, en de twee vaag vertrouwde lichamen die daar staan waren, in goede maar vooral in slechte tijden, eerlijke producten van hun tijd.

Hij laat zijn sigaret vallen en trapt hem uit met een van de niet bij zijn leeftijd passende sportschoenen die hij draagt.

'Zo.' Hij buigt zijn grote, doorleefde hoofd – bijna nederig, vindt ze –, probeert te glimlachen en spreidt zijn armen om zijn nepkoninkrijk te tonen. 'Welkom in Californië, Ruth.'

'Sportartikelen?'

'Je kunt het zo gek niet bedenken of we verkopen het. Heb je iets nodig?'

'Ik wil Sam spreken.'

Nadat hij schijnbaar urenlang naar haar heeft staan staren, alsof ze het hele continent is overgestoken om in zijn nabijheid te zijn, zegt hij: 'Ik pak even mijn spullen en kom meteen terug.'

Door de spiegelruiten ziet ze hem praten met een knappe

Latijns-Amerikaanse achter de kassa. Laat dat maar aan Dwight over, denkt ze, om de kost te verdienen (hoewel dat misschien grote woorden zijn) in een zaak die zijn jongensachtige passie voor sport combineert met de aantrekkingskracht van grote tieten.

Maar eerlijk is eerlijk: hij lijkt in goeden doen te zijn. Hij is goed gekleed en eet blijkbaar goed. Hij maakt geen gebroken, verwarde of blijvend gekwetste indruk, zit niet onder de smerige plekken van verwijderde tatoeages en heeft allebei zijn armen nog. Verder wil ze niets over hem weten, houdt ze zichzelf voor. Ze heeft dat hele eind niet gereisd om persoonlijke ditjes en datjes uit te wisselen. Hij belooft niets goeds, integendeel – een eiland dat ze al eens heeft bezocht, bewoond en onderzocht, en onder dwang heeft verlaten. Ze kent iedere centimeter van dat terrein en gelooft geen woord van een mogelijke herrijzenis ervan als luxevakantieoord, ook al zou de eigenaar het haar zelf komen wijsmaken.

Je kunt wel palmbomen planten waar ooit zieke iepen stonden, de hele dag de zon laten schijnen en de winter verbannen, je huid laten bruinen en je tanden laten bleken, maar toch zullen de witte, gedeprimeerde mensen die zijn achtergebleven telkens weer hun betreurenswaardige en afschuwelijke verhalen over vroeger vertellen. Want de plek waar ze wonen is uiteindelijk niet een decorstuk dat kan worden gesloopt nadat de uitvoering mislukt is; het is niet alleen thuis, maar herinnert ook steeds aan de werkelijkheid, want elke dode boom en elke eindeloze winter zijn grafstenen waaronder de herinneringen aan lang geleden begraven liggen die niemand, zonder uitzondering, nog wil horen.

# DWIGHT

*Heb een lift naar L.A. Morgen terug.*

Deze betreurenswaardige woorden heeft Sam geschreven op de achterkant van het briefje dat ik vorig weekend voor hem had achtergelaten – en dat hij ofwel heeft bewaard als een soort voodoovoorwerp, ofwel simpelweg vergeten is weg te gooien. Hoe dan ook, Ruth staat in de keuken die woorden te lezen en te herlezen, alsof ze de sleutel vormen voor een tragische schatkaart. Het papier trilt in haar handen, en het enige wat ik kan doen is naar mijn eigen woorden op de achterkant kijken:

*Oké, Solvang is een belachelijke toeristentrekker. Maar geloof me, jongen: die Deense serveersters in het pannenkoekenhuis tegenover het Best Western Hotel zijn de reis meer dan waard. Vergeet de buskaart niet. We hebben het wel over de auto en de $$ als ik terug ben. Tot dan. Pap.*

Ik moet toegeven dat mijn briefje bij tweede lezing een heel stuk stompzinniger overkomt.

Langzaam laat Ruth het briefje zakken. Haar groene ogen hebben een rookkleur aangenomen. Ik voel aankomen op wie haar beschuldigingen zich zullen richten, en ik haast me uit te leggen dat Sam op maandag vrij is en dat hij mij niets over zijn plannen heeft verteld toen ik vanochtend het huis uit ging. Ik kreeg vandaag een voicemail van hem, maar daar was niets ongewoons aan. Hij kon gemakkelijk een lift hebben gekregen van een van de vele familieleden van Tony, die voortdurend heen en weer rijden tussen Arenas en L.A., zeg ik, en wat de tekortkomingen van sommigen van de Lopez-clan ook mogen zijn, ze hebben een sterke familieband en ik ben ervan overtuigd dat ze goed op Sam zullen letten. Ik weet zeker dat hij morgen op tijd op zijn werk zal zijn.

Als ik ben uitgepraat staart Ruth me een paar seconden lang aan. Haar blik, en wat ik daarin zie over mijn beoordelingsvermogen, is veelzeggend en maar al te vertrouwd uit ons huwelijk. Dan kijkt ze naar de muur en klapt haar mobiel open. Ik hoor de door Sam ingesproken boodschap op zijn voicemail blikkerig uit het toestel klinken. Na nog twee keer te hebben gebeld, met hetzelfde resultaat, laat ze zich zwijgend op een stoel zakken.

Haar tas ligt op tafel; ze maakt hem open en gaat op zoek in een hoop vrouwelijke rommel. Waar ze zo wanhopig naar op zoek is, is haar zaak, maar ik merk dat ik, alleen al door het geluid van het gehark in haar spulletjes, onvermijdelijk word teruggezogen naar een plek waar ik niet heen wil. Die eerste dag in Somers Prison haalde ik mijn zakken leeg en deed mijn horloge af, en een geüniformeerde man raapte alles – sleutels, munt- en papiergeld – bij elkaar op de metalen tafel en stopte het in een zak. En dertig maanden later kreeg ik dezelfde troep terug, alleen was het niet hetzelfde en zou het nooit meer hetzelfde worden; het was onzichtbaar besmet en zou dat altijd blijven, en afgezien van het geld smeet ik alles in de prullenbak.

'Ik dacht dat ik het telefoonnummer van een studiegenoot had opgeschreven,' zegt Ruth op sombere toon. 'Maar ik kan het nergens vinden.'

Ik haal een fles chardonnay uit de koelkast – het is de fles die

Penny had meegebracht, besef ik nadat ik hem heb openge-
maakt –, schenk een glas in en zet dat voor haar op tafel.

Ruth schudt haar hoofd.

'Kom, Ruth. Het zal je goeddoen.'

'Ik drink niet meer.'

'Zoals je wilt.'

Ik pak het glas en zet het bij mij neer. Zo zitten we een poosje, terwijl ik de wijn opdrink die ik voor haar heb ingeschon-
ken. Het is licht in de keuken, zoals in alle keukens, en in dat
schelle licht zie ik nu duidelijk hoe mager ze is. Haar blonde
haar, dat nog steeds mooi en goed gekapt is, ziet er in dit licht
droog en dof uit.

Ik kijk haar aan.

'Hij is mijn enige kind,' zegt ze na een lange stilte.

'Dat weet ik.'


We leerden elkaar kennen toen ik in Hartford rechten studeerde aan UConn, en zij muziek op de campus van Storrs. Ze was
naar Hartford gekomen om een weekend te logeren bij een
jaargenoot van mij, ene Donald. Hij was haar vriendje, haar
minnaar, hoe je het maar wilt noemen, en ik was een vreemde.
Ze stond bij de jukebox in mijn stamcafé, tikte met een kwart-
je tegen het bolle glas en twijfelde welk plaatje ze zou kiezen,
toen ik me omdraaide en haar van achteren bekeek: zandkleu-
rige paardenstaart en gebleekte spijkerbroek.

Het nummer dat ze koos was 'You Can't Always Get What
You Want'. Ik weet niet wat er van Donald geworden is.

We verhuisden haar piano naar onze eerste flat. Een Yama-
ha, vaak bespeeld, maar glimmend zwart; ze poetste hem op
met een zeemlap. Hij volgde ons tijdens die eerste jaren vol belofte en ongedane zaken, en nam telkens de helft van onze
woonruimte in. Zelf raakte ik de toetsen nooit aan, maar ik
keek altijd vol bewondering naar dat mooie, grote instrument

en dacht aan mijn ouweheer en wat hij ervan gezegd zou hebben als hij nog geleefd had.

De verhuizers plaatsten de piano die eerste dag en vertrokken weer. Ruth ging op de kruk zitten, terwijl overal om haar heen halflege dozen en meters gescheurd pakpapier lagen, en speelde een oud liedje dat ik niet kende. Het voelde als een inwijding, of als een welkom. Het was een langzame deun, en ik zat op de futon achter haar te luisteren en keek naar haar armen en handen die gracieus bewogen, de elegante welving van haar nek, het licht vanuit het raam op haar haar. Mijn familie, vooral de kant van mijn vader, bestond uit een stel verbitterde, gefrustreerde overlevers van de verdwenen textielindustrie in Lawrence en Fall River, zonder enige waardering voor muziek of schoonheid. In mijn jeugd had ik nooit kunnen beseffen dat ik op een dag in een huis met een piano zou wonen of zou toekijken terwijl een mooie vrouw met zandkleurig haar een nummer voor me speelde op die piano.

'Wat kijk je verdrietig,' zei Ruth. Ik dacht dat ze nog zat te spelen, maar ze was opgehouden en zat naar me te kijken.

Ze wees naast zich op de pianokruk. 'Kom eens naast me zitten terwijl ik speel.'

Dat deed ik, en voor zover ik weet was dat de enige keer, voordat we ouders werden en zo.

Als de fles chardonnay bijna op is, vertelt Ruth me over het telefoontje van de studentendecaan van UConn. Ze vertelt wat ze weet, wat niet veel is, maar meer dan mijn zoon me heeft opgebiecht, en ruimschoots genoeg om ons verscheurde gezin vooruit en tegelijkertijd achteruit te werpen in de tijd, naar een duistere, bedreigde plek van plotseling verdwenen hoop, die me zo bekend voorkomt dat het voor mijn gevoel onmogelijk een gril van het noodlot kan zijn.

Ik begin aan de andere wijn die ik in huis heb, merlot in een doos. We verhuizen van de keuken naar de woonkamer, en daar zitten we lange tijd te zwijgen, twee mensen die het ergste van elkaar weten en die, als het moet, dat voor de rechter willen bewijzen. De tv staat afgestemd op CNN, met het geluid uit, alsof er ieder moment informatie over Sams verblijfplaats, welzijn en de vooruitzichten voor de rest van zijn leven en dat van zijn slachtoffer kan verschijnen in de lopende tekstband onder de pratende hoofden.

Uiteindelijk staat Ruth op.

'Ik heb hoofdpijn en ik ben moe. Ik drink even een glas water en dan ga ik naar mijn hotel.'

'Ik haal het wel.'

'Nee, laat maar.'

Ze loopt naar de keuken, en ik hoor hoe ze het keukenkastje opendoet, de kraan opendraait en een glas laat vollopen. In de stilte die volgt, drinkt ze waarschijnlijk het glas leeg.

De dag is ten einde en er brandt geen licht, afgezien van de zwijgende tv. En misschien komt het door de aanwezigheid van Ruth in mijn huis, maar het voelt meer als Connecticut dan als Californië; het voelt als een moment uit het verleden.

Ik ken haar geluiden en gewoontes, de warme, zoetzure geur van haar huid 's morgens in bed. Hoe ze, als ze onder de douche uit komt, als een Russische danseres vooroverbuigt en haar natte haar in een handdoek wikkelt. Hoe ze haar koffiebeker voorverwarmt door hem eerst te vullen met heet kraanwater. Hoe ze komkommers snijdt met haar pink omhoog, als een oude, theedrinkende dame uit Boston. Dat ze onbeheersbaar moet rillen van duizendpoten en vleermuizen, maar ook hoe ze net zo goed een wc-pot kan loswrikken en repareren als een kerel. Dat zij, en niet ik, degene was die Sam zandkastelen leerde bouwen en papieren vliegtuigjes vouwen. Ik weet hoe ze communiceert met een piano voordat ze begint te spelen of lesgeeft aan een kind: met de wijs- en middelvinger van haar rechterhand doet ze een simpel loopje heen en terug over de middelste toetsen, terwijl ze haar linkerhandpalm tegen de kast drukt en de muziek voelt. Ik weet nog dat ze vroeger, toen we nog van elkaar hielden, haar duimen in de broekband van mijn spijkerbroek haakte en me naar zich toe trok, en dat ze verrast de adem inhield als ik een bepaald plekje aanraakte in haar nek.

Ik hoor haar het lege waterglas op het aanrecht zetten.

Ze komt de woonkamer weer in en zegt met vermoeide stem: 'Bel maar zodra je iets van hem hoort. Anders bel ik je morgen wel.' Ze hangt haar tas over haar schouder en loopt naar de voordeur.

Ik heb me niet verroerd en blijf naar haar kijken. Ze is nog steeds mooi, zie ik, maar haar schoonheid ligt onder vuur; dat zie ik in haar gezicht.

Ik zeg haar naam. Ze draait zich om en kijkt me aan: mijn ex-vrouw. Ik heb geen enkel vooropgezet plan, alleen jagen er veel gevoelens door me heen die ik nooit voor haar onder woorden zal kunnen brengen.

Ruth legt haar hand op de deurkruk. 'Ik hoop niet dat je van plan bent me te omhelzen of zoiets. Ik denk niet dat ik dat nu aan zou kunnen.'

Mijn armen hangen slap langs mijn lichaam. 'Ben je ziek?'

Ze wil haar armen over elkaar slaan, maar bedenkt zich. 'Vorige winter ontdekte ik een knobbeltje in mijn borst.'

'Jezus.'

'Volgens de chirurg hebben ze alles kunnen verwijderen. Geen lymfeklieren. Ik ben zes weken bestraald en heb net mijn laatste chemo gehad. Dat is eigenlijk het hele verhaal.'

'Wat vreselijk, Ruth.'

'Het had veel erger gekund.' Ze doet de deur open en blijft staan. Ze wijst naar haar haar. 'O, en voor de goede orde: dit is niet mijn eigen haar.'

'Dat had ik al gezien.'

'Nou, welterusten dan maar.'

'Welterusten, Ruth. Het is goed je weer te zien. Het spijt me dat de omstandigheden niet beter zijn.'

Er verschijnt een flauw, vermoeid, samenzweerderig lachje om haar mond. 'Zijn ze ooit beter geweest dan?'

# SAM

Hij wordt wakker op de achterovergeklapte stoel van een geparkeerde auto.

Hij knippert met zijn ogen en kreunt zachtjes. Zijn hoofd voelt als de platgeslagen kop van een spijker.

Op de een of andere manier is er een nacht verstreken; het schijnt dinsdagmorgen te zijn.

Hij bevindt zich in een zwarte vijfdeurs Mazda in een rustige zijstraat in een industriegebied. Ergens in de buurt van Venice Beach.

Er is geen spoor van Evander, van wie deze auto is.

Op de autovloer: een vettig hoopje burritozakjes en vier lege bierflesjes.

Plotseling ziet hij glashelder in gedachten het merkteken van Mountain Dew boven de drankenautomaat in de Cal-Mex-afhaaltent aan Abbott Kinney Avenue: dat beeld verdween plotseling tijdens een onduidelijke periode die volgde nadat hij samen met Evander laat naar *X-Men 3* had gekeken, maar nog vóór een andere onduidelijke periode toen ze aanpapten met een paar meiden in de bungalow van een gast aan wie Evander regelmatig cocaïne dealt.

Een van die meiden, blond met donkere haarwortels, noemde zich...

Wat hij zich wel herinnert in plaats van haar naam: onder haar strakke spijkerbroek het driehoekje van een zwarte string bedrukt met vuurrode kersen – die ze om de een of andere reden aldoor 'krieken' noemde vlak voordat ze voor hem door de knieën ging...

Sam komt plotseling overeind in de auto en buigt zijn nek naar links en rechts, terwijl er ondraaglijke pijnscheuten door zijn hoofd en zijn geest gaan. Hij heeft die nacht de autoramen opengelaten. De binnenkant van de voorruit glinstert opaalachtig door de vochtigheid van de oceaan – een dodelijke, paarlemoeren spiegel die niets vertoont.

Hij weet niet meer wat precies de bedoeling was: waarom hij met Evander langs de kust scheurde alsof hij ergens heen moest. De vrees voor zichzelf blijft, en ook de noodzaak om ervandoor te gaan die hij altijd heeft gekend, maar ook het bitterzoete gevoel dat er weer een wanhopig experiment is mislukt en er geen beslissingen meer genomen hoeven te worden.

Met de mouw van zijn hoody veegt hij een plekje op de ruit schoon ter grootte van een pruim. Hij ziet nu aan het einde van de straat een eenzame figuur staan. Een man die een klein hondje uitlaat. De man heeft zijn hoofd gebogen. Hij heeft zijn schouders opgetrokken tot aan zijn oren.

Het uitlaten van een hond, elke ochtend, middag en avond in deze zelfde straat is plotseling een heldere waarheid voor Sam: dezelfde passen, hetzelfde traject; dat is het enige wat deze verloren man nog kan doen met zijn leven.

# DWIGHT

'Kom je hier vaak?'

'Vrijwel nooit.'

Ruth knikt alsof mijn antwoord vanzelfsprekend is, een soort draagbare metafoor, terwijl ik er eigenlijk niets mee bedoel. Ik neem de vishengel van haar over – de beginnersset die ik van het werk heb geleend voor de lunchpauze in de veronderstelling dat een potje vissen op de pier bij de jachthaven ons weleens zou kunnen helpen om de moeilijke, deprimerende dinsdag door te komen, terwijl we wachten op een levensteken van onze spoorloos verdwenen zoon, die – misschien wel volgens verwachting – vanochtend niet op zijn werk is verschenen. (Ik zei tegen Tony dat Sam herstellende is van een voedselvergiftiging, en hij wekte de indruk dat hij me geloofde.)

'Is dit jouw leven?' vraagt Ruth.

Ik kijk haar aan en mijn sarcasmemeter slaat in het rood, maar haar donkere zonnebril verraadt niets. 'Vissen op de pier?'

'De jachthaven. Die hele ruige Californische scene. Oude beachboys die de hele dag cocktails staan te drinken in de oesterbar.'

'De zeewind,' corrigeer ik haar. 'En, nee Ruth, dit is niet mijn leven. Ik werk voor de kost. Maar bedankt dat je me wilt betrekken in je oprechte democratische visie.' Ik erger me aan haar kennelijk constante geringschattende kijk op mijn toekomstmogelijkheden, om nog maar te zwijgen over haar neer-buigende houding tegenover mijn nieuwe thuis. Maar dan lacht ze schuldbewust, en ik vergeef haar alles.

We gaan door met vissen. De zondoorstoofde oude autochtoon naast ons haalt zijn fluorescerende dobber in en vertrekt, in zichzelf mompelend als een amnesiepatiënt. Hij neemt ongetwijfeld zijn plaats in aan de bar bij Captain Cook's, waar hij zijn sterke verhalen kwijt kan: over de marlijn van vijfhonderd kilo die hem recht aankeek en de angel uitspuugde.

'Je ging vroeger vaak vissen,' mijmert Ruth.

'Ik kon er niks van, maar ik vond het leuk.'

'We maakten leuke uitstapjes toen, niet?'

Haar toon is oprecht. Ik doe er het zwijgen toe en roep mijn eigen herinneringen op aan de dingen waarnaar zij verwijst.

We rijden in een Ford pick-up, halverwege de jaren tachtig, met een camper bevestigd op de achterbak. Achterin liggen plunjezakken, slaap- en visspullen, en ook twee hengels, een paar lieslaarzen en gewone laarzen, alles in het groot voor mij en in het klein voor Sam. Verder een rubberboot, zoiets als de binnenband waarmee ik als kind speelde in het zwembad van North Haven, maar deze heeft dollen en een nylon rand.

Sam is vijf en klein voor zijn leeftijd. Hij zit tussen Ruth en mij op de voorbank, met opgetrokken knieën en zijn Converse-gympen leunend op de stuurbasis. Hij draagt een pet van de Red Sox en een trui van Freddie Lynn die tot halverwege zijn dijen komt, en de klep van zijn pet schuurt langs mijn arm telkens als hij een vraag stelt over iets wat hij buiten ziet of wat in zijn hoofd opkomt.

Regent het hier wel ooit?

Ik leg uit dat het soms ook regent, maar dat het hier in het westen meestal alleen sneeuwt. Metershoge sneeuw in de winter. Verder is het hier nogal droog. Afgezien van de rivieren, die worden gevoed door de smeltende voorjaarssneeuw uit de bergen.

Is dat een cactus?

Nee, dat is alsem.

Hoe hoog is die berg?

Heel erg hoog.

Waarom heet Idaho zo?

Dat is een verdomd goeie vraag.

Ruth steekt haar arm uit en zet de radio harder – Johnny Cash zingt 'A Boy Named Sue'. We luisteren ernaar, en Ruth en ik moeten soms lachen om de tekst, waarna Sam ook lacht, hoewel hij delen van het liedje niet begrijpt. Een zoon die zijn vader probeert te doden? Een vader die zijn zoon probeert te doden? Verzoening die toch klinkt als haat? En dat alles omdat een jongen een meisjesnaam had? Het lijkt zo simpel, maar dat is het niet. Zonder aanwijsbare reden buigt Ruth voorover en geeft hem een zoen op zijn hoofd. Haar keel en sleutelbeenderen boven haar witte V-hals zijn bruin door de zon, evenals haar armen en haar benen onder de afgeknipte spijkerbroek. Ze heeft blote voeten omdat ze haar laarzen heeft uitgeschopt. Met een rood elastiekje heeft ze, toen we een week geleden uit Connecticut vertrokken, haar haar in een paardenstaart gebonden. Ze ruikt naar zonnebrandolie en munt.

Het is inmiddels later, ik weet niet precies hoe laat, en we bevinden ons ten noorden van Salmon, diep in de rode staat met de maffe milities, maar het vissen is geweldig. De grindbedden in de ondiepe rivieren glanzen wit in het zonlicht, en alles is schoon. Het water sprankelt en rimpelt. Wilde forellen schieten als schaduwen door de lichte plekken en zijn dan weer verdwenen. Cicades geven het landschap een elektrisch geluid.

'Kijk Sam,' zeg ik, 'een adelaar.'

Hij volgt mijn vinger en het is waar: hij glimlacht. De majestueuze vogel draait een paar rondjes, speciaal voor ons, als een mannetje in een adelaarspak dat je op uurbasis kunt inhuren.

Dan laat hij zich meevoeren met een staartwind en is verdwenen.

We concentreren ons weer op het vissen. Waar we staan is het snelstromende water bijna een halve meter diep, en we voelen een rubberen bergkou door onze laarzen heen. De zware platte stenen zijn glad onder onze voeten. We hebben geoefend in het werpen van de hengel. Ik tel een-twee, een-twee, als een menselijke metronoom voor het uithalen en loslaten, en ik probeer hem het ritme te leren dat ikzelf nooit heb leren perfectioneren. Maar dat weet hij gelukkig nog niet. Hij is niet zozeer gecharmeerd van mij als wel van het hele showaspect van de sport, het overwegend onnodig uitgooien en inhalen van het felgekleurde en verzwaarde vliegaas terwijl de lijn zich eerst achter hem en daarna voor hem ontrolt, sissend langs zijn en mijn oor schiet en terechtkomt op een plek zo'n acht meter verderop onder een overhangende boom.

Omdat Sam klein is, moeite heeft met het snelstromende water, houvast zoekt voor zijn voeten en met zijn korte armpjes te snel werpt in zijn enthousiasme om het nationale kampioenschap vliegvissen te veroveren door de twintig kilo zware regenboogforel te vangen die niet bestaat, slaagt hij niet helemaal in zijn poging. Zijn lijn raakt verstrikt in een struik op de oever achter ons. Hij trekt eraan, waardoor het nog erger wordt, totdat ik zeg dat hij moet ophouden. Ik loop het water uit en de oever op en ben ongeveer twintig minuten bezig de onderlijn uit de struik los te halen. Ik denk erover het vliegaas te vervangen, omdat het wellicht geluk brengt, maar in werkelijkheid zijn de kleine, bijna chirurgische knoopjes in de lijn te delicaat voor de fijne motoriek van mijn worstvingers. Het valt allemaal erg tegen, bedoel ik maar, dus ik besluit het te laten zoals het is. Ik breng zijn losgemaakte lijn terug naar de rivier en zeg dat hij hem een eindje moet inhalen. Dat doet hij, en hij trekt daarbij de piepkleine, messcherpe weerhaak van de vlieg in de tere huid tussen mijn duim en handpalm.

Mijn luid gebrulde 'Kut!' echoot door de Salmon River Canyon en sterft dan weg.

In dat stadium van zijn leven schrikt Sam niet meer van mijn driftbuien, zoals sommige kinderen dat zouden doen. Hij vindt me zelfs grappig en staat te lachen in de stromende rivier terwijl ik het haakje verwijder en het bloed uit mijn hand zuig. Ik lach ook.

In het verbazingwekkende kustlicht sta ik verbijsterd en onthand op de pier. Mijn ex-vrouw staat naast me. Vissen – althans, zo noemen we het. We kijken naar een grote witte zeilboot die langzaam op de motor de havenmond binnenvaart, terwijl de vlaggenlijn een *kling-klang*-geluid tegen de aluminium mast maakt. Pa aan het roer, moeder en twee puberzoons bezig met de meertouwen en stootkussens. 'Tommy, zorg dat je de boeglijn onder de boegspriet en door het kielblok haalt!' En alsof hij dat commando al honderd keer heeft gekregen, zegt de krullenkop Tommy: 'Dat heb ik allang gedaan, pap!' Pa zet de motor nog zachter, geeft een ruk aan het roer, en het schitterende lange jacht – jezus, zeker een half miljoen – glijdt moeiteloos in de lege aanlegplaats en wordt aangemeerd.

'Ruth, wat is er met Norris gebeurd?'

'Alsjeblieft, nu niet.'

'Hou je nog van hem?'

Ruth zucht. 'De laatste tijd denk ik dat wat ik vanaf het begin het meest aan Norris waardeerde is dat hij absoluut niet op jou leek. Hij was zo anders dan jij dat het bijna grappig was. Op een verkeerde dag was het samenzijn met Norris alsof je met een warm mes door half gesmolten boter sneed. Er is een heleboel mis met jou, maar gebrek aan weerstand hoort daar niet bij.'

Dat vind ik grappig – althans, bijna. Ik grinnik en de vishengel beweegt.

'Lach jij maar,' zegt Ruth op kalme toon.

Pa stapt van zijn jacht op de pier en legt zijn armen om zijn beide zonen en strijkt door hun haar, en het gezin gaat op weg naar Captain Cook's en het parkeerterrein. Krijsende meeuwen volgen hen, onhandig bewegend als vogels aan een mobiel.

'Ik mis je, Ruth.' Ik grinnik niet meer.

Ruth draait zich om en kijkt aandachtig naar me. Ik zie haar ogen niet achter de zonnebril, maar aan de manier waarop ze haar hoofd houdt zie ik dat ze een duidelijk perspectief heeft, niet sentimenteel en niet gekwetst, alleen maar behoedzaam en wijs. Ze haalt de hengel uit mijn handen en begint de lijn in te halen.

'Het is de waarheid, verdomme.'

'Het is één waarheid, bedoel je. *Als* het al waar is, wat ik sterk betwijfel.'

'En wat betekent dat?'

De plastic dobber komt bij het eindringetje en blijft daar hangen. Zonder blikken of blozen pakt ze de paarse rubber worm en haakt die aan een van de lagere geleiders.

'Weet je, dat is hetzelfde wat ik aan mijn oncoloog vroeg toen het foute boel bleek te zijn,' zegt ze. 'Het is een oudere man, niet zo'n jong pikkie. Met een treurig gezicht. Zijn eigen vrouw is aan kanker gestorven. Ik zat bij hem in zijn spreekkamer vlak na het slechtnieuwsgesprek en stond op het punt van mijn stoel te vallen en over te geven, en ik zei, ik vroeg hem: "En wat betekent dat?" En weet je wat hij zei?'

Ik zie haar ogen niet, maar ik hoor de tranen in haar stem.

'Mijn dokter zei: "Lieve mevrouw, dat betekent dat wij nog leven."'

Ze buigt voorover en geeft me een zoen op mijn wang. Terwijl ze dat doet steekt ze haar arm met de hengel naar voren. De rubber worm strijkt langs mijn oor, en ik huiver.

# RUTH

Dwight staat erop haar terug te brengen naar haar motel om te rusten. Verrassend genoeg vond ze het niet eens heel erg om in zijn gezelschap te zijn. Maar als ze zijn auto ziet wegrijden en hij naar zijn werk gaat, voelt ze zich weer ouderwets opgelucht. Ze is moe tot in haar botten. Alsof je de hele dag hebt doorgebracht op van die loopbanden op een vliegveld, plotseling vaste grond onder je voeten hebt en beseft hoe moeilijk het is om zelf vooruit te komen; maar altijd nog gemakkelijker dan met iemand anders.

Het eindeloze zonlicht valt door het vierkante raam de motelkamer in. Industrieel stof dwarrelt in de lucht. Ze doet de jaloezieën dicht; het wordt donker in de kamer en de lucht verdwijnt. Ze gaat op de rand van het bed zitten met haar handen in haar schoot. Zo gaat er een minuut voorbij: bij wijze van uitzondering zit ze niet te piekeren. Ze laat zich achterovervallen en legt haar hoofd op het dunne kussen. Laat die pruik maar stikken, denkt ze. Ze doet haar ogen dicht.

Als ze wakker wordt piept het zonlicht in een kleine hoek door de jaloezieën heen. Het is na vijven. Ze heeft het gevoel dat ze dagenlang heeft geslapen, alsof er een enorm brok leven van haar af is gevallen en verpulverd is terwijl ze sliep. Het ene moment sta je op een pier als een verveelde puber, het volgende ben je ongeveer negentig. En de zon komt op en gaat weer onder.

Op het goedkope nachtkastje ligt haar mobiele telefoon; er

heeft niemand gebeld terwijl ze sliep. En het is nog steeds dezelfde dag – dinsdag. Ze moet nu snel Sam zien te vinden, vanavond of anders morgen, en hem mee naar huis nemen, want anders stort het hele gammele bouwsel voorgoed in elkaar. Maar afgezien daarvan heeft ze geen idee hoe ze hem moet beschermen. Haar zoon. Hij is niet te beschermen, en toch moet ze een manier zien te bedenken. Dat is haar taak in dit leven, en die is ondoenlijk. Ze heeft een vleugje hoop dat Dwight misschien zal kunnen helpen, maar daar kan ze helaas niet op rekenen.

Ze staat behoedzaam op, loopt de badkamer in, sprenkelt wat water op haar gezicht en poetst haar tanden. Ze bekijkt zichzelf lang en aandachtig. Probeert de piekerige pruik een beetje te fatsoeneren, maar staakt haar pogingen.

# SAM

Hij staat voor het raam in de woonkamer van zijn vader en kijkt naar zijn moeder die uit de huurauto stapt. Allebei ver van huis, volkomen gedesoriënteerd. Hij doet een stap opzij, zodat ze hem niet kan zien, en om zichzelf te laten wennen aan wat hij ziet. Die pruik kan er nog mee door – hij wist dat die eraan zat te komen en het lijkt hem beter dan niets – en haar ingevallen wangen in het zwakke blauwe licht ook, maar haar fysieke aarzeling doet alarmbellen bij hem rinkelen, zoals ze over het beton naar de voordeur loopt, alsof ze een onzichtbare geleidehond volgt.

Hij begrijpt het maar al te goed, en dat maakt hem bang.

Hij laat haar aanbellen. Zelfs dan rent hij niet naar de deur om haar te begroeten. Hij weet dat als hij haar eenmaal heeft binnengelaten, ze hem zal willen omhelzen, diep in zijn ogen zal willen kijken om hem te doorgronden, alsof dat zou kunnen; ze zitten dan alweer in het volgende stadium, wat dat ook mag zijn, en het verhaal gaat door. En hij heeft het punt bereikt dat hij het vervolg niet wil weten. Hij is doodziek en hondsmoe van zijn eigen verhaal.

'Waar was je, Sam?'

Haar gezicht is een soort flip-over van het menselijke gevoelsleven: schok, woede, liefde, doodsangst.

'In L.A. Dat stond in mijn briefje.'

'Wat moest je daar? Waarom heb je me niet teruggebeld?'

Overgevoelig, alsof hij last heeft van zonnebrand, draait hij zich om en loopt de kamer in voordat ze hem kan aanraken.

'Heb je enig idee wat er allemaal gebeurd is nadat je bent weggelopen?' vraagt ze streng aan zijn rug. 'Weet je wel wat je hebt gedaan en waarvan je beschuldigd wordt?'

Zijn keel zit dicht, hij kan niet antwoorden.

'Pak je spullen. Je gaat vanavond mee terug naar Connecticut.'

Uiteindelijk slaat zijn moeder haar armen om hem heen.

Een volle minuut lang houdt ze hem zo vast. Hun hereniging duurt eindeloos en neemt een eigen, verwrongen dimensie aan, totdat hij begint te schuifelen in haar liefdevolle, ontroostbare omhelzing. En al die tijd is hij zich er pijnlijk van bewust – ergens diep vanbinnen bij zijn ziel – dat hij terugduwt, boven haar uittorent en zijn hoofd diep buigt, zodat het weer past in de holte van haar nek: die onbeschrijfbare plek waar hij zich, in een ander leven dat hij zich nauwelijks herinnert en dat nu onbereikbaar is, ooit veilig voelde.

# DWIGHT

Het is vroeg in de avond als ik thuiskom van mijn werk en Ruths huurauto voor mijn huis geparkeerd zie staan.

Ik blijf even op de stille, rustige straat staan, in de onmerkbaar invallende duisternis, en denk aan mijn ex-vrouw die op dat moment in mijn huis zit, misschien in gezelschap van mijn zoon – misschien is Sam wel uit eigen vrije wil teruggekomen, denk ik. Het is mogelijk. Die twee samen, in mijn huis. En dat is alles. Ik probeer me geen voorstelling te maken van hun gesprek, dat ongetwijfeld al moeilijk genoeg is, of van hun gemoedstoestand, of hun breekbare toekomst. Het is hun gezamenlijke aanwezigheid die me bezighoudt, het feit dat ze in mijn huis zijn, het wonderbaarlijke daarvan, de puur kosmische onwaarschijnlijkheid als je nadenkt over de gebrekkige en gescheurde wegenkaart die uiteindelijk leidt naar deze plek, naar deze straat en dit huis en dit half geleefde leven. Een klein detail in een groter geheel misschien. Ik val bijna op mijn knieën van dankbaarheid, hier op straat, door het onverwachte besef dat mijn gezin ooit veel meer was dan een puinhoop.

In mijn woonkamer staan ze letterlijk met elkaar verstrengeld – een beeld dat zo oud en cliché is dat het iconische proporties aanneemt, veel groter is dan wij allemaal, als een aan flarden gescheurde vlag die boven ons uitgebrande dorpje wappert als de oorlog allang voorbij is. Ik bekijk het tafereel vol ontzag. Dan laten ze elkaar los, en zonder me aan te kijken loopt Sam de gang in naar zijn kamer. Ruth wendt zich tot mij en zegt zacht en vastberaden: 'We moeten weg.'

Ik laat mijn sleutels op het tafeltje bij de deur vallen. Ze komen kletterend neer, en dat lijkt enige beweging in de zaak te brengen.

'Misschien moet ik met jullie mee.' Het idee komt bij me op terwijl ik het uitspreek.

Het was kennelijk ook niet bij Ruth opgekomen; de verrassing op haar gezicht is tegelijk een afwijzing. 'Dat lijkt me niet zo'n goed idee.'

'Ik ben advocaat geweest, Ruth.'

'Ik ken een paar mensen die ik ga bellen,' antwoordt ze bedachtzaam. 'Maar evengoed bedankt.'

Er valt niets meer te zeggen. We zwijgen, totdat Sam weer in de kamer verschijnt.

Hij zet zijn UConn-plunjezak neer, kijkt naar de vloer tussen ons in en bedankt me stijfjes voor het onderdak.

'Je hoeft me niet te bedanken. Je bent mijn zoon.'

En dat is het dan, ons grote gesprek.

Je kunt plannen wat je wilt, of je kunt helemaal niets plannen: als mensen eenmaal hun koffers hebben gepakt, vertrekken ze.


Ik loop met hen naar buiten. De straat is nog steeds verlaten en klaar voor weer een volmaakte schemering.

'Weet je de weg?'

'Ik volg de borden wel,' zegt Ruth.

'Zal ik wat koffie zetten voor onderweg?'

Ze blijft staan, legt een hand op mijn arm en kijkt me aan. Ik zie enige tederheid in haar blik.

'We hebben haast.'

Ik doe het portier voor haar open en weer dicht. En dan blijft Sam over, bij de motorkap.

'Dag,' mompelt hij.

'Ik ben blij dat je gekomen bent. Pas goed op jezelf.'

Hij knikt. Mompelt iets anders – volgens mij is het 'Sorry' – en duikt de auto in.

Ruth start de motor. Ik kan mezelf er niet toe brengen opzij te gaan.

Woorden schieten tekort. Je gaat er zorgeloos, spilziek mee om, en voor je het weet zijn ze verdwenen.

# EMMA

Van New Haven naar Wyndham Falls is het achtennegentig kilometer, een afstand die twee jaar lang een beschermende en overwegend metaforische kloof is geweest die haar gotische universitaire fort scheidde van het enge huisje van haar moeder in de donkere bossen in het noorden. Heel erg Hans en Grietje dus: haar moeder was de oude kol die kinderen vangt en kookt voor het avondeten, en zij het onnozele, bange meisje dat, in navolging van haar broertje, niet echt gelooft in de magische kracht van de broodkruimels die haar terug moeten leiden naar veiliger oorden. Het feit dat ze geen broertje meer heeft maakt de reis alleen maar meelijwekkender.

Ze neemt Route 8 en stuurt de oude Volvo van haar moeder, met 215.000 kilometer op de teller en al haar bezittingen in de kofferbak, in noordelijke richting door Waterbury, langs het Mattatuck State Forest, door Torrington en naar Winsted. Dat is niet overwegend het stralend groene deel van Connecticut met tweede huizen, golfclubs en beroemde schrijvers en filmsterren, maar de arbeidersregio die helemaal alleen enkele van de lelijkste steden in het hele land, waaronder Hartford en New Haven, heeft voortgebracht.

Onder het rijden stelt ze zich voor dat ze iemand is die afslaat naar het westen en almaar doorrijdt. Het hele voorjaar heeft ze voor American Studies verslagen uit de eerste hand gelezen van vrouwen – pioniers, bevrijde slaven, indianen, hulpkoks, paardentemmers, prostituees, fabrieksarbeiders, verpleegsters in de Burgeroorlog, zelfs een dwerg in een van de eerste Amerikaanse circussen – die om de een of andere reden allemaal naar het westen zijn vertrokken, naar het onbekende Amerika. En in de meeste gevallen vonden ze pas na zo'n radicale verhuizing de stem waarmee ze konden verhalen over wat hun was overkomen. En het verschil, de enorme kloof in betekenis en actualiteit tussen deze stemmen en de historische stilte die ze anders verkondigen, treft haar het meest – dat datgene wat hun leven draaglijk heeft gemaakt niet zozeer lag in het overleven van hun letterlijke ervaringen, hoe wreed of goedaardig ook, of in de verhalen die ze uiteindelijk te vertellen hadden (als ze geluk hadden), als wel in de manier waarop ze wisten om te gaan met het afschuwelijke isolement van voor en na het moment van openbaring, de onuitsprekelijke, ingewortelde stilte. Het is zo gemakkelijk opgeslokt te worden door het leven dat je nooit verwachtte te zullen leiden. Om gewoon te verdwijnen. Om verder te leven in die grote witte walvis die je zelf bent en nooit een visioen te hebben van waar je eventueel heen zou kunnen gaan, of waar je al geweest bent, en waarom.

Ze keert terug naar de werkelijkheid als ze Winsted binnenrijdt. Een Chevrolet-dealer, een benzinestation en een eetcafé met op de deur een bordje PERSONEEL GEVRAAGD. Een moeder met donkerrood haar en een bleke, ongezonde huid duwt een wandelwagen voort met een los voorwiel: de wandelwagen zwiept en zwalkt, zwiept en zwalkt, en de moeder loopt gewoon door.

Emma slaat af naar het noordwesten bij een lantaarnpaal met het bordje RUGG BROOK RESERVOIR. Het bordje verdwijnt in haar achteruitkijkspiegel en ze rijdt verder, althans met haar lichaam. In haar geest wandelt ze op een ochtend rond dat stuwmeer met haar vader en haar broertje. Josh loopt voor hen uit en speelt dat hij een indiaanse verkenner is. Hij ontdekt een hert met een opgezette bruine buik dat op zijn zij aan de waterkant drijft. Een walgelijk, afschuwelijk gezicht, maar hij was gefascineerd, en zijn smalle schouders trilden van opwinding. Hij prikte met een lange dunne stok onderzoekend in het karkas en wilde het laten bloeden, toen hun vader brullend kwam aanrennen, de stok uit zijn handen griste en riep: *Afblijven! Laat de doden met rust!*

Een verontrustende en onbeheerste reactie van een volwassene, een vader, bedenkt ze nu; er zat al behoorlijk wat wanhoop achter, angst en hulpeloosheid, en een misselijkmakend voorgevoel. Niet iets waar ze aan terug wil denken terwijl ze het bordje voor Millbrook Road passeert en doorrijdt, meedogenloos huiswaarts.

Die herinnering en haar poging eraan te ontsnappen roept nog een herinnering op, als ze op de 44 rijdt en steeds meer vertrouwde dingen ziet, terwijl de beschermende gracht tussen haar en haar moeder vrijwel overbrugd is: op een middag loopt ze de kamer van Josh binnen en treft hem aan met een van zijn kostbaarste bezittingen in zijn armen: een antieke goudzoekerspan, cadeautje van een excentrieke oom. Hij bewaarde hem in een met zijde beklede doos op de plank boven zijn bed. De pan was niet gemaakt van metaal, zoals je zou verwachten, maar van een inferieur soort keramiek, met duidelijk zichtbare groeven en gootjes waardoor grind en slib werden afgevoerd, zodat goudklompjes en goudstof achterbleven. En Josh, grondig en gesloten als altijd, had zijn huiswerk gedaan. Met zijn tien jaar kon hij je alles vertellen over de goudkoorts, het leven van de goudzoekers en de harde, anarchistische omstandigheden in de mijnstadjes in het noorden van Californië. Hij wist zoveel over die verloren wereld dat hij een toekomst voor zichzelf verzon waarin hij, op een vrije dag tijdens een tournee in San Francisco met het New York Philharmonic, het binnenland in zou rijden om een van de eerste, verlaten mijnstadjes te bezoeken, zijn antieke goudzoekerspan uit zijn authentieke fin-de-siècle rugzak zou halen en zelf naar goud zou gaan zoeken. Want er was daar nog steeds goud te vinden, daar was hij zeker van. En hij was niet van het tegendeel te overtuigen.

En dat, denkt Emma, terwijl ze zo langzaam mogelijk het stadje Wyndham Falls binnenrijdt en op het kerkplein draait, gebeurt er als je leven je voor je elfde wordt ontnomen. Niemand kan nog met je redetwisten of bewijzen dat je ongelijk hebt, of je genialiteit bewonderen, of meer genieten van je fantasie dan jijzelf, of goud laten bestaan waar geen goud is, of dat goud inderdaad ontdekken, of bij je zijn terwijl je er vol hoop naar zoekt, op je knieën, met je pan in die brede, snelstromende rivier die nog steeds vanuit de bergen naar beneden stroomt.

# SAM

In het vliegtuig zijn de lichten uit. Zijn moeder heeft haar ogen gesloten. Hij denkt dat ze nog slaapt, totdat ze met een zachte, nachtelijke stem, terwijl haar ogen dicht zijn, begint te praten.

'Ik zit de hele tijd te denken wat er door je heen moet zijn gegaan toen je die andere jongen neersloeg. Het gewelddadige van die daad vind ik nog steeds choquerend. Dat je tot zoiets in staat bent. Maar ik geloof niet dat jij iemand bent die ooit een ander kwaad zou willen doen. Dat geloof ik gewoon niet. Ik ken je, Sam, en zo ben jij niet. Jij bent niet iemand die een ander zou willen kwetsen. Dat heb ik nooit geloofd en dat zal ik ook nooit geloven.'

Sam ziet in de duisternis dat zijn moeder haar ogen opendoet. Van een halve meter afstand ziet hij het wit van haar ogen stralen als de lichtjes 's nachts aan de overkant van een rivier.

'Dus je kunt besluiten of je wel met me wilt praten of niet. Het is al lang geleden, en ik betwijfel of je het nu wel wilt. Je kunt me binnenlaten of je kunt daar blijven zwijgen, uur na uur. Maar op de een of andere manier komt er een moment, Sam, waarop je me nodig hebt. Want ik ben er voor je. Ik ben er altijd voor je. Het is waarschijnlijk het enige waar ik goed in ben: er gewoon voor je zijn en heel veel van je houden. Daar ben ik heel goed in. Ik zal er voor je zijn, en ik zal altijd van je houden, Sam, of je ooit nog tegen me wilt praten of niet.'

# RUTH

Het is rond het middaguur als ze stilhouden bij het huis. De zon staat hoog en helder boven de bomen. Van voordeur tot voordeur heeft de reis per auto en vliegtuig vanuit Californië veertien uur geduurd.

Zij stapt eerst uit en daarna Sam. Zwijgend haalt hij zijn plunjezak en haar weekendtas uit de kofferruimte en loopt ermee naar de veranda. Ze volgt hem, haar hoofd wazig van vermoeidheid, maar toch ontgaat de smaragdgroene glans van het gazon haar niet – het gevolg van een recente regenbui of zware dauw – en evenmin de konijnenkeutels bij het houten trapje en de door herten weggeschuurde bast van de grootste van de twee eiken die haar terrein scheiden van dat van de Newmans naast haar. Er hangt een scherpe lucht van compost. De in doorzichtig plastic verpakte krant ligt op het grind van de inrit. Het soort dingen dat je opvalt als het je eigen huis niet is. Of misschien niet meer is. Nu haar zoon op alle denkbare manieren heeft bewezen dat hij geen kind meer is – *wettelijk gezien*, zei decaan Burris, en haar reactie: *Wettelijk gezien?* – probeert het huis haar misschien iets duidelijk te maken. Zoiets als: *Wegwezen hier.*

Maar misschien heeft ze gewoon behoefte aan slaap.

Binnen ligt de stapel post tot voorbij de openslaande deur. Overwegend ziektekostenverzekering en waardeloze catalogi. Als je alleen woont word je expert op het gebied van ongevraagde documenten waarmee je huis wordt belaagd, een spervuur aan nieuws, berichten, aanbiedingen, verzoeken – grimmig, kostbaar, goedkoop, heilzaam, overbodig, offensief, meedogenloos, hysterisch, oppervlakkig. De oppervlakkige troep is volgens haar de beste, omdat je die kunt lezen in de rij voor de kassa bij de supermarkt of op de wc terwijl je je op je gemak voelt.

Sam is over de post heen gestapt en de trap op gelopen met een tas in iedere hand. Er is weer een man in haar huis, of een bijna-man, ze herkent het gevoel. Ze buigt zich over de stapel troep aan haar voeten en raapt de enveloppen, tijdschriften en folders op, en denkt: *al die bomen*. In een flits van herfstachtige neerslachtigheid ziet ze zichzelf hier zitten: middelbare leeftijd, tweemaal gescheiden, ziek en eenzaam, troep oprapend van de grond. En dat voor de ogen van haar zoon. Een besef dat haar te snel doet opstaan, als een radeloos om zich heen slaande duiker met caissonziekte; een knie kraakt hoorbaar, een golf van duizeligheid slaat over haar heen en ze moet steun zoeken bij de muur om niet om te vallen.

'Mam?'

Ze dwingt zichzelf bij de les te blijven: Sam staat halverwege de trap en kijkt haar aan.

'Is er iets?'

'Gewoon een beetje moe.'

Ongeveer net zoveel woorden als ze de afgelopen zes uur hebben gewisseld. Maar heel even drukt dat mooie, bezorgde gezicht van hem onbewust liefde voor haar uit en lijkt het weer op dat van een kind.

Hij draait zich om en loopt de trap verder op. Ze blijft staan luisteren naar het kraken van zijn voetstappen boven haar hoofd naar haar slaapkamer, de lichte bons als hij haar tas neerzet. Dan loopt hij naar zijn eigen kamer en doet de deur dicht.

En dat is het laatste wat ze van hem ziet tot halverwege de volgende dag. Voor zover ze kan horen gaat hij zelfs niet naar de wc. Ze vermoedt dat hij nog volgens het tijdschema van de westkust leeft, maar ze realiseert zich ook dat het dezelfde tijdsindeling is die hij er thuis ook altijd op na heeft gehouden.

Ze heeft geen idee wat hij al die tijd in zijn kamer doet. Een actieve jongeman, een getalenteerd atleet, opgesloten in een ruimte van drieënhalf bij vier, met een bureautje en een stoel, een tweepersoonsbed, een ouderwetse stereo-installatie, een plank vol honkbaltrofeeën en souvenirs, en posters van de Red Sox uit de duistere tijden vóór het wonderbaarlijke kampioenschap. Een lieve kleine cel, onschuldig zelfs. Wat haar nog het meest van alles zorgen baart is de razendsnelle overgang naar zijn isolement. Alsof hij iets weet wat zij niet weet, een toekomst ziet voor zichzelf waarvoor zij te laf of te misleid is om die onder ogen te zien.

Dat soort gedachten overvalt haar meestal in de auto terwijl ze naar de supermarkt rijdt, door de brede, koele gangpaden zwerft met de andere moeders, in haar keuken als ze van kastje naar koelkast naar voorraadkelder gaat en de inhoud van haar boodschappentassen uitpakt en opbergt. Alles voor twee personen nu. Jammer dat de dingen waarvoor je zo lang hebt gebeden nooit gebeuren zoals je dat zelf wilt, en nooit zonder er een hoge prijs voor te betalen.

# EMMA

Na drie dagen is er al een bepaalde routine ontstaan. Het spechtachtige getik van haar moeder op haar deur wekt haar elke ochtend om zeven uur precies. Ze ervaart weer het vage bewustzijn van de hergeboorte in haar eigen kamer, een behoedzaam verschijnsel bestaande niet uit cellen maar uit flarden herinneringen van buiten haar bevattingsvermogen.

Ze staat langzaam op. Haar moeder is weer naar de keuken beneden gegaan. Op haar spijkerbroek ziet ze de vlekken van het werk van gisteren.

Ze maken hun eigen kommen cornflakes en bekers koffie klaar. Een nieuwe werkelijkheid, alsof ze zich niets herinneren van elkaars gewoonten, alsof ze toevallig als toeristen in hetzelfde hotel logeren.

De eerste ochtend had haar moeder brood geroosterd. Maar toen dat niet werd aangeraakt, werd het verdrag ter plekke zwijgend herschreven: *Oké, dan doen we het zo. Ieder voor zich.* Een gemenebest van twee partijen – verwant, maar onafhankelijk.

Terwijl Emma nu staande aan het aanrecht de *Huffington Post* leest op haar laptop, bladert haar moeder aan tafel een van de plaatselijke kranten door. Als rivaliserende kunstschaatsers voeren ze een ingewikkelde pas de deux uit voor de koelkast en maken ze beleefd ruimte voor elkaar bij de gft-bak. Ze luisteren afzonderlijk van elkaar naar het vogelgezang dat vanuit de tuin doordringt tot in de keuken, en dat is het enige waarover geen onenigheid bestaat.

Door het raam ziet Emma de jonge vogels en een rode kardinaal vrolijk naast elkaar zitten pikken uit het plastic voederbakje, dat nog vol zaad zit. En ze herinnert zich dat haar moeder een paar jaar achter elkaar het zaad niet bijvulde, waarna alle vogels vertrokken. Ze herinnert zich ook dat haar moeder toen de tuin niet meer wiedde, de heggen niet snoeide of het grasveld niet liet maaien, en dat de buren hun hoofd schudden en zeiden: *Wat treurig allemaal,* en de andere kant op keken. Mensen merken geregeld op dat ze begrijpen dat dat soort dingen gebeurt, maar in werkelijkheid begrijpt niemand er iets van. Daarna ging Emma naar de universiteit – niet zo ver weg volgens Google, achtennegentig kilometer maar, en nog steeds in de staat Connecticut – en kwam niet meer thuis, en in die tijd vertrok haar vader ook, en haar moeder ontwaakte uit een coma van tien jaar met een verzwakt hart dat uit steen was herbouwd.

De buren zijn teruggekomen – althans, dat beweert haar moeder.

Het huis verkeert nu in behoorlijke staat. Natuurlijk stort het langzaam maar zeker in, zoals alles, maar op een ordelijke manier.

Haar moeder is weer sterk – sterker dan alle mensen die nooit kapot zijn geweest.

Die emotioneel verlamde vrouw die ooit om de paar woorden: 'Let goed op!' en 'Rijd voorzichtig!' zei, wat is er van haar geworden? Sorry, die bestaat niet meer. In haar plaats is er een superheld in het huis getrokken. Ze draagt een huidpantser over haar voorheen zo kwetsbare vlees. Ze leeft bovengronds in plaats van eronder. Beweegt zich uitsluitend voorwaarts.

Neem nou deze e-mail, die Emma in maart ontving:

Emma,

Na ampel beraad deel ik je hierbij mee dat ik wil dat je deze zomer thuiskomt om te helpen met mijn zaak. Zoals je weet is dat de belangrijkste tijd van het jaar en ik heb al te weinig personeel en kan me niet veroorloven ander werk op te geven of iemand in dienst te nemen, zelfs niet parttime. Ik heb iemand nodig om me te helpen die ik kan vertrouwen.

Dit beroep op jou is mijn laatste redmiddel. Ik weet dat je andere plannen hebt en dat je liever geen weekend, laat staan een hele zomer, bij me logeert. Maar ik heb geen andere keus. De laatste paar jaar heeft je vader een aantal catastrofale beslissingen genomen die hem niet alleen zijn belangwekkende en gerespecteerde academische carrière hebben gekost, maar ook iedere vorm van verantwoordelijkheid in het leven. Er zijn redenen voor die we uitgebreid hebben besproken, en ik weet dat je sympathie met ons goeddeels is verdwenen. Maar je moet goed beseffen dat zijn activiteiten ons allemaal vrijwel aan de bedelstaf hebben gebracht. Als we jou aan Yale willen laten studeren, zelfs met je beurs en je baantjes, betekent dat dat het aan mij is om de moeilijke beslissingen te nemen die meer zijn dan emotionele reacties op wat het leven ons als gezin heeft aangedaan.

Je zult het wel niet met me eens zijn, ik hoor je bezwaren al. Maar de tijd om met een beschuldigende vinger te wijzen is voorbij, Emma. De situatie is zoals ze is en ik heb je hulp nodig, en wat je bezwaren ook mogen zijn, ik ben ervan overtuigd dat het je goed zal doen. We kunnen niet blijven wachten tot je vader beter wordt, want misschien gebeurt dat nooit meer.

Mail me zo snel mogelijk wanneer je laatste tentamen in mei is, zodat ik weet wanneer ik je kan verwachten. Ik zal je kamer klaarmaken, en ik beloof je dat ik je zo veel mogelijk ruimte zal geven. Probeer te begrijpen dat ik nog steeds evenveel van je hou als ooit.

Mama

Dus dit is het slagveld dat haar wacht nu ze thuis is gekomen om te helpen. Emma vindt zichzelf een idioot dat ze het niet heeft zien aankomen: het feit dat haar moeder haar verdriet heeft ingeruild voor totale gevoelloosheid, zoveel rauwe bitterheid bij haarzelf heeft achtergelaten. Dat een hart van steen zo weerzinwekkend egoïstisch kan lijken, alleen maar omdat het van steen is. Dat de oude, verlammende gezinspijn al zo lang bestaat dat zij er ook door vertekend is, dat die een soort verslaving is geworden, als een afgedankt olievat waaraan ze, telkens als ze behoefte heeft aan een vijand, haar bevroren handen warmt boven de vlam van het lijden van haar moeder.

Om kwart voor acht zitten ze in de auto – de Volvo van haar moeder, een nieuwere versie van de stationwagon waarmee ze van de universiteit naar huis is gereden – en zijn ze op weg naar hun eerste klus. Emma doet het raampje open, laat de frisse voorjaarswind naar binnen waaien, voelt de stevige, heldere kou, ondanks het meedogenloze licht dat haar de indruk geeft dat ze door matglas tuurt. Ze haalt diep adem en spoelt de onuitgesproken woorden weg die alle ruimtes lijken te verstikken, zelfs dit bewegende voertuig waarin ze bijeenzijn.

'Polly Jamison kan soms moeilijk doen,' merkt haar moeder op.

Emma bekijkt haar aandachtig, achter het stuur. Een aantrekkelijke vrouw – dat is een objectieve vaststelling. Het haar nog steeds blond, de botten nog steeds elegant. De ruwe handen van een tuinarchitect, met een smal strookje bleker, ietwat vernauwd vlees op de linkerringvinger waar eenentwintig jaar lang haar trouwring heeft gezeten. Vandaag draagt ze een grijze fleecetrui, een donkere keperbroek en groenrubberen tuinklompen. Ze zou kunnen doorgaan voor veertig of nog jonger, afgezien dan van die handen en de vele zorgelijke kraaienpootjes bij haar ooghoeken.

'Helaas moet ik je daar achterlaten, ik heb een klus bij de Foleys,' zegt haar moeder. 'Hun zoon gaat over twee weken trouwen, het feest vindt plaats achter hun huis en ze zijn in alle staten.'

Emma kijkt uit het raam: ze rijden Bow Mills binnen.

'Ik mag niet alleen werken. Ik ben niet persoonlijk inge-huurd.'

'Maak je geen zorgen. Het is geen moeilijk werk. Hector en zijn mensen leggen de hardstenen stoep. Je hoeft alleen maar een oogje op ze te houden, wat compost tussen de bomen strooien en de bloembedden fatsoeneren. Niets bijzonders. De sneeuwklokjes en de Glenn Dale-azalea's hebben extra aan-dacht nodig. Als mevrouw Jamison begint te zeuren over de carpinus, zeg dan maar dat ze me belt op mijn mobiel.'

'Carpinus?'

'De haagbeuk. Die wil ze helemaal teruggesnoeid hebben totdat ie wat zij noemt "Frans" is. Maar hij is helemaal niet Frans; hij is gewoon lelijk, en ik weiger hem te snoeien.'

Emma ziet de kleine groene bordjes langsschieten. De na-men zeggen haar niets, hoewel ze niet onbekend zijn: LARCH ROAD. Daar wonen de Wheldons, herinnert ze zich, of daar woonden ze vroeger, dat weet ze niet meer... En nu komt de herinnering terug: ze zit achter in de oude auto met haar hond Sallie, en haar vader brengt haar naar het huis van mevrouw Wheldon voor pianoles. Een herfstochtend, vanwege de kleu-ren. In de maanden na Josh. Ze is weer klein, en jong, en de toetsen die ze die dag bij mevrouw Wheldon verkeerd aanslaat, komen ook terug. En mevrouw Wheldon zelf raakt haar schouder misschien extra bezorgd aan. En Sam... Emma is nu ouder, ze zijn allemaal ouder; het gaat allemaal zo snel en zo langzaam. Sallie is ook dood. Ze denkt weer aan die nacht in Falls Village met Sam, en ze is ook weer bij hem, hij is in haar en ze hoeven geen woord te zeggen, althans niet tegen elkaar...

en nu ziet ze duidelijk hoe gemakkelijk het is jezelf te verachten, hoe de menselijke geest zich voortbeweegt zonder spijt of geweten, zijn eigen dier, vanaf dood en verlies tot de kleuren van de bladeren tot het geluid van mislukte muziek tot het gevoel van een jongenshuid, alsof alles gelijk was aan elkaar.

Ze draait het raampje verder open en de wind waait vol in haar gezicht.

Haar vader was dapper die dag. Dapper omdat hij haar naar pianoles bracht, terwijl er geen enkele reden meer was om wat dan ook te doen.

Door zijn dapperheid, en de zinloosheid daarvan, moet ze bijna huilen.

'We zijn er,' zegt haar moeder.

Ze rijden de inrit op die leidt naar een nieuw huis in koloniale stijl. Het asfalt is vers en donker. Voor het huis staan een Lexus geparkeerd en een pick-uptruck die is beladen met onregelmatig gevormde tegels van hardsteen.

Het huis is wit, zoals alle huizen in Wyndham Falls, en heeft eenzelfde tuinhek. Maar met dit huis is niets aan de hand; het staat er gewoon, vlekkeloos en smetvrij. De compacte voortuin staat vol met kniehoge smeedijzeren beeldjes van herten, wasberen en bosmarmotten.

'Mam, ik voel me niet lekker. Ik wil naar huis.'

'Het is gewoon werk, Em,' zegt haar moeder. 'Gewoon werk.'

Stilte. Ze stapt de auto uit en doet het portier dicht. Haar moeder rijdt weg.

# SAM

Zijn derde dag thuis.

Zoals afgesproken vertrekken ze na het ontbijt. Hij heeft geen auto, dus ze nemen de hare, zodat hij vijf kwartier lang in de bijrijdersstoel zit en aan zijn boord friemelt, met niets anders te doen dan luisteren naar de National Public Radio (haar keus), eerst naar het nieuws en dan naar klassieke muziek.

Zij is de baas vandaag, voor het geval daar nog twijfel over zou bestaan. Hij heeft zich geschoren omdat zij dat heeft gevraagd. Hij draagt het overhemd van haar keus. Hij zou zelfs de door haar gebakken eieren hebben opgegeten als hij dat had gekund zonder over te geven. Zijn goede bedoelingen zitten 'm vooral in zijn voornemen de zaken niet erger te maken dan ze al zijn.

Ze rijden Bow Mills uit richting Route 44. Het is bewolkt, de lucht heeft de kleur van pas gedroogd beton. Het licht is zo scherp dat je nergens anders naar kunt kijken dan naar vaste voorwerpen, die allemaal bewegen.

Route 44, 8 en 7 zijn de wegen waarover zijn leven zich heeft voortbewogen. Zo nu en dan landelijke panorama's, maar meestal niet. De meeste boerderijen zien er van dichtbij lomp en mechanisch uit, bedekt met modder, onder de roest, gebouwd aan de verkeerde kant van de economie. Huizen met gevelbeplating van kunststof in plaats van echt hout.

Zijn moeder wijst naar een landweg die leidt naar een moeras waar hij lang geleden kikkers ging vangen met een jongen die Eddie Tibbet heette, en zegt: 'Je stiefvader heeft een relatie met een vrouw die Wanda Shoemaker heet. Volgens mij gaan ze trouwen. Ze woont ongeveer achthonderd meter die kant op.'

Ze zijn voorbij de landweg en rijden verder in oostelijke richting. Verder staat er een postwagen langs de weg en er is niemand in de buurt, alsof de postbode zojuist is verdwenen en heeft besloten de boel de boel te laten.

'Norris wil je graag spreken,' zegt zijn moeder. 'Hij wilde per se dat ik dat tegen je zei.'

Sam doet het handschoenenkastje open, en weer dicht.

'Hij heeft zo zijn nukken, net als iedereen. Maar hij geeft echt om je, hoor.'

Nukken. Klinkt grappig als het op iemand anders slaat. Hij kijkt uit het raam. De berm van Route 44 schiet voorbij, een lange rij vorige bezoeken raast langs. Hij is nog jong, dat staat proefondervindelijk vast, maar het voelt alsof er niet genoeg ruimte in hem is om al die verloren dingen op te bergen. Plotseling welt het in hem op, en hij kan niets doen om het tegen te houden: 'Het spijt me dat je alleen bent, mam.'

Hij meent het meer dan hij kan uitdrukken, hij zou zijn leven er zelfs om willen verwedden. Maar ze draait haar hoofd om en staart hem aan, alsof hij het spottend of kwetsend bedoeld heeft. Wat hij op zijn beurt weer als kwetsend ervaart.

De auto raakt in de berm. Ze richt haar blik weer razendsnel voor zich. Terug op de weg voelt ze zich nog steeds geagiteerd; ze tast met een arm naar de achterbank, rommelt in haar tas, pakt een grote designzonnebril en bedekt haar vochtig wordende ogen. 'We kunnen ons beter zorgen maken over jou,' zegt ze vinnig.

Ze zet de radio harder, waarmee ze het gesprek beëindigt. Hij had haar net zo goed kunnen neersteken.

En Route 44 is Route 44 niet meer; het landschap is veel

opener geworden en semi-industrieel. De boerderijen zijn verdwenen, de grote buitenhuizen en arbeiderswoninkjes. Hij
keek ernaar en besteedde er geen aandacht aan. Hij mist datgene waarvan hij niet eens beseft dat hij erom geeft. Hij ziet nu
richtingaanwijzers naar Hartford, waar ze de rivier oversteken
en op Route 84 komen. Er zijn ook borden met UCONN.

'Mam, het spijt me.'

Deze keer bedoelt hij alles. Zichzelf. De hele kutzooi. Ze
kijkt hem niet opnieuw aan, maar aait hem over zijn knie.

Ze rijden verder; zijn liefde en zorgen knijpen zijn keel
dicht, een verstikte kreet over de brede, metaalblauwe rivier en
dichterbij, terwijl hij luistert naar de muziek.

De klanken zijn vertrouwd: piano, viool, altviool, cello,
contrabas. Zoals het gepolijste groenstenen ei dat hij in een
kluisje bewaarde onder zijn bed: hij kan nu geen ei zien en
geen vogel zonder eraan te denken, hoewel het alleen maar een
voorwerp van steen was.

De naam van het stuk – 'Forellenkwintet' – schiet hem
ineens te binnen. Totdat hij oud genoeg was om haar over te
halen iets leukers te spelen, draaide ze het elke avond op zijn
stereo terwijl hij in slaap viel.

Met haar vingers tikte ze de maat op zijn knie.

'Ken je dit nog?'

Hij kent het nog. Schubert was net zo oud als hij nu toen hij
het componeerde, hoewel het pas na zijn dood gepubliceerd
zou worden.

# RUTH

Het studiejaar is voorbij. De hele maand worden er inwijdingsrituelen voor nieuwe opleidingen gestart, zelfingenomen toespraken gehouden, prijzen uitgedeeld, baretten en toga's de lucht in gegooid. Ze heeft het zelf ook meegemaakt, hier in Sorrs, ergens in de zestiende eeuw of zo. Ze herinnert zich nog vaag de tijd na het grote feesten, het einde na het begin, de verbluftheid, de algehele kater.

De kalender van de jeugd: de hoogmoedige veronderstelling dat er genoeg tijd is om je te herstellen.

Rond die tijd – ze weet het nog als de dag van gisteren – ging ze samenwonen met Dwight.

Het parkeerterrein van het Bureau Inschrijvingen is voor tweederde leeg. Sam en zij lopen over het asfalt naar de ingang van het gebouw. Door de sluierbewolking geeft de zon zo'n verblindend wit licht dat niets langer dan twee seconden een vaste vorm lijkt te hebben. De UConn-campus – die twee keer zo groot en tien keer zo modern lijkt als toen ze zelf studeerde – maakt op haar een griezelig stille, doodse indruk.

Decaan Burris zei dat hij hen om halftwaalf kon spreken in zijn kantoor. Het is nu twintig over, en ze betreden met half dichtgeknepen ogen het gebouw door de glazen deuren waarop staat GORDON W. TASKER BUREAU INSCHRIJVINGEN, en nemen de trap naar de eerste verdieping. Ze geeft hun namen aan een vrouw van middelbare leeftijd met een streng permanent en een deftige uitstraling, die haar bureau heeft veranderd in een schrijn vol familiefoto's. De vrouw heeft heel wat kinderen en kleinkinderen, merkt Ruth op, en samen vormen ze een familie zoals alle andere, alleen lijken ze, ingelijst, keurig opgesteld en van dag tot dag bewaakt door deze grootmoederlijke figuur, veiliger en onderling welwillender dan de meeste families.

'Hij komt zo bij u,' zegt de vrouw.

'Dank u wel.'

Ze nemen plaats op een bank en wachten af. De oma achter de balie concentreert zich weer op haar toetsenbord. Zo nu en dan hoort Ruth een helder *ping* van een binnengekomen e-mail, of een *woesj* van een bericht dat de academische ether in wordt gestuurd.

Sam pakt een exemplaar van het tijdschrift *Campus* van de glazen tafel. Ze houdt hem vanuit haar ooghoek in de gaten en voelt dat de zenuwen als kippenvel op zijn huid staan. Een minuut lang bladert hij luidruchtig door het tijdschrift, waarna hij het weer op tafel teruglegt, alsof hij zojuist heeft ontdekt dat hij eigenlijk niet kan lezen.

Met zijn over elkaar geslagen atletenbenen raakt hij bijna de rand van de glazen salontafel. Een dier dat gebouwd is om te rennen en dat hier gevangen wordt gehouden. Zelfs tijdens de korte wandeling over de parkeerplaats leek hij een sprintje te willen trekken, elke lange, vloeiende pas eindigend op de bal van de voet, alsof hij alle kanten op wil rennen behalve waar ze hem heen leidt. Alsof de mogelijkheid om het op een lopen te zetten voortdurend in zijn gedachten is.

Is dit een recente verandering in gedrag, veroorzaakt door ongeluk, woede of schuldgevoel? vraagt ze zich af. Of misschien is het er altijd al geweest en is het haar nooit eerder opgevallen, net als zoveel dingen.

Opnieuw dringt het besef dat ze hem slecht kent in alle hevigheid tot haar door, alsof ze een testpop van moederlijk falen is. Er zijn onderweg natuurlijk ook overwinningen geweest, maar in het spel dat ouderschap heet, voelen of betekenen overwinningen en nederlagen nooit hetzelfde. Ze zijn niet gelijk wat betreft de gevolgen. Dat is iets wat Dwight nooit heeft willen toegeven: hij is een man die zo vaak een nederlaag heeft verward met een overwinning dat ze de tel kwijt is geraakt. En dat maakt Sams beslissing om hem op te zoeken in Californië des te moeilijker te accepteren voor haar. Waarom? Op zoek naar wat? Veiligheid? Vergeving? Een grote broer die ook in ongenade is gevallen? Heeft hij daar al die dingen of een ervan gevonden?

Dat zal ze wel als laatste te weten komen. Het enige wat voor haar vaststaat, is dat het feit dat hij in eerste instantie niet naar haar is gekomen een veroordeling van haar als moeder is. Ze voelt de zwaarte van dat oordeel zonder de opgelegde straf te kennen. Maar die zal ze onherroepelijk te horen krijgen, zoveel is zeker.

'Decaan Burris kan u ontvangen.'

Ruth kijkt op. De vrouw, deftige grootmoeder die ze is, staat naar hen te glimlachen als de veel oudere versie van al die knappe meisjes op de foto's op haar bureau. En je kunt duidelijk zien dat het gevoel achter haar glimlach niet vals maar oprecht is. Het zal wel genetisch bepaald zijn, zo'n glimlach, een soort familiekenmerk, als een prachtige oude boom waarvan de kronkelige wortels diep teruggaan in de tijd en alle generaties vasthouden, en waarvan de sterke, gezonde takken in de toekomst groeien, in de onbekende tijd, klaar om vrucht te dragen.

Of anders is het gewoon een glimlach.

Hoe dan ook, Ruth ziet in het gezicht van de vrouw – interessant, dat deze eeuwige glimlach zoveel vragen in zich draagt – dat Sam voor haar zowel een beloning als een zorg is: wat kan die aardige jongeman toch verkeerd hebben gedaan?

Ruth staat op. Ze kijkt of de riem van haar tas om haar schouder hangt en werpt haar zoon een blik toe die hem zegt: *Het is tijd om op te staan.* En hij staat ook op. Nee, hij is nog niet helemaal van de kaart. Hij strekt zijn benen en wordt weer langer dan zij, en sterker, ondanks zijn bange, knipperende ogen.

*We zijn allemaal bang,* wil ze tegen hem zeggen. *Ieder van ons is bang, altijd. Dat is onze familieband.*

# SAM

Later zal zijn indruk van de decaan en hun zeventien minuten durende gesprek worden overschaduwd door wat er daarna gebeurt. De decaan, in zijn goed ingerichte kantoor met de leren stoelen, de indiaanse kunst en het peperdure relaxspeeltje met de vijf zilveren kogels op een rij die met vislijn in een ebbenhouten frame hangen.

Wat hij zich later, na het bezoek aan het ziekenhuis, het meest concreet herinnert van zijn ontmoeting met Chas Burris, studentendecaan, is een vel hoogwaardig briefpapier, crèmekleurig met een zichtbaar watermerk en het marineblauwe UConn-briefhoofd boven de naam van de decaan in een veertienpunts letter, waarop de decaan eigenhandig met blauwzwarte vulpeninkt de namen *Nic Bellic, Mirko & Sonja Bellic* heeft geschreven, adres en telefoonnummers van de familie in Colchester, Connecticut, alsmede de woorden *Hartford Hospital Afdeling Intensive Care*; en daaronder, gescheiden door een scherp getrokken streep, de namen *Jack Cutter* en *Cutter & Associates* uit Canaan, Connecticut, plus nog een telefoonnummer.

En pas later, na het ziekenhuis en terug in de afzondering van zijn jongenskamer in het huis van zijn moeder in Bow Mills, zal Sam ten volle de kundige opsomming van zijn late puberteit en vroege volwassenheid waarderen, als dat het juiste woord is, die het vel papier met de informatie van de decaan zo effectief heeft bewerkstelligd.

Terwijl hij met zijn moeder het kantoor van de decaan verlaat, houdt hij het papier zorgvuldig bij de randen vast. Uiteindelijk is het zijn diploma, het enige dat hij waarschijnlijk ooit zal krijgen, en het is voor hem van het allergrootste belang dat hij er met zijn bezwete vingers geen vlekken op maakt.

# DWIGHT

De rest van de week gaat voorbij. Ik kan geen duidelijke verklaring geven voor mijn ervaringen, behalve dat mijn zoon er niet in voorkomt. Hij is weg uit mijn huis en van mijn werkplek, van de plek naast me op de voorbank, van het keurig bijgehouden softbalvierkant waar wij maar wat aanrotzooien, van mijn postzegel van een achtertuin waar ik mijn steaks grill. Alsof het één grote droom was. Geen tegeltjeswijsheden, geen sprookjes à la IJzeren Hans over vriendschap tussen mannen, geen vioolmuziek op de achtergrond, geen tranen of omhelzingen, gewoon een rotdroom die me een paar weken in zijn ban had en vervolgens bij het wakker worden vervlogen was. De status-quo werd hervat. Hij is weg, en het is alsof hij er iedere dag minder is: woensdag een vingerhoed vol, donderdag een druppel, en vrijdag geen spoor meer van hem.

En terwijl ik door mijn gangpaden loop en mijn aantallen noteer, mijn Italiaanse jeu de boules bijvul, mijn naamplaatje oppoets, aan mijn prostaat denk en aan het liefdesleven dat ik niet meer lijk te hebben, komen de vragen telkens terug, allereerst de grote onbekende, een logische paradox die niet zozeer lijkt ontworpen om te informeren, maar om te folteren: hoe had ik hem kunnen laten gaan zonder iets zinnigs tegen hem te zeggen? Zonder beter op hem te passen en voor hem te zorgen? Zonder extra goed te letten op wat hem nu bedreigt? Zonder erop aan te dringen met hem terug te gaan en bij hem te blijven?

Heb ik iets geleerd?

Natuurlijk, er was een periode in mijn leven dat als ik geen directe schade berokkende aan iemand anders – laat staan mijn zoon of die van een ander – dat een regelrechte overwinning voor me had betekend. Maar als ik al ooit in zoiets geloofde, dan nu niet meer. Je kunt niet vijftig worden en nog steeds denken dat niets beter is dan iets, tenzij je een idioot én een klootzak bent. In tegenstelling tot wat wiskundigen ons verzekeren is nul in het echte leven geen betekenisvol getal.

# SAM

Hij laat zijn moeder achter in de grote hal beneden. Hij dringt aan, ze heeft hem lang genoeg op de voet gevolgd. Er ontstaat een korte woordenwisseling, maar letterlijk halverwege een zin geeft ze zich over. Ze houdt gewoon op met praten en staart naar de vloer. Haar handen fladderen in het luchtledige, alsof ze zojuist de laatste hoop die ze nog had voor hem hard heeft laten vervliegen.

In de lift wordt hij in het nauw gedreven door twee ok-artsen met een lege brancard, en hij begint zijn zelfverzekerdheid te verliezen. Zijn lichaam, zijn enige troef tot dusver, voelt hol vanbinnen, zijn benen zijn krachteloos. Hij voelt een sterke neiging om terug te gaan, maar hij kan alleen maar verder omhoog. De lift stopt op zijn verdieping, en hij blijft geruime tijd stilstaan bij de vele wegwijzers, de brede helverlichte gangen. Een kruispunt van wegen. Rechts van hem zwaaien plotseling de dubbele deuren met de smalle kijkvensters automatisch open, en er komen twee arts-assistenten in schorten van blauw papier en met hoofd- en schoenbescherming kwiek aangelopen, van wie de een tegen de ander zegt: 'Waarom is dat lab zo traag, verdomme?', op een klaaglijke, vermoeide toon, en de ander antwoordt: 'Moet jij om drie uur ook naar de ok?' Ze lopen de middelste gang in, hun voetstappen zijn vreemd genoeg onhoorbaar. Achter hen blijven de deuren naar de intensive care nog even openstaan, als een reusachtige mond die hem wil opslokken.

Sam glipt naar binnen en ziet een drukke verpleegpost midden in een grote open afdeling, een geordende chaos van half door gordijnen afgeschermde bedden en draagbare apparatuur. Boven het fluisteren en piepen en een dissonante bulderlach het blaasbalgachtige ademen van een ventilator.

Van de vier in papier gehulde medici in de verpleegpost – die hem moeten vragen wat hij zoekt en, als hij geen familie van een patiënt is, hem zullen opdragen de afdeling te verlaten – zitten er twee medische dossiers te lezen op een computermonitor; een derde is bezig met een wagentje met urinemonsters, en de laatste bestelt via de telefoon een red-dal curry en twee tikka masala's.

Ze besteden geen aandacht aan hem en hij loopt door. Als een geest. Op tweederde van de gang ontdekt hij aan de rechterkant de status van Nic Bellic. Er is niemand in de buurt. Het gordijn dat het bed verandert in een soort eiland is gedeeltelijk open, alsof er zojuist iemand langsgekomen is.

Er ligt iemand op het bed. Het gezicht, dat hij ooit maar één keer heeft gezien, herkent hij nauwelijks. De intimiteit is overrompelend: er komt een dikke, doorzichtige buis uit de wijd open mond van de jongeman. De lippen zijn blauw. Door een van de opgezette neusgaten gaat een dunne, wormachtige voedingsbuis naar binnen. Een infuus is bevestigd in een opgezette ader op de rug van zijn rechterhand, en een centimeter bloed kleurt de zoutoplossing. Nic Bellic slaapt of is bewusteloos, of is zo zwaar verdoofd dat de stille golven van zijn hartslag op de monitor in slow motion lijken stuk te slaan op het onzichtbare strand van een land dat niet bestaat. Het lijkt op een zieke, primitieve videogame. Misschien is hij knap of misschien wel heel erg knap; met die dichte ogen is het niet te zien.

'Familie?'

De grote zwarte vrouw in het witte verpleegstersuniform en met een stem van de West-Indische eilanden loopt rakelings langs hem en bevestigt een plastic ring aan het infuus. Pas als hij aarzelt met zijn antwoord, draait ze zich om en kijkt hem recht aan.

Alsof hij wordt herkend in een politieconfrontatie. *Dat is hem. Die daar. Hij was het.*

'Nee.'

'Dan mag u niet blijven. En zeker niet zonder schort om.'

'Kunt u me vertellen hoe het met hem gaat?'

Ze duwt hem ruw opzij en rukt het gordijn verder open: een duidelijk teken dat hij nú moet vertrekken, nu het er nog vreedzaam aan toe gaat.

'Hoe het met hem gaat? Hmm. Sepsis, niet oké – absoluut niet. Maar de artsen doen wat ze kunnen.'

# EMMA

Ze is nog bezig het overschot van het werk van die dag in zakken te stoppen – geknapte twijgen, gesnoeide takken, onkruid met kluit, die ze sinds vanochtend gesnoeid, geplukt en bijeengeharkt heeft – als ze de auto de inrit op ziet rijden en haar moeder uitstapt. Mevrouw Jamison is meteen ter plaatse, grijpt Grace Learner bij de elleboog en neemt haar mee naar het hardstenen tuinpad dat Hector en zijn team die dag hebben aangelegd.

'Die randen zijn te hoog,' klaagt de vrouw. 'Daar, zie je wat ik bedoel? Daar kan iemand zomaar z'n enkels over breken.'

Iemand als zij, bedoelt ze.

'Maak je geen zorgen. Daar bouwen we morgen wel omheen.'

'Ik maak me wél zorgen, Grace. Ik ben er niet gelukkig mee.'

'Het komt allemaal wel in orde, Polly. Goed? Hector komt morgenochtend meteen hierheen en dan lossen we het op.'

Een stem die Emma in jaren niet van haar moeder heeft gehoord, áls ze hem al ooit heeft gehoord: een gebiedende stem, niet onvriendelijk, maar zo hard als arduin, die vriendelijk maar onmiskenbaar laat weten: *Bemoei je niet met mijn zaken, voor je eigen bestwil.*

In elk geval effectief. Met een verontwaardigd gesnuif trekt mevrouw Jamison zich terug in haar smetteloze huis, en ze laat zich die middag niet meer zien.

Emma sleept twee zakken vol gemaaid gras over het gazon en tilt die in de met bladeren bedekte kofferbak van de Volvo. Alles gaat mee terug naar Pine Creek Road, waar het verdwijnt op haar moeders composthoop, die aan het einde van de zomer is veranderd in één rottende berg. (Mevrouw Jamison heeft duidelijk gemaakt dat ze niet gelooft in compost.)

Daarna gaan ze naar huis.

Na een paar minuten zegt haar moeder: 'Als we het geld niet nodig hadden zou ik haar er meteen uit flikkeren. Heeft ze je lastiggevallen?'

'Niet actief.'

Haar moeder glimlacht flauwtjes om die geestige opmerking.

Daarna staren ze ieder weer door hun eigen raam naar buiten. De witte lucht zonder diepte is sinds die ochtend donkerder en zachter geworden; nu lijkt het alsof er regen op komst is.

Ze passeren een oversteekplaats voor herten. Daarna een bloederig plakkaat – een doodgereden wasbeer. Daarna een vrouw met twee meisjes en een bordercollie aan een riem die langs de kant van de weg lopen.

Plotseling heeft ze verschrikkelijke dorst. Ze haalt een metalen waterfles uit haar rugzak en drinkt bijna een halve liter. Haar spijkerbroek is smerig, er zit compost in haar haar. Haar vingers doen pijn. Vers eelt zwelt op in haar handpalmen.

'Heb je vanmiddag iets te eten gehad?' vraagt haar moeder.

'Hector had een boterham over. Met een rare vegapasta en spruitjes.'

'Ik ben vergeten te zeggen dat hij vegetarisch is. Nogal verrassend voor een man die met zijn blote handen zo'n zeventig kilo aan stenen kan tillen, vind je niet?'

Hector Martinez is klein van stuk, maar weegt zeker honderd kilo – een lieve, menselijke buldog. Hij draagt laarzen van rubber en hennep. Het is een raadsel waar hij zijn eiwitten vandaan haalt. Zijn team bestaan uit twee neefjes, Luis en Adrian van zeventien en negentien, graatmagere vleeseters die de hele dag met de grootste moeite de kleinste stukjes steen hebben aangedragen. Als de jongens niet aan het werk waren, staarden ze naar haar kont alsof ze een Franse roos was die bloeide in een woestijngrot. Dit ging zo uren door, zodat de dag toch nog een amusant tintje kreeg.

'Je moet goed beseffen dat ik het heel erg waardeer dat je zo hard werkt,' zegt haar moeder na een poosje.

'Graag gedaan.'

Ze meent het, maar haar moeder zucht. Formaliteit vormt een kille afstand tussen hen, beseft Emma, maar ook de broodnodige bescherming.

Ze doet haar ogen open: een pompstation, naast de Volvo twee benzinepompen.

Ze moet in slaap gevallen zijn. Haar moeder haalt haar portemonnee uit haar tas en stapt uit.

Emma is zo moe dat het lijkt alsof ze gedrogeerd is. De tijd beweegt zich stroperig voort; de wereld tikt hardop, als een klok waarvan het ritme ingrijpend verstoord is.

Achter het raam van het lage gebouw rechts van haar ziet ze een affiche met vrolijk dansende dollartekens als reclame voor de staatsloterij, nog een voor Koondike-roomijs, een derde voor de energiedrank Boost. En zo herkent ze de Christie's Food Mart die jaren geleden even buiten Wyndham Falls de plaats innam van Krause's General Store.

Ze ziet hoe haar moeder haar creditcard in de benzinepomp stopt en er weer uit haalt. Ongeveer tachtig dollarcent per liter voor normaal. De benzine begint te stromen; haar moeder staart naar de bomen en struiken aan de overkant en denkt Joost mag weten waaraan.

Emma herinnert zich de ouderwetse benzinepompen van toen ze nog klein was en die je tegenwoordig nergens meer ziet, en die leken op mechanische mannetjes met ongelukkige schouders, en dat vrolijke belletje dat rinkelde terwijl de goudkleurige liters in de auto van je ouders stroomde.

Op het moment dat Josh werd doodgereden langs Reservation Road, zat ze op het stinkende toilet bij Tod's Gas & Auto Body, met haar broekje om haar knieën, terwijl haar moeder haar hielp plassen.

Jaren daarna nog smeekte haar moeder bij haar vader telkens als ze moesten tanken: *Doe jij het maar. Ik kan het niet. Het spijt me, ik kan het gewoon niet.*

Ze kijkt nu naar dezelfde vrouw, haar moeder, die benzine tankt en in de verte staart. Totdat er, voelbaar in de hele auto, een opwaartse schok door de slang gaat als de benzinetoevoer wordt afgesloten. Eindelijk vol. Een vage elektronische stem vraagt of ze een bonnetje wil. Dat wil ze. En haar moeder stapt weer in de auto.

Wat kun je zeggen? En waarom? Als iets wat zo lang een wond is geweest in de mens door toedoen van de tijd en het langzaam vergeten van de liefde eindelijk geneest.

Maar niet heus.

Opstaan, aankleden, haar borstelen, afwas doen, vogels voeren, tanken.

'Wat is er?'

'Niets.'

Haar moeder start de motor. 'Het is een lange dag geweest.'

Terwijl ze het pompstation verlaten, komt er een andere auto binnenrijden: een donkergroene Subaru-stationwagon. De twee wagens rijden langzaam langs elkaar in tegenovergestelde richting.

Onwillekeurig werpt Emma een blik naar binnen; het dromerige beeld dat ze ziet wordt plotseling glashelder als een reeks uitvergrote stills.

Achter het stuur zit mevrouw Wheldon, ze weet het zeker.

En naast haar zit Sam Arno.

# DWIGHT

Op deze zwoele vrijdagavond kijk ik in mijn woonkamer onder het genot van bier en biologische tortillachips naar het sportkanaal, alsof dat niet minder te bieden heeft dan het Woord van de Heer. Ik probeer opnieuw Sam te bellen op zijn mobiel. Ik neem een slaappil. En nog steeds blijft de doorwaakte nacht hangen als een ongenode gast die, hoewel hij zwaar beledigd is door zijn agressieve gastheer, koppig weigert het pand te verlaten. Ik ken het sportschema van de zaterdagavond al uit mijn hoofd: golf en honkbal, basketbal-play-offs, atletiek (als het niet anders kon heb ik ook wel naar darts en curling gekeken), en terwijl ik eindelijk inslaap in het donker en weer wakker word bij daglicht, trekt mijn nabije toekomst, van uur tot uur geprogrammeerd, aan mijn geestesoog voorbij.

Maar voordat al dat tv-amusement begint, blijkt de zaterdagochtend onuitsprekelijk eenzaam te zijn. Ik duw mijn handmaaier (voor een habbekrats gekocht op eBay) een paar keer heen en weer over de groene postzegel achter mijn huis. Ik spuit Roundup over het onkruid rond mijn betonnen plaatsje. Ik schrob mijn keuken alsof ik een gereïncarneerde jarenvijftighuisvrouw uit Des Moines ben. Ik maak mijn bed op zoals de regering me dat heeft geleerd.

Niets kan de dodelijke eentonigheid van je bestaan zo verergeren als een nieuwe verstoring van je dagorde. Sams afwezigheid doet afschuwelijk pijn deze ochtend; zoals alle negatieve geesten werpt hij een schril licht over mijn eenzame gefrutsel en meer in het algemeen over mijn blinde, doelloze bestaan.

Je gaat slapen en schrikt wakker met een begintijd in je hoofd – zeg van een sportevenement op tv, niets meer en niets minder. Als het tijdstip is aangebroken, zijn er betaalde verslaggevers die je vertellen wat er precies aan de hand is en wat je ervan moet denken, hoe snel er gepitcht wordt en hoe het veld erbij ligt. De statistische gegevens van mislukking en succes. Maar voorlopig staat de zaterdagochtend nog tussen jou en dat tijdstip. Een niemandsland, aalglad, dat is bedacht om je door de voorstedelijke toendra te leiden naar de volgende verpleegpost, waar, als je geluk hebt, een brave, kwijlende sintbernardshond klaarzit met een vaatje cognac en je weer tot leven wekt, een leven dat je eigenlijk nooit gewild had.

Er valt mee te leven, en dat doe je al een hele poos.

Tegen het einde van de middag staan de laatste twee deelnemers aan het PGA-golftoernooi in Walla Walla bij de tee van de zevende hole. Het aantal reclames voor Buick dat ik heb moeten zien – met Tiger Woods in een auto waar hij normaal gesproken nog niet dood in gevonden zou willen worden – heeft de dubbele cijfers bereikt, waarmee het het aantal biertjes dat ik achter de kiezen heb overtreft. Ik bevind me in het hart van de gemiddelde Amerikaanse woonkamer, een plek die veel verleidelijker is dan mijn eigen huis. Met hun zachte, beschaafde stemmen zijn de verslaggevers in hun smetteloze omroepblazers als priesters die woorden van absolutie mompelen door het versluierende gazen raampje van mijn eigen biechtstoel. Er is totale vergeving, koeren deze vredesduiven, voor hen die het hele programma uitzitten, voor de goed oppassende, gerehabiliteerde jongen die geen aandacht vraagt voor de misstanden thuis.

Nou, dat is een hoopgevende gedachte, of niet soms? Zelfs als je weet dat het je einde betekent als je erin gelooft. En zo sluit zich de menselijke cirkel – althans, zo lijkt het. En je richt je bange blik – omdat je om de een of andere reden nog in leven bent, kun je niet anders – uit het raam en luistert naar de schelle stemmen van kinderen uit de buurt die Star Trek spelen in Hacienda Street.

En het duurt behoorlijk lang voordat ik doorheb dat ik zelf de volwassen kerel ben die ik hoor janken met zijn handen voor zijn gezicht.

# RUTH

Ze maakt gehaktbrood klaar volgens het recept van haar moeder – aardappelpuree en dunne, gegrilde schijfjes avocado in extra vierge olijfolie – en ze gaan aan tafel voor het zondagse avondmaal zoals ze dat altijd met het gezin deden. De enige ontbrekende ingrediënten zijn: a) gespreksstof, b) eetlust, c) een fles goede rode wijn, en d) het gezin van vroeger. Voeg daar een autoritaire mannenfiguur bij – een mensensoort die ze voor het laatste heeft gezien in het Museum of Natural History in New York, in de tijd van de Eerste Golfoorlog.

'Nog wat gehaktbrood?' vraagt ze haar zoon.

'Nee, dank je.'

'Het is niet erg geslaagd. Ik ben het zout vergeten.'

'Ik heb niet zo'n trek.'

Een paar tellen later schrapen de poten van zijn stoel over de vloer.

'Blijf zitten.' Haar onbeleefde verzoek klinkt te hard en komt te laat.

Hij staat al en kijkt met zijn volle lengte op haar neer, waardoor ze zich voelt als een hond die bedelt om etensresten. Ze bloost. Bij gebrek aan opties besluit ze het sterker aan te zetten.

'Alsjeblieft?'

Hij zucht, krabt op zijn achterhoofd en besluit uiteindelijk weer te gaan zitten.

'Mag ik je iets vragen, Sam?'

*Als je je in een situatie van angst of twijfel bevindt, Ruth Mar-*

*garet*, herinnert ze zich plotseling de woorden van haar Engelse lerares in de negende klas na een uitzonderlijk gênante spreekbeurt, *behoor je beleefd en vastberaden te spreken, als vanuit een standpunt van onweerlegbare oprechtheid en kalme wijsheid.*

Sam perst er een ironisch lachje uit. 'Ik heb zeker geen keus?'

'Waarom besloot je uitgerekend naar je vader te gaan? Waarom ben je niet naar mij gekomen? Dat is een van de dingen die ik niet begrijp.'

Ze ziet dat hij verrast is door haar vraag, door de gedachte erachter. Ze begrijpt niet hoe dit mogelijk is, na de lange tijd die ze erover heeft nagedacht. Maar hij is duidelijk overrompeld; hij staart naar zijn handen – zijn automatische beveiligingsmodus zolang hij bewust nadenkt.

Ze wacht. Maar zijn verraste, ontwijkende stilzwijgen is als een goocheltruc die hij onder haar ogen heeft uitgevoerd: ze heeft hem het hokje met het gordijn ervoor zien binnengaan, maar ze zal hem er niet meer uit zien komen.

'Goed,' mompelt ze verslagen.

Haar hart doet pijn, en niet alleen figuurlijk. Ze pakt zijn bord, waar het smakeloze voedsel dat ze heeft klaargemaakt nog op ligt, stapelt het op haar bord en staat op. Haar botten zijn zestig, tachtig jaar oud. Ze is bijna in de keuken als zijn stem haar doet stilstaan.

'Ik voelde me net zoals hij.'

Ze draait zich langzaam om. Hij heeft zijn blik op haar gericht, en zijn ogen zien er te oud en te bang uit voor de persoon die hij volgens haar nog steeds is.

# PENNY

Het is zondagochtend; ze staat aan het aanrecht, haar dochter ligt achter in het huis nog diep in slaap. Ze is niet in een poëtische stemming – nee, bepaald niet. Gisteravond, zo rond het spookuur, besefte ze dat ze niet veel rust zou krijgen, en aldus geschiedde.

Ze schenkt zichzelf nog een kop koffie in – gooit die bij nader inzien terug in de pot en neemt in plaats daarvan een glas vers wortelsap. Het sap, waar ze eigenlijk geen zin in heeft, blijft onaangeroerd staan.

Door het raam boven de gootsteen werpt ze een blik op straat. Kleine, gekunstelde huisjes, als leestekens zonder woorden, die niets omlijsten. Ooit, in de jaren zestig, besloot een van haar poëtische helden – die knappe, boze met de herderskleren en de goddelijke blik, volgens de foto's op de oude omslagfoto – er gewoon mee op te houden leestekens te gebruiken. De woorden, beweerde hij, moesten zelf duidelijk genoeg zijn; komma's en punten en hoofdletters leidden maar af, ze waren als watten voor de zintuigen.

En of hij nu gelijk had of niet, ze zou zelf graag zo willen leven en alleen de woorden willen horen. Maar zo blijkt ze niet te leven.

Ze zet het glas wortelsap op het aanrecht.

Dwights auto stopt voor het huis. Het dak is open. Op de stoel naast hem staat een zwarte koffer. In de stilte die valt kijkt Penny aandachtig naar hem door het raam. Hij blijft zitten, met zijn handen op het stuur; hij kijkt recht voor zich uit alsof hij nog rijdt, hoewel de auto stilstaat.

Hij zit zo nog steeds als ze de voordeur opendoet. Pas dan stapt hij moeizaam uit en loopt om de auto heen naar haar toe.

Ze denkt: hij is misschien niet zoals andere vriendjes, echtgenoten of exen. Hij zegt bijvoorbeeld niet: 'Goeiemorgen', of 'Hoe gaat het met je?', of: 'Sorry dat ik je niet serieus neem.'

Wat hij wel zegt is: 'Ik moet je een paar moeilijke dingen vertellen.'

Wat haar verbaast is niet de dramatische, hoewel prozaïsche opening, maar het feit dat ze het had verwacht, eindelijk, na al die verzwegen geheimen. Een soort intuïtie, beseft ze plotseling, die al wekenlang haar kijk op het leven en haar gemoed heeft bezwaard, die haar geen rust of hoop heeft gegund.

'Ik luister.'

'Ik heb tweeënhalf jaar in de gevangenis gezeten.' Hij ademt in door zijn neus en slaat zijn armen over elkaar om zijn lichaam stil te houden. 'Ik heb een jongetje doodgereden. Tien jaar oud, uit de klas van mijn zoon. Het was een ongeluk, maar ik ben doorgereden. Het gebeurde onder de ogen van zijn vader. Hij zag hoe zijn zoontje werd doodgereden. Hij is maandenlang naar me op zoek geweest. Uiteindelijk heeft hij me gevonden.'

Dwight zwijgt. Hij haalt adem. De zinnen komen staccato aan, als messteken. Hij staat te bloeden voor haar ogen.

'Er is nog iets. Sam lag te slapen in de auto. Hij werd wakker, en ik gaf plankgas. Ik zei dat ik een hond had aangereden. Ik heb hem alles voorgelogen. De ochtend dat ik mezelf aangaf was de laatste keer dat ik hem zag, tot twee weken geleden.'

Ze staart hem zwijgend aan. Eindelijk heeft hij haar omvergeblazen, die saaie vent van haar. Ze is bijna verdwaasd door zijn bekentenis, haar verbijsterde geest verstomt; een paar onwezenlijke ogenblikken lang is ze een satelliet die ergens hoog aan de staalblauwe hemel staat geparkeerd, een cycloop vol van een bedroefde, ongelooflijke verbijstering om wat mensen elkaar kunnen aandoen.

Dan staat ze weer met beide benen op de grond. Plotseling blijkt Dwight weer achter het stuur van zijn auto te zitten. Hij heeft haar stilzwijgen geïnterpreteerd als haar finale oordeel en rijdt van haar weg.

# DWIGHT

De zon is onder tegen de tijd dat mijn vliegtuig landt op Kennedy Airport. Ik drink koffie bij Starbucks, haal mijn huurauto op en vertrek in noordelijke richting. Binnen een uur zit ik op Route 8 in Connecticut en volg de verdwijnende tunnel van lantaarns langs de weg.

Ik ben zo rusteloos als een puber, druk telkens op de zoekknop van de radio en kom uit bij de Red Sox, de zender die sinds mijn geboorte in mijn grijze massa staat gegrift.

Als ik Torrington bereik zijn ze op Fenway bezig met de zevende inning. En tijdens de impasse waarin de wedstrijd verkeert, gaan mijn gedachten tegen mijn wil in terug naar een paar terloopse opmerkingen in het verhaal van mijn zoon, van hem en van mij: Sam die tijdens zijn middelbareschooltijd vijf dagen per week met de bus heen en weer reist, omdat hij zich ontzettend graag wil bevrijden uit het kleinstedelijke moeras van schaamte, schande en roddel waarin ik hem heb gestort; omdat hij op zijn veertiende een nieuwe identiteit wil opdat er iets is om voor te leven wat niet bevlekt is door de naam van zijn ouweheer.

De ironie wil dat zijn ouweheer in diezelfde periode op een steenworp afstand in Hartford woont, waar hij onder begeleiding van de reclassering de kost verdient met allerlei hand-en-spandiensten.

Totdat de ouwe op een doodgewone dag, waarop hij niets te winnen of te verliezen had, in een Greyhound-bus naar Californië stapt om, zoals dat zo mooi heet, zijn fortuin te zoeken.

De avond loopt bijna ten einde als ik eindelijk Wyndham Falls binnenrijd. Ik heb de hele dag gereisd. Ik heb honger en zin in een stevige borrel, en vraag me ongerust af wat er terecht zal komen van mijn plannen.

Ik rijd voor de helft om het onverlichte kerkplein heen – een ovaal grasveld dat, volgens de inwoners, van historisch belang is – en sla dan af naar Bow Mills. Een nog kleiner oord, niet meer dan een gehucht. Niemand op straat vanavond. Langs de onverlichte straten staan de brievenbussen als vreemde kraanvogels, als totems, of misschien als jongens die wachten op hun straf. Ze staan als schildwachten in het duister, en ik rijd ze een voor een voorbij.

Twaalf jaar geleden dat ik hier voor het laatst was.

Het komt allemaal spookachtig op me af, vooral nu het donker is. Dat wat je thuis noemt is de enige plek ter wereld waar je 's avonds laat kunt komen aanzetten nadat je een heel leven weg bent geweest, zonder dat er licht brandt, terwijl je toch precies weet waar je bent.

Aan het einde van Larch Road rijd ik stapvoets. Ik zweet inmiddels als een otter en draai het raampje open voor wat frisse lucht. Ergens vlakbij blaft een hond – *indringer, indringer* – terwijl ik Ruths brievenbus zie opduiken in het licht van mijn koplampen. Aan de zijkant drie vliegende eenden. Het zijn wilde eenden, en het was een idee van Norris om ze onder zijn naam te laten schilderen.

Ik rijd de inrit op en de eenden verdwijnen achter me. Ik zet de motor af en blijf zitten kijken en luisteren. De hond blaft niet meer.

Vanbuiten is het huis niets veranderd. De veranda is als een podium tussen optredens in en heeft dezelfde uitstraling en indeling als toen ik haar twintig jaar geleden bouwde. Erboven en erachter zijn de dubbele ramen donker, op twee na: dat van de keuken en van Sams oude kamer boven.

Ik stap uit en doe het portier zachtjes dicht.

Ik kijk om me heen. Ik probeer me niet te verbergen, maar wil ook nog niet gezien worden. Een laffe manier om terug te komen op een plek waar je ooit bent uitgespuugd: je kunt het ergens jarenlang in ballingschap uithouden en komt erachter, als je eindelijk weer op het oude bloederige slagveld staat, dat je een paar minuten tot jezelf moet komen. Alsof die laatste banale beelden en geluiden je op de een of andere manier kunnen beschermen tegen wat je in werkelijkheid weet.

Door het keukenraam zie ik Ruth aan tafel zitten met een tijdschrift opengeslagen voor zich. Ze leest niet, maar kijkt naar een klein tv-toestel op het aanrecht. Ik zie niet naar welk programma ze kijkt, alleen maar wat kleurige lichtflitsen. Zo nu en dan brengt ze een beker naar haar mond en neemt een slok. Kruidenthee waarschijnlijk.

Boven in Sams kamer is het rolgordijn dicht. Een effen wit rolgordijn, waarachter de kleinste menselijke gebaren in het tegenlicht kunnen worden vergroot tot fabelachtige kabuki-taferelen van doorgedraaide reuzen. Het soort scherm waarachter ik – toen hij nog klein was en ik voor hem zorgde, de zeldzame keren dat ik op tijd thuis was van mijn werk en hem naar bed bracht – een voorstelling gaf met vingerpoppen, en dan moest hij keihard lachen om alle domme taferelen met konijnen die ik kon bedenken.

Zo ver strekt mijn beperkte ervaring als ouder; het beste wat ik toentertijd kon bedenken, houd ik mezelf nog steeds voor.

Vanavond geen schaduwen. Hij slaapt duidelijk niet, maar wat hij dan wel doet zie ik niet.

Je hebt genode gasten en ongenode gasten. Bijna overal waar ik in mijn leven ben geweest, moest ik me op de een of andere manier toegang verschaffen. Dat geldt zowel voor mensen als voor plaatsen. Het geldt voor Ruth, die ik moest versieren als een soort bloedserieuze James Stewart voordat ze met me wilde samenwonen. Het geldt ook voor Penny, die me pas haar telefoonnummer wilde geven toen ik in ruil daarvoor bereid was haar mijn personeelskorting aan te bieden en wier volledige openheid ik vanaf het begin heb ondermijnd, begrijp ik nu, door consequent geen open kaart tegen haar te spelen. Het geldt voor Somers, dat afschuwelijke rattennest met zijn getraliede ramen en kilometers prikkeldraad. Het geldt voor mijn zoon, wiens aanvankelijke blinde vertrouwen in mij – het soort geloof dat volkomen losstond van vooropgezette bedoelingen en dus wel evolutionair, biologisch, zo niet iets nog hogers en diepers moest zijn – ik beantwoordde met leugens en verraad, met verwaarlozing, met het dichtslaan van de deur van de hoop die door zijn geboorte op miraculeuze wijze was geopend.

Het zit in de aard van de mens om ergens naar binnen te willen waar het warm is. Om niet in de kou te worden gelaten, verbannen te worden uit een toevluchtsoord. Dat kan een grot of een boomhut of een persoon zijn die zoveel beter is dan jijzelf dat je alleen nog maar vanuit een nederige positie naar hem of haar kijkt. En dat is nog steeds te verkiezen boven ergens opgesloten of weggestopt zitten. Het enige wat je zeker weet is dat je zult blijven proberen bij de warmte te komen zolang je de kracht in je lijf hebt, ongeacht je eigen kilte en duisternis en je overtuiging dat je het niet hebt verdiend. Want als je niet wordt toegelaten, als je ballingschap net zo standvastig is als de dood, dan ben je pas echt uitgekotst en helemaal alleen.

En wie wil je dan nog hebben? Wie? Het vuur is uitgedoofd. Het vuur dat liefde was.

# Deel drie

# SAM

Hij hoort stemmen beneden, een mannen- en een vrouwen-
stem, en komt stilletjes zijn kamer uit, waar hij het afgelopen
halfuur een door Jason Varitek gesigneerde honkbal in zijn
handschoen heeft zitten gooien, en het zich herhalende zachte
geluid neemt hem mee, troost hem, verzacht de scherpe kant-
jes en doet hem langzaam verdwijnen.

Hij staat op de overloop, boven aan de trap, en kan zijn oren
niet geloven.

'En je had niet even kunnen bellen?'

De reactie is een hoorbare mannelijke zucht – langzaam,
vermoeid, misschien gegeneerd.

Dan zegt zijn moeder weer: 'Het is niet te geloven. Wou je
soms ook blijven slapen?'

Gemompel.

'Wat? Nou, hartelijk welkom dan. Jezus!'

Maar Sam durft te zweren dat haar sarcasme een subtiele,
geanimeerde ondertoon heeft – alsof deze onverwachte een-
mansinvasie, hoe strontvervelend en beledigend voor haar intelligentie ook, meteen al een prikkelend effect op haar heeft
en een soort zingeving schenkt aan deze uithoek vol wachten
en wanhopen.

'Hoe lang denk je te blijven? Zeg dát dan in ieder geval.'

'Heb je misschien een biertje voor me?' luiden de eerste duidelijke woorden van de man.

Een vreemd gesnuif van haar moeder, en het duurt even
voordat Sam doorheeft dat ze lacht.

Er is dus een begin gemaakt.

Hij sluipt terug naar zijn kamer, doet snel de deur dicht en neemt plaats achter het jongensbureau, waar hij op zijn laptop op espn.com de eerste tien regels leest van een artikel over Barry Bonds en anabole steroïden; een artikel over een tienkampster met één been, een *sidebar* over een maffe visser uit Cape Cod die vanuit een plastic kajak een blauwvintonijn van ruim zestig kilo ving: 'Ik dacht dat dat klotebeest me helemaal naar Portugal zou slepen!'

Met zijn vinger op het trackpad gaat hij terug naar de pagina van Wikipedia die hij gelezen had voordat hij obsessief de honkbal in zijn handschoen begon te gooien:

SEPSIS (bloedvergiftiging) is een ernstig, soms dodelijk verlopend ziektebeeld, dat wordt veroorzaakt door een infectie, meestal door bacteriën of hun producten (toxinen). Bloedvergiftiging is een ontstekingsreactie van het hele lichaam op een infectie. Binnentreden van bacteriën in de bloedbaan kan het gevolg zijn van een ontstoken wond, infectie van een orgaansysteem (longontsteking, blaasontsteking, urineweginfectie of huidinfectie)... Ongeveer 20 tot 35 procent van de patiënten met ernstige bloedvergiftiging en 40 tot 60 procent van de patiënten met septische shock overlijden binnen dertig dagen.

Hij klikt op de rode knop in de linkerbovenhoek en de webpagina verdwijnt – op het moment dat zijn vader zijn voet op de onderste traptrede zet. Het scherm wordt grijs. Zijn vader komt naar boven, en met elke stap lijkt het hele huis op zijn grondvesten te trillen. En Sams lege, grijze scherm, waar hij een soort existentiële angst voor voelt, wordt onmiddellijk gevuld met zijn favoriete screensaver: een gedownloade, dertig jaar oude foto van Freddie Lynn *in midswing*, de armen volle-

dig gestrekt, de honkbal een witte, haperende versie van zichzelf, een stilstaande spookverschijning, die zo vlug van zijn
knuppel vertrekt en over het Groene Monster heen vliegt dat
geen camera snel genoeg is om zijn oorspronkelijke vorm vast
te leggen.

# DWIGHT

Ik blijf staan in de deuropening van zijn kamer, alsof ik voor onzichtbaar schrikdraad sta. Hij zit achter zijn bureau, half naar de deur gekeerd, afwachtend en niet afwachtend. Ik moet twee keer kijken naar de kleurenfoto op het scherm van zijn laptop: Freddie Lynn die vrijwel zeker een homerun slaat.

Freddie Lynn: held uit Boston, superboy, begiftigd met goddelijke genade – zolang het duurde. Een historische figuur voor mijn zoon, die hem natuurlijk nooit in levenden lijve heeft zien spelen.

'Hé.'

Hij klapt zijn computer dicht, alsof hij naar porno heeft zitten kijken, en staart naar het deksel van geborsteld metaal.

'Neem je je telefoon weleens op?' Ik zwijg en kijk naar hem, verwacht niet echt een reactie, maar wil dat hij me aankijkt. 'En... Hoe gaat het verder?'

Eindelijk draait hij zich om. 'Hoe lang blijf je?'

De vraag doet een beetje pijn, en ik probeer mijn gevoel te verbergen achter een gemaakte grijns. 'Je bent vast familie van je moeder.'

'Het is haar huis.'

'Alsof ik dat niet weet.' Mijn toon is nog luchtig, maar mijn rechterhand klemt zich steeds strakker om de deurknop; ik dwing mezelf mijn vingers te ontspannen. Ik denk erover zijn kamer in te lopen en misschien op het bed te gaan zitten. In plaats daarvan blijf ik staan waar ik sta en blijf praten, en de woorden klinken zenuwachtig en onsamenhangend.

'De groeten van Tony. Ik heb gezegd dat er plotseling iets was voorgevallen en dat je meteen naar huis moest. Ik heb verder geen details verteld of zo, maar volgens mij begreep hij het wel. Ik heb mijn week zomervakantie wat eerder opgenomen.'

Begrijpelijkerwijs reageert Sam hier niet op. En dus sta ik daar maar, ik heb mijn zegje gedaan en ben buiten adem. Het is weer stil, afgezien van mijn bonzende hart. Zijn kamer is nauwelijks veranderd sinds hij tien was; dat zie ik nu pas. Het kan luiheid zijn van hem, of angst, of misschien een vorm van dapperheid. Zijn eigen kleine Cooperstown. *Red Sox for ever and ever*. Op een plank boven zijn hoofd staan zijn sporttrofeeën uitgestald, minstens zes, het doublé vervaagd door een laagje stof.

Wat moet je er nog mee? Wat heeft het allemaal nog voor zin? Zijn levendige jongensgeest teruggebracht tot een paar voorwerpen, snuisterijen.

Het probleem is dat als ik eenmaal zo begin te denken, het moeilijk is om ermee te stoppen, om te voorkomen dat ik alles ga zien door een steeds donkerder wordende tunnel. Om mijn zoon te zien zoals ik door mijn fouten en mislukkingen heb geleerd de wereld en mezelf te zien, om hem in te smeren met die stinkende kwast. Terwijl het joch alleen maar zijn kamer heeft gelaten zoals die altijd is geweest, en dat is geen misdaad.

# RUTH

Ze kijkt hem vol ongeloof na terwijl hij de trap op loopt. Elke moeizame stap is als een kleine explosie die, als een persoonlijke actie, het hele huis dreigt te vernietigen. Die vernietiging zou ze absoluut hebben verdiend, omdat ze hem onaangekondigd zomaar heeft binnengelaten – in haar huis – voor zijn grote nep-heroïsche entree, alsof hij überhaupt iets te melden heeft. Ze kent hem van haver tot gort: hij is geen generaal MacArthur en zelfs geen generaal Schwarzkopf. Hij is eerder als die stomme stripfiguur Nemo de vis, die komt bietsen uit het wrak van de *Titanic*.

Voor haar op de loper in de gang staat zijn zwarte koffer te wachten op de rubberwieltjes, als een goed getrainde poedel. Genoeg kleren voor drie dagen, schat ze – tenzij ze natuurlijk aanbiedt tijdens zijn ongenode bezoek zijn was voor hem te doen.

Over haar lijk.

Onwillekeurig geeft ze de koffer een stevige trap, waarna hij omvalt.

Vervolgens loopt ze naar de keuken en gaat in de koelkast met tegenzin op zoek naar het enige flesje bier – het laatste exemplaar van het sixpack dat ze had gekocht toen Sam met Pasen op bezoek kwam – en vindt het uiteindelijk samen met de broccoli in de vochtige groentela. Ze draait de dop er met zoveel kracht af dat ze haar pinknagel scheurt. En het half binnensmondse 'Kut!' dat ze hoort, kan alleen maar van haar komen. Nee, het is haar avond niet. Ze zet het flesje aan haar lippen en neemt met moeite een paar slokken van het zurige brouwsel, alleen maar om te laten zien dat ze ertoe in staat is. En dat boertje kwam ook van haar.

Om de een of andere reden kalmeert ze, en ze brengt het overgebleven bier naar boven.

De deur van Sams kamer is open en Dwight staat te treuzelen op de drempel. Hij heeft blijkbaar maar weinig vooruitgang geboekt in zijn vaderlijke kruistocht, en hoopt zich snel terug te trekken op weg naar het dichtstbijzijnde sportcafé.

Ze tikt hem op zijn schouder. 'Hier is je bier.'

Hij draait zich gretig om, breed grijnzend met een honds soort dankbaarheid – eerder voor de onderbreking, vermoedt ze, dan voor het bier –, hoewel ze ziet dat hij fronsend kijkt naar de geringe hoeveelheid vocht in het flesje.

'Dank je.'

'Het is het laatste flesje, dus ik zou er maar lang mee doen.' Ze kijkt langs de blokkade van zijn lichaam heen naar haar zoon, die voorovergebogen zit achter zijn dichtgeklapte laptop. 'Alles kits hier?'

'Waarom niet?' mompelt Dwight.

'Geen idee. Moet je horen, ik maak de divan voor je op in de studeerkamer. Maar na vanavond moet je het zelf doen.'

'Ik zou niet anders willen.'

Ze trekt een wenkbrauw op, maar houdt haar reactie voor zich. Een kwestie van privacy. Ze loopt de gang door naar de linnenkast.

# EMMA

Ze is niet van plan haar moeder iets te vertellen over Sam Arno. Een oude gewoonte, en bovendien een kwestie van gezond verstand.

Ze werkt de hele zondag en komt pas om zes uur weer thuis met een rug die na acht uur wieden en onkruid uittrekken in Lakeville zo stijf is dat ze bang is dat ze volgende ochtend haar bed niet meer uit kan komen. Het voorstel van haar moeder om twee ibuprofens en een hete douche te nemen klinkt redelijk, maar terwijl ze naar haar kamer boven kruipt, besluit ze dat ze behoefte heeft aan iets sterkers.

Het vakantiecadeautje dat ze van haar kamergenoot van de universiteit heeft gekregen, een Vicodinpijnstiller, zit nog steeds in een roze tissue gewikkeld in het zijzakje van haar make-uptasje.

Ze neemt de tablet in met een cola light en wacht af.

Rond halfzeven kan ze min of meer overeind komen zonder pijn. Als ze tegen zevenen met haar moeder aan tafel gaat voor een maal van kant-en-klare *pasta e fagioli* met zuurdesembrood, zit ze aan één stuk te lachen en kan ze haar mond geen minuut dichthouden. De woordenstroom is niet te stuiten – 'haagbeuk', bijvoorbeeld, rolt van haar zojuist geslepen tong alsof ze de grote landschapsarchitect Olmsted zelf is, evenals een vreemde uiteenzetting over giftige boomkikkers en een lange monoloog over de diverse manieren waarop de vrouwen van de pioniers omgingen met hun menstruatie terwijl ze op reis waren in hun huifkarren, en nog een handvol andere informatieve verhandelingen die we maar liever verzwijgen, maar die allemaal het product van een van de beste (althans volgens de brochure) kunstopleidingen ter wereld zijn. Alsof ze tegen haar moeder wil zeggen: *Zie je nou wel dat ik van je geld een goede opleiding krijg?* Of: *Wat cool dat je een gesprek best in je eentje kunt voeren, hè?* Wat onder de omstandigheden kan doorgaan voor een volstrekt onverwachte openbaring – en verrassend genoeg vindt ze dat zelf ook zo.

Maar in werkelijkheid heeft ze geen enkele controle over haar gedachtestroom en kan ze niet één conclusie trekken. Het maakt haar niets uit. Het enige wat haar wel lukt, de enige vorm van zelfcontrole waarover ze nog beschikt, is het feit verzwijgen dat ze Sam Arno en zijn moeder heeft zien tanken voor Christie's Food Mart even buiten de stad. Dat hij om de een of andere reden is teruggekeerd naar het dodelijke nest, net als zij, en nu dus vlakbij moet zijn.

Maar haar moeder, die zich niet bewust is van die ontmoeting – en evenmin van heel veel andere dingen – en één glas witte wijn stelt tegenover de halve fles van Emma, is met stomheid geslagen door dit ongekende vertoon van uitgelatenheid van haar dochter, dit zeldzame teken van – nou ja, menselijkheid.

Rond tienen is het middel uitgewerkt. De magische praatpop verandert botweg in een door pijn geteisterde zwijger met een hoofd dat aanvoelt als een uitgeholde kalebas. Het is allerbedroevendst. Haar moeder, die zich inmiddels in haar slaapkamer heeft teruggetrokken en waarschijnlijk voor de derde keer *The Year of Magical Thinking* leest, heeft niets in de gaten. Het effect daarvan op Emma is een besef van wederzijdse eenzaamheid; tenzij het, net als die beroemde boom die geruisloos omvalt in het bos, een pervers soort verlichting is.

Ze hinkt door het krakende huis en doet de lampen uit.

# RUTH

Vanachter de gesloten badkamerdeur aan het eind van de gang hoort ze water stromen en geluiden van iemand die zich wast. Het feit dat haar zoon om halfzeven 's ochtends wakker is, is zo bijzonder dat het aanvoelt als een trilling, een fysieke verstoring in de natuurlijke geologie van het huis.

Niettemin knoopt ze de ceintuur van haar gerafelde badjas dicht, loopt naar beneden en doet alsof het een dag zoals alle andere is.

Maar die illusie wordt snel verstoord, want als ze de keuken nadert ruikt ze haar eigen koffie en ziet ze de potige bezoeker aan tafel zitten achter een bord verbrande toast, rijkelijk besmeerd met de Franse aardbeienconfituur die de moeder van haar leerling Adam Markowitz haar cadeau gaf na de wintervoorstelling op school, en die ze al die tijd heeft bewaard voor een speciale gelegenheid, die nog niet is aangebroken.

'Goeiemorgen,' zegt Dwight met volle mond.

Ze beantwoordt zijn groet en overziet het tafereel. Zijn haar is nat en hij moet zich scheren. Hij ziet er vaag uit – ze wil niet al te onvriendelijk oordelen –, alsof hij de nacht in zijn auto heeft doorgebracht; maar zo ziet ze er zelf waarschijnlijk ook uit. En hoewel ze haar best doet zich aan te passen, is zijn aanwezigheid zo storend dat ze zelfs de energie niet kan opbrengen om kwaad te worden om het ongevraagd geopende potje confituur.

*Wilde aardbeien, toe maar.* Maakt niet uit.

Ze schenkt zichzelf een beker koffie zonder suiker in en gaat, zo wezenloos als een psychiatrische patiënt op een dubbele dosis medicijnen, naast hem zitten.

'Wil je soms toast? Of eieren?' vraagt hij beleefd.

Ze kijkt hem verbaasd aan. Is dit soms Tommy's Cafetaria en heeft ze zich vergist in de bordjes?

'Nee, dank je.'

'Je moet wel wat eten.'

Ze draait zich om en kijkt uit het raam. De zwarte labrador van de Newmans loopt te snuffelen in de bosjes tussen de twee huizen. Na uitgebreid snuifonderzoek tilt de oude Toby zijn poot op en doet zijn behoefte.

'Goed geslapen?' dringt Dwight aan.

Ze ziet dat zijn ogen helder staan: hij is de man met wie ze ooit getrouwd was, en hij lijkt geïnteresseerd in haar antwoord.

'Gaat wel.'


Tien minuten later schenkt hij zich bij het aanrecht een derde mok koffie in – hij is een cafeïnejunk, merkt ze, ondanks zijn zogenaamd gezonde Californische leefstijl. Met de volle beker in zijn hand staat hij tegen het aanrecht geleund en kijkt haar aan met een blik waarvan hij alleen de betekenis kent; tussen zijn ogen, iets links van het midden, zit een verticale rimpel die steeds dieper wordt, als bij iemand met een hersenaandoening; alsof hij zich één enkel samenhangend ding over haar probeert te herinneren en haar vergelijkt met iemand anders in zijn onzekere zakboekje.

Ze voelt peinzend aan haar opgestoken haar, terwijl ze met haar andere hand controleert of haar ceintuur vastzit, voor het geval ze hem per ongeluk inkijk heeft geboden. Al met al voelt ze zich steeds meer als de moeder van Norman Bates in *Psycho*: *Mijn moeder is zichzelf niet vandaag.*

'Waarom sta je me zo aan te staren?'

'Geen speciale reden. Ik kijk gewoon naar je.'

'Wil je daar alsjeblieft mee ophouden?'

Hij verplaatst zijn blik, maar niet ver. Ze ademt diep in en laat de lucht langzaam ontsnappen. Ze voelt de dringende neiging hem met geweld uit zijn comfortzone te stoten, als een kleinschalig soort levensdoel. Tegelijkertijd zijn er concrete zaken die de aandacht vragen, dingen die moeten worden geregeld nu hij hier is ter voorkoming van verdere complicaties. De advocaat met wie ze vanmiddag een afspraak heeft is zijn oude partner; hij was getuige bij hun huwelijk en een voormalige vriend. En dat zal hem niet bevallen. Er is het een en ander aan voorafgegaan. Hoewel dat vooral Dwight betreft en niet haar, wil ze het hem wel vertellen, en als hij daar problemen mee heeft, dan zal hij daar als een volwassene mee moeten omgaan.

'Sam en ik hebben vanmiddag een afspraak met Jack Cutter in Canaan,' kondigt ze onverwacht aan, met haar overdreven kordate stem.

Zoals verwacht ziet ze alle warmte uit zijn bruine ogen wegtrekken, totdat ze zo hard zijn geworden als de glanzende kastanjes die je in december in Central Park vindt, als je ouders tenminste zo aardig zijn om je een weekendje mee uit te nemen naar New York voor een voorstelling van *De Notenkraker*, zoals de hare deden.

'Waarom met hem?' blaft Dwight haar bijna toe.

'Omdat de decaan hem heeft aangeraden.'

'En waarom zou de decaan verdomme Jack Cutter aanraden, van alle advocaten die er in de hele staat zijn?'

'Dat weet ik niet, Dwight. Waarschijnlijk omdat hij weet dat ik Jack ken en toevallig ook vindt dat hij goed is in zijn vak. Hij heeft een reputatie.'

'Een reputatie,' herhaalt Dwight, en hij laat dat volgen door een laag keelgeluid. 'Cutter is nooit verder gekomen dan een lullige plattelandspleiter, en dat weet je best.'

'Maar dan wel een plattelandspleiter die je in dienst heeft genomen toen niemand hier iets met je te maken wilde hebben, voor het geval je dat vergeten bent,' repliceert ze zonder erbij na te denken. 'En hoe ver ben jij dan precies gekomen?'

Dat gaat te ver: ze ziet dat de blik in zijn ogen verandert van kil, waar ze zich tegen kan verdedigen, naar iets wilds, waarbij dat haar niet lukt; zijn blik is een laserstraal vol rauwe, onberedeneerde woede. En ze is ervan overtuigd dat als ze niet veilig tegenover hem zat, ze zich een paar stappen zou terugtrekken om zichzelf te beschermen – alleen al tegen haar herinneringen. En vreemd genoeg is dat voldoende om de weinige keren – misschien drie in totaal – in herinnering te brengen dat ze tijdens hun huwelijk fysiek bang voor hem was. Ze herinnert het zich alsof een puntig stuk barnsteen plotseling in haar borst werd geplant, kippenvel van angst, nog steeds aanwezig.

En daarom wil ze hem ook kwetsen, uit wraak.

'Je vroeg of je mee hierheen mocht, weet je nog? "Om te helpen." En ik zei nee. Maar je bent toch gekomen – dus zoek het verder maar uit.'

'Ik ben gekomen voor Sam,' protesteert hij.

'Natuurlijk.'

'Hij is mijn zoon, Ruth. Hij draagt mijn naam.'

De idiote patriarchale zelfvoldaanheid van die laatste opmerking alleen al – heeft Sam ooit iets anders dan ellende gehad door die naam? – is om gek van te worden.

'Zelfs jij kunt niet zo narcistisch zijn.'

'Hij kwam naar mij toe.'

'Omdat hij iets afschuwelijks en stoms had gedaan en doodsbang was! En jij woonde het verst weg. Maar de pauze is voorbij. Het is tijd om de gevolgen onder ogen te zien.'

Ze beeft; in de keuken is een onzekere spanning voelbaar. En het ergste is dat de zekerheid van haar toon duidelijk nep is.

Hij draait zich om en gooit met een gebaar vol walging de rest van zijn koffie in de gootsteen.

Even later hoort ze hoe hij zijn beker roekeloos tegen het blauw dooraderde porselein smijt, zo hard dat het serviesgoed van haar moeder onherstelbaar beschadigd is. Het wordt haar te veel – in een flits begint ze tegen hem te schreeuwen, wetende dat hij dat eigenlijk ook wil: 'Dit is míjn huis, verdomme! Een beetje respect graag, en anders donder je maar op!'

Hij zegt niets. Stilte en rust keren terug in de keuken; zijn woede lijkt binnen een paar tellen plaats te hebben gemaakt voor de hare. Hij strijkt met zijn vlakke hand ruw over zijn gezicht, alsof hij er de onzichtbare troep van af wil vegen, draait zich om en staart door de ramen de tuin in.

En zij? Beleeft ze ook maar één ogenblik genot om haar overwinning, om deze ommekeer? Niet dus. Ze is te moe om zich te bewegen. Alsof de strijd op leven en dood een hele dag en niet een halfuur heeft geduurd en ze hier ligt te bloeden, hoewel ze in werkelijkheid over zijn schouders heen de tuin in kijkt die ze ooit samen hebben aangelegd toen ze geen rooie cent hadden en er een kind op komst was. O, de lente, dat hypocriete kreng, is weer reuzeaardig vandaag: de bloemen staan te stralen door de zon en de regen, de struiken zijn vol in blad. De hond van de Newmans is naar binnen gesjokt voor zijn ontbijt, en een grijze eekhoorn rent langs een van de eikenstammen omhoog. Dat alles ziet ze voor zich, onbetwistbaar, onweerlegbaar.

Ze haalt diep adem.

En zegt zo waarheidsgetrouw mogelijk tegen hem: 'Wil je alsjeblieft naar me luisteren? Ik heb gewoon de energie niet om ruzie met je te maken. Daar is mijn hart niet groot en sterk genoeg voor. Waarschijnlijk ook nooit geweest. Sam kent Jack Cutter al vanaf zijn geboorte. En als het nog erger wordt, mijn god, Dwight, als die jongen doodgaat, dan moet hij een advocaat hebben die in hem gelooft, hoor je me? Mensen die in hem geloven. Daar gaat het om, en dat is mijn beslissing.'

Achter haar ademt de koffiemachine als een stervende oude vrouw.

Dwight mompelt een antwoord, maar het is zo zacht – en bovendien staat hij met zijn rug naar haar toe – dat ze het niet verstaat.

'Wat?' Ze staart naar zijn brede rug. 'Wat zei je?'

Hij herhaalt zichzelf op droevige toon, zonder zich om te draaien of haar zijn gezicht te tonen. De woorden klinken als een klaaglijke bekentenis.

'Ik geloof ook in mijn zoon.'


Ze begrijpt niet waarom ze nu de behoefte voelt hem te troosten, haar handen op zijn schouders te leggen, en misschien ook wel getroost te worden door hem; of waarom ze uiteindelijk zo sterk is om die behoefte te onderdrukken en hem niet aan te raken.

# SAM

Als hij de keuken binnenkomt, ziet hij hen vlak bij elkaar voor het raam staan. Ze draaien tegelijk hun gezicht naar hem toe, zijn moeder doet een paar passen terug naar de tafel.

'Wat ben jij vroeg.' Het lachje dat ze probeert te forceren is zo onecht dat ze zich er allebei voor generen. Maar omdat hij meer van haar houdt dan hij kan zeggen, loopt hij naar haar toe en kust haar op haar wang.

'Waar heb ik dat aan verdiend?'

Hij zegt niet: *Ik hoorde boven dat je hem de huid vol schold en ik ben trots op je, mam,* maar daar komt het wel op neer.

'Morgen, Sam,' mompelt zijn vader vanaf zijn post bij het raam, zo dichtbij en tegelijkertijd zo ver weg.

'Morgen.'

In de stilte die volgt loopt hij naar het aanrecht, haalt twee sneden brood uit de zak en stopt die in de broodrooster. Hij heeft geen trek, maar begrijpt instinctief dat het van hem verlangd wordt: je begint je dag goed of je blijft in je nest liggen.

Binnen een paar tellen begint het apparaat vanbinnen te gloeien en te tikken.

En zo staat het gezin – althans, wat ervan over is – verankerd op drie verschillende plaatsen, wachtend op de expert die de bom komt demonteren die hen daar gevangenhoudt.

# DWIGHT

Mijn specialisme was erf- en belastingrecht, hoewel daar niet mijn grootste ervaring lag. Het was een richting die ik had gekozen tijdens mijn laatste studiejaar, zoals een gretige student medicijnen uit een lagere sociale klasse besluit te kiezen voor proctologie – niet omdat hij het bestuderen van de anus zo fascinerend vindt, maar omdat hij meent dat er altijd voldoende anussen zullen zijn en dus ook voldoende vraag naar dat specialisme, zeker in tijden van een algehele depressie.

Jack Cutter was twee jaar verder dan ik, en hij was degene die me aanraadde erfrecht te gaan doen (de analogie met de anus is van hem, geef ik onmiddellijk toe). Na een paar jaar op een groot, chic kantoor in Hartford, tijdens een daaropvolgende crisis in mijn leven – waarvan later bleek dat het alleen maar het begin van het einde was –, ging ik aan het werk op het kleine maar succesvolle kantoor van Jack, Cutter & Trope, gehuisvest in een fraai neo-Grieks pand aan de rand van Canaan. Gezien de omstandigheden waarin ik destijds verkeerde was dat een enorme meevaller voor me, wat je een staaltje goddelijke genade zou kunnen noemen. Logisch gezien besef ik dat heel goed. Maar terugkijkend voel ik dat toch anders.

De klanten die ik kreeg waren jong, pasgetrouwd, met kinderen op komst. Of ze waren oud en gingen ervan uit dat ze niet lang meer te leven hadden. Ze kwamen met opengesperde ogen en een dunne huid door de angst voor vergetelheid; ze kwamen onbeschut en kwetsbaar, met hun onhandige bejaardheid, angst en verbazing, bijna als kinderen. Ze kwamen bij me met grauwe staar en artritis, sommigen met kanker. Ze kwamen vol pijn en woede, en ze kwamen met iets van hoop. Ze kwamen met grote en kleine grieven en rancunes. Ze kwamen met vijanden en met lang vergeten geliefden in gedachten. Ze kwamen met rammelende sokken vol munten uit voorbije tijden of met zware dossiers vol aandelen van grote bedrijven van het Amerikaanse kapitalisme. Ze kwamen met verborgen schulden, verhalen van faillissementen en schaamte, en zonder opmerkingen over mijn exorbitant hoge honorarium. Ze kwamen met privékluizen vol goud en zilver, verborgen bebloede messen en plankenvol stoffige boeken over hoe je paardenmest kon veranderen in goud. Ze kwamen met tweelingen en drielingen en tal van kleinkinderen. Ze kwamen met het enige familielid dat zich ooit iets aan hen gelegen had laten liggen, het homoneefje, helemaal in het leer, dat het einde van de bloedlijn was.

Sommige banen kun je aan het einde van de dag niet van je af spoelen. Onder het genot van hamburgers en frietjes in Tommy's Cafetaria maakten Jack en ik grapjes over het bloed dat we op onze handen hadden nadat een of andere opvliegende weduwe het kantoor was komen binnenstormen, zwaaiend met haar vergiftigde strijdbijl, en had verklaard dat ze al haar bezit wilde nalaten aan haar kat. We voerden uiteraard haar wensen uit, en het bloed waarom we moesten lachen was van al die familieleden die elkaar probeerden te vermoorden (nadat ze de kat hadden verzopen) zodra het maffe ouwe wijf onder de grond lag, in een poging de buit binnen te halen (een buit die aanzienlijk was geslonken door het geld dat ze moesten betalen voor onze diensten). Dat was een tijdje leuk, totdat het niet leuk meer was.

Dingen veranderen. Je kunt jarenlang te veel zuipen, tientallen jaren lang elke ochtend, middag en avond het gif door je strot gieten – totdat je op een dag plotseling door één slokje bier gillend naar de eerste hulp rent, en het begin van het einde begonnen blijkt te zijn. En je zult er nooit achter komen waarom. Je kunt denken dat iemand je boezemvriend is, week in week uit elke dag onder de lunch met hem zitten gieren om dezelfde moppen met baarden, en plotseling erger je je op een dag dood aan die kauwende, smakkende bek van hem. Of misschien is hij jou al eerder beu, en ben jij te ver heen om het door te hebben.

In de echte wereld zijn alleen juridische contracten in steen gebeiteld, en zelfs dan zal er iemand – je vrouw bijvoorbeeld – aan de zijlijn staan wachten om je voor de rechter te slepen. Zoals de student medicijnen die lijdt aan alle ziekten die hij heeft bestudeerd, zal de jurist zonder een ijzeren geweten (in termen van getallen: neem de norm van de Amerikaanse Orde van Advocaten en vermenigvuldig die met twee) onvermijdelijk ontvankelijk blijken voor het gevoel van deugdzaamheid dat hijzelf in de praktijk heeft helpen brengen – namelijk dat de getuige bij je huwelijk dezelfde klootzak blijkt te zijn die je niet één keer is komen opzoeken in de gevangenis.

# SAM

Hij hoort de stem van zijn moeder. Hij komt zijn kamer uit en loopt de trap af, en bij de voordeur staat zijn vader.

'Waar is mama – mijn moeder?'

'In de auto.'

'Ga jij ook mee?'

'Als je er geen bezwaar tegen hebt.'

Sam loopt langs hem. Op de inrit staat de auto met draaiende motor klaar: zijn moeder vindt het vreselijk om te laat te komen. De stemmen van een radiopraatprogramma dat boven het geluid van de motor uitkomt, zweven uit het openstaande autoraam de tuin in. De stem van de radioverslaggever, vaag zelfingenomen, beleefd en tegelijk nieuwsgierig, doet hem denken aan de psychiater naar wie hij toe gestuurd werd nadat zijn vader zich vier maanden te laat had aangegeven bij de staatspolitie omdat hij Josh Learner had aangereden en hem voor dood had achtergelaten aan de kant van Reservation Road.

De psychiater met de bleke sproetenhuid en het kalende rossige haar en altijd hetzelfde bruine corduroy colbert en dezelfde ouderwetse suède schoenen aan. Het vertrek waarin ze elkaar twee keer per week spraken was een voormalig schooltoilet, zonder ramen; de buizen staken nog uit de muur waar de urinoirs hadden gezeten en het was gemakkelijk om je de bijbehorende pisgeur voor te stellen.

Sterker nog: terwijl hij naar de wachtende auto loopt, schieten hem weer woorden te binnen, geen uitwisseling van gedachten of gevoelens, maar een psychiatrisch eenrichtingsverkeer – iets waar hij heel lang niet aan had gedacht en nu ook niet aan wil denken, iets wat de radiostemmen in zijn hoofd doet verstommen als een reclamedeuntje waarvan je je voorneemt dat het niet in je kop zal blijven hangen, maar dat je uiteindelijk gewoon loopt te neuriën:

*En hoe voelde het toen je hoorde wat je vader had gedaan?*
*Sam?*
   *Dat hij het je zelf niet had verteld? Je erop had voorbereid?*
*Dat hij tegen je loog over zoiets belangrijks? Was dat nog het meest kwetsend voor je: dat je het van anderen moest horen? Hoe voelde je je toen?*
   *Sam, als je niets zegt, kan ik je niet helpen.*

Hij zei nooit iets, tegen de psychiater niet en tegen niemand. Sam in een notendop: genoeg om over na te denken en niets te zeggen. Dat was misschien ook het geval met sport, het ogenblikkelijke gevoel geaccepteerd te worden dat hij kreeg op zijn veertiende, vijftiende: niet praten, maar doen. Iets leren, het goed doen of ermee kappen; train je lichaam tot het niet anders meer kan; doe het telkens weer opnieuw, totdat je geest zich losmaakt van het lichaam en zijn waardeloze zieligheden. Als je op het veld, welk veld dan ook, gaat nadenken, ben je verloren.

Maar elke theorie heeft zijn grenzen, en daarvan is hij zelf het beste bewijs: hij sloeg nooit naar een bal als het er echt om ging.

'Waarom moet híj mee?' vraagt hij zacht aan zijn moeder.

Uitlaatgassen tussen hen in. Haar blote arm op de rand van het open raampje. Hij staart naar haar pols, het goedkope Timex-horloge met leren bandje; op een dag wil hij een mooi

klokje voor haar kopen, iets met diamanten. Hij wordt sentimenteel, tranen prikken achter zijn ogen – diep in zijn hart
weet hij dat hij nooit zo'n horloge voor haar zal kopen, maar
hij verzet zich tegen de gedachte.

Achter hem trekt zijn vader de huisdeur dicht en komt het
stoepje af gestommeld.

Op een kalme, neutrale toon antwoordt zijn moeder: 'Hij
zegt dat hij er wil zijn voor jou.'

Sam gaat naast zijn moeder zitten, zodat zijn vader achterin
moet.

Niets te zeggen, maar de dingen worden toch wel gezegd.


'Nou, Sam, ik ga je een paar vragen stellen, en ik wil dat je ze
naar waarheid beantwoordt.'

Jack Cutter, advocaat, zit achter een breed, antiek bureau;
de drie gezinsleden zitten verspreid voor Zijne Majesteit –
moeder en zoon op een tweepersoonsbank, vader op een stoel
met rechte leuning waar hij nauwelijks op past.

Vader onderbreekt hem: 'Wacht even, Jack – wat wil je daarmee suggereren?'

De blik van de advocaat verhardt zich tot de ingestudeerde
ijspegel uit de rechtszaal waarmee hij zijn tegenstander de maat
neemt, waarna hij hem vervolgens niet de moeite waard acht.
Met de palm van zijn vlezige hand strijkt hij zijn groene uni-
versiteitsstropdas glad over zijn maag.

Hij wendt zich met een verkrampte glimlach naar Sam.
'Mijn professionele advies zou zijn: negeer hem, jongen. Juist.
Nou dan, vraag één.'

# DWIGHT

Drie jaar heb ik doorgebracht op dit kantoor, even verderop in de gang. Dat het geen gelukkige jaren waren, was niet zijn schuld. Maar nu ik terug ben en de nieuwe vloerbedekking en de modernste computers zie (ik was in mijn tijd razendsnel met een rekenmachine), mijn oude secretaresse en incidentele bedgenoot is verdwenen en op mijn deur een bordje hangt met de naam van een pas afgestudeerde jurist, bezondig ik me toch aan rancuneuze gevoelens jegens hem. Misschien omdat hij nog steeds een geziene figuur in de samenleving is, deze opgeblazen, burgerlijke cowboy, ongelooflijk zelfingenomen, en nu ik me noodgedwongen bij hem in zijn kamer bevind, voel ik me als zo'n gekrompen mensenhoofd dat in een jutezak is meegenomen van het Donkere Continent. Misschien omdat je niet zozeer de vrienden die je in een vroeg stadium verlaten nooit zult vergeven, maar juist de vrienden die je pas veel later de rug toekeren. Zelfs het feit dat hij speciaal voor Sam op Memorial Day naar kantoor is gekomen – een feit dat hij minstens driemaal weet te vermelden – lijkt me een typisch trucje van een branieschopper.

Maar goed, laten we zeggen dat ik, te schande gemaakt en het contact met de werkelijkheid kwijt, niet de juiste persoon ben om een oordeel te vellen. Bij elk woord van Jack Cutter tijdens het gesprek met mijn zoon – te beginnen met zijn naam – heb ik de neiging mijn handen om die speknek van hem te leggen en hem langzaam te wurgen.

'Weet je zeker dat hij jou eerst sloeg?'

'Ja,' antwoordt Sam.

'Had je hem gezien voordat hij je sloeg?'

'Nee.'

'Je praatte met zijn meisje.'

'Nee, zij praatte met mij.'

'Was ze dronken?'

Sam knikt.

'Was jíj dronken?'

'Een beetje aangeschoten misschien.'

'Opgefokt? Kwaad?'

Sam zwijgt.

'Was híj dronken – die andere gast? Stomdronken?'

'Dat weet ik niet. Ik heb hem niet gezien.'

'Totdat je je omdraaide en hem een klap gaf met je honkbal-knuppel?'

'Hij sloeg me eerst van achteren – twee keer.'

'Wacht. Ik ben even in de war. Vertel eerst eens wat je met een honkbalknuppel deed in een kroeg.'

'Protest.'

'Dwight,' waarschuwt Ruth op zachte toon.

'Negeer hem, Ruth.' Charles zucht, kijkt weer naar Sam en herhaalt zijn vraag.

'Waarom had je een honkbalknuppel bij je?'

'Ik had mijn spullen nog bij me van de wedstrijd.' Sam schudt zijn hoofd, alsof hij niet gelukkig is met zijn eigen verklaring.

Cutter wacht af, maar daar blijft het bij. 'Waar zat je knup-pel in? In een sporttas of zo?'

'In een plunjezak.'

'Was die plunjezak open of dicht?'

Sam aarzelt. 'Dicht.'

'Dus je moest de plunjezak openritsen om de knuppel eruit te halen?'

Sam zwijgt en staart naar zijn handen.

'Kijk me eens aan, jongen, oké? Je moet je even goed concentreren. Heb je je plunjezak opengeritst om de knuppel eruit te halen?'

Sam knikt.

Er valt opnieuw een stilte, maar langer. Jack tuit zijn lippen. Ruth kijkt me woedend aan, alsof ze weet hoe graag ik die lippen het liefst zou willen pletten met mijn vuist, en ik richt mijn blik op iets anders.

'Nog één vraagje,' zegt Jack. 'Heeft iemand in de kroeg gezien dat je de plunjezak openritste?'

'Dat weet ik niet.'

'Waar bevond die zak zich precies?'

'Op de grond, onder de bar.'

'Dus niet erg zichtbaar?'

Sam schudt zijn hoofd.

'Stonden er mensen vlakbij?'

'Ik geloof het wel.'

Jack zucht. 'Goed, we gaan even door. Je ritste de zak open. En toen?'

'Ik heb naar hem uitgehaald, geloof ik.'

'Dat gelóóf je? Dat is een wilde gok. En waar heb je hem geraakt?'

'In zijn maag.'

'Onder de ribben ongeveer?'

Sam zweeg.

'Zullen we zeggen "in het middenrif" en het daarbij laten? Helder, maar niet helder genoeg.'

'Je zit het te verzieken, Jack.'

Cutter beweegt zijn vette kop zijwaarts. 'Als ik je hulp nodig heb, zeg ik het wel, meneer de raadsheer.'

'Zet je ego aan de kant en laat hem zelf vertellen wat er is gebeurd. Anders komt hij in het getuigenbankje volkomen onnatuurlijk over.'

'Hou in godsnaam je kop dicht, Dwight,' snauwt Ruth hem toe.

'Weet je wat, Ruth?' Er zijn rode vlekken van woede verschenen op Cutters walruswangen, die trillen als een soufflé, en even lijkt hij op Boeddha in eigen persoon. 'Het gedrag van mijn ex-partner is begrijpelijk, hoewel niet erg bevorderlijk voor de onderhavige situatie. Ik voel met hem mee, echt waar. Langdurige impotentie is een bekend bijverschijnsel van gevangenschap.'

Ik ga staan.

Vroeger zou Cutter ook meteen overeind zijn gekomen, hij liet zich nooit verrassen; maar hij is nu zo'n vijfentwintig kilo zwaarder, in afwachting van zijn eerste hartaanval en, zoals alle goede juristen, slim genoeg om zich niet te laten verleiden tot een ordinaire vechtpartij, waar hij geen raad mee weet. En dus houdt hij zich gedeisd. Hij werpt een blik op de blocnote op zijn bureau en schraapt een paar keer zijn keel.

Ik ga weer zitten, en de stoel kraakt onder me alsof hij het gaat begeven.

'Nic Bellic,' richt Cutter zich weer tot Sam. 'Zat hij in jouw jaar?'

'Ja, maar ik kende hem niet.'

'Weet je dat zeker?'

Sam aarzelt, schudt zijn hoofd. 'Hij heeft zich aangemeld voor het team, maar lag er na een week al uit.'

'Wat weet je van zijn familie?'

'Zijn ouders zijn Servische immigranten. Dat zei de decaan. Ze spreken nauwelijks Engels.'

'Hebben ze geld?'

'Volgens de decaan zijn ze nogal arm. Zijn vader werkt parttime in de bouw en zijn moeder naait jurken of zoiets.'

'Gelukkig ben ik medesponsor van UConn, Sam, en sta ik op redelijk goede voet met decaan Burris. Het hoofd van de afdeling Chirurgie van Hartford Hospital is ook een vriendje van me.' Hij buigt voorover – de rand van het bureaublad snijdt diep in zijn pens – en hij werpt Sam een blik toe à la Gregory Peck in *To Kill a Mockingbird*. 'Ik heb in mijn vrije tijd eens wat rondgevraagd over die Serviërs. Jouw vriend Nic heeft een paar keer een aanvaring gehad met de sterke arm van Colchester. Ja, je mag nog een paar kroegruzies toevoegen aan het lijstje, en een aanklacht die buiten de rechtbank om geregeld is voor diefstal uit de ijzerwarenhandel waar hij afgelopen zomer werkte. Dus kun je nagaan: het laatste wat zijn ouders willen is dat hij weer te maken krijgt met de politie of voor de rechtbank moet verschijnen. Koste wat het kost. En de universiteit heeft geen andere keus dan de wensen van de familie in deze zaak te volgen – tenzij en totdat de verwondingen van de jongen, of de omstandigheden die het gevolg zijn van de vermeende verwondingen, dodelijk blijken te zijn.'

Cutter werpt nu een blik op zijn aantekeningen en wacht op applaus. Als hij weer opkijkt, maakt hij nog net geen buiging naar zijn geboeid luisterende publiek.

'Laten we dus de medische situatie eens bekijken, goed? Ongeveer twee uur nadat hij traumatisch letsel in zijn middenrif heeft gekregen, meldt de patiënt zich zelf bij het ziekenhuis, waar hij klaagt over ernstige buikpijn. Het joch kan amper staan. Hij zegt dat hij ruzie heeft gehad en met een honkbalknuppel in zijn buik is geslagen, maar beweert niet te weten wie zijn aanvaller is. Min of meer standaardgedrag bij de eerste hulp van stoute jongens die niets te maken willen hebben met de politie, ook al zijn ze op sterven na dood. Twee dagen later, nadat onderzoek niets heeft opgeleverd en de pijn erger is geworden, wordt hij toch geopereerd en blijkt hij bloeduitstortingen op zijn twaalfvingerige darm te hebben. Ze naaien hem weer dicht en een paar dagen later ziet hij er een stuk beter uit. Kleur op zijn wangen; die licht criminele houding is er weer.

Maar dan blijkt hij plotseling bloedvergiftiging te hebben, zijn bloeddruk schiet naar beneden en hij wordt meteen opgenomen op de intensive care. Zo gaat het in ziekenhuizen: als je bij aankomst al niet dood bent, dan bedenken ze wel een manier om je dood te krijgen.

En wat doet zo'n idiote arts-assistent? Hij schrijft de verkeerde antibiotica voor! De toestand van het joch verbetert niet, maar verergert, en nu hangt zijn leven aan een zijden draadje – totdat iemand plotseling een George Clooney-moment heeft en beseft dat er een enorme schadeclaim vanwege grove nalatigheid zit aan te komen. En ik kan je verzekeren dat dat het enige moment is waarop iemand in dit geweldige land van ons zich gemotiveerd voelt om iets constructiefs te doen.'

Inmiddels is Cutter zo ontzettend met zichzelf ingenomen dat hij gewoon zit te grijnzen. Het liefst zou ik hem alle tanden uit zijn bek slaan.

'Vind je dit leuk, Jack? Speel je weer eens de hoofdrol in je eigen fokking realityshow ten koste van mijn zoon?'

'Kop dicht,' zegt Sam tegen mij, en alleen tegen mij.

Hij herhaalt zijn woorden niet. Dat hoeft niet. Hij staat op, verlaat het kantoor en laat ons achter.

# SAM

Door de lucht boven Route 44 is zijn zicht op de verte nu eens vaag en dan weer helder. De berm is smal, het verkeer vlakbij. Hij loopt in oostelijke richting en begint wanhopig te rennen. Het kan niet veel verder dan acht kilometer zijn naar het huis van zijn moeder.

Maar hij rent log en traag vandaag; hij kan geen goed houvast vinden voor zijn voeten, zijn ogen zijn gericht op het grind vóór hem: een atleet in burger, met zware, platte schoenen.

Het leek op het eerste gezicht heel simpel – dat een kind geen gebeurtenis is, vermeend of niet, een vergissing, ongelukje of misdaad, van hem noch van iemand anders. Dat hij per definitie meer is – eerder de som dan een samenstellend deel, een levende eed van belofte. Dat hij onvoorwaardelijk van zijn ouders zou kunnen houden, in weerwil van wie ze zijn; zoals hij, als hij ooit nog zijn plekje in de wereld vindt, op een dag zichzelf zal moeten accepteren, in weerwil van wie hij is geworden.

Hij houdt zijn pas in, blijft staan, voelt pijnlijke steken in zijn zij. Hij buigt voorover. Blijkbaar toch niet in vorm. Geen enkel 'vooruitzicht'. Gewoon een loser zonder toekomst.

Hij herinnert zich dat hij op school een pas geslepen potlood in de hand van een jongen stak. Het was Eddie Tibbet, zijn vriendje. Ze waren tien. Er was geen enkele logische verklaring of ogenschijnlijk motief voor die actie.

Hij ziet het nog helder voor zich: de blik vol ongeloof op Eddies gezicht, zijn hoge, geschrokken kreet van pijn. De juf greep hem bij zijn pols en sleurde hem mee naar het kantoor van het hoofd.

Om hem te onderscheiden van de anderen zegt ze: *Dus hij kan iemand anders geen pijn doen?*

Een tankwagen met benzine dendert vlak langs hem en laat een wolk uitlaatgassen achter. Op de brede zilveren tank staat om de een of andere reden een palmboom geschilderd, met bruine kokosnoten tussen groene bladeren.

Hij denkt aan Californië.

En plotseling besluit hij langs de andere rijbaan in westelijke richting verder te gaan. Hij ziet een tweede voertuig, een verbouwde pick-up waarvan de laadbak in tweeën is gedeeld door grote glasplaten: een rijdend raam op zoek naar een huis. En op dat moment krijgt hij plotseling inzicht in zijn huidige situatie, als van een hogere macht, en ziet wat er aan de andere kant van het glas is.

Hij schudt het visioen van zich af, heeft geen idee wat het betekent. Dan is de truck voorbij, en alle visioenen worden weer troebel.

De neuzen van de bruine veterschoenen van zijn vader zitten onder het stof door zijn idiote sprint langs de weg: hij heeft het ook op een rennen gezet, achter zijn zoon aan. Ook zijn broekspijpen zitten tot aan de knieën onder het fijne witte stof, en hij heeft donkere zweetplekken onder de oksels van zijn witte button-down overhemd.

'Ik ken hier nog wat mensen...' Zijn vader buigt voorover, steunt met zijn handen op zijn knieën, probeert op adem te komen en komt weer langzaam overeind. 'Kom op... Ik ken een stel advocaten die veel beter zijn dan die opgeblazen kloot-zak.'

'Laat maar.'

'Sam, luister...'

'Nee.'

'Verdomme, we moeten doen wat we kunnen.'

'Wé?'

Zijn vader wendt zijn blik af. Sam herhaalt zijn vraag. Zijn woede neemt toe, terwijl op een meter afstand een bestelwagen langsraast en een wolk van stof en uitlaatgassen achterlaat.

Zijn vader ademt uit. In wezen is het een dienst aan de gemeenschap: proberen iets uit te bannen wat voor hen beiden schadelijke gevolgen kan hebben.

'Je wilt niet doormaken wat ik daar heb doorgemaakt. Nooit. Daar wil je niets mee te maken hebben.'

'Het heeft jou blijkbaar ook geen kwaad gedaan.' Sam gaat nu alle perken te buiten en gooit het er gewoon uit. Het voelt bijna weldadig. Zijn vader staart hem aan en komt een stap dichterbij.

'Jij weet verdomme niet waar je het over hebt. Je hele leven gaat kapot. Je rot weg van binnenuit.'

'Het is al te laat,' zegt hij zacht.

(Hij is weer vijf jaar, en aan de andere kant van de kamer vermoorden zijn ouders elkaar.)

'Luister naar me...'

Hij wil zich omdraaien. Maar er schiet een hand uit, die zich hoog om zijn linkerbiceps sluit. Sterke, stompe vingers die weten wat zeer doet, knijpen in het zachte weefsel tussen de spieren en veroorzaken een messcherpe pijn, die via zijn schouder in zijn arm schiet.

Hij heeft zichzelf niet meer in bedwang, zijn vuist schiet uit: hij stompt zijn vader in zijn gezicht.

Ze zien het allebei op hetzelfde moment: de opgeheven, gebalde vuist van zijn vader, klaar om terug te slaan.

En dan zet zijn vader het op een rennen.

# RUTH

Ze rijdt vanaf Cutters kantoor in oostelijke richting over Route 44, op zoek naar haar zoon, en moet plotseling denken aan een middag ruim tien jaar geleden: harde stemmen op het gazon voor het huis, een man en een jongen: Norris leert zijn ongeïnteresseerde stiefzoon de fijne kneepjes van het pitchen bij golf. Dan een luide klap – de dure pitching wedge van haar man zit als een strijdbijl in een boom gekliefd – en als ze uit het raam kijkt om te zien wat er aan de hand is, ziet ze haar zoon keihard Larch Road in rennen.

Sam verdwijnt uit het oog terwijl Norris met zijn armen in zijn zij op de inrit staat als een verwarde verkeersagent. En terwijl Ruth vanaf veilige afstand naar haar man kijkt, stelt ze vast wat ze waarschijnlijk al die tijd al heeft geweten: dat die man niets, maar dan ook helemaal niets van kinderen begrijpt.

Ondertussen is haar zoon weggelopen. Ruim twee uur lang rijdt ze alleen door de buurt en probeert te gissen waar hij gebleven is. (Norris blijft thuis, zogenaamd voor als Sam meteen terugkeert, maar in werkelijkheid om geen minuut te missen van de Masters op tv.) Als ze al zoekende voelt dat het donker begint te worden, slaan er hete golven van verdriet over haar hoofd en haar rug, alsof de eerste tekenen van de overgang zich aandienen. Ja, het is voor en na, eerst een vroege jeugd, dan ouderdom. Als ze thuiskomt, is het als een oude vrouw die de politie wil bellen, maar dan ziet ze haar zoon op de stoep van de veranda zitten, alsof zij het weggelopen kind is en hij de doodsbange ouder.

Terwijl ze op hem toe rent uit de nauwelijks tot stilstand gekomen auto, wil ze hem een klap geven. Omdat hij haar bang heeft gemaakt zoals je nooit iemand bang mag maken. Maar als ze hem ongeveer vijf tellen later heeft vastgepakt, is de dreiging van haar woede, van haarzelf, weggeëbd. Ze kan zich net zomin voorstellen dat ze hem ooit pijn zal doen als dat ze hem ooit los zal laten.

'Dat flik je me dus nooit meer,' fluistert ze scherp en ze trekt hem tegen zich aan en smoort hem bijna.

Hij belooft het. Hij zegt dat het hem spijt.

Op bijna een kilometer van het kantoor ziet ze hem door de voorruit: een man inmiddels, netjes gekleed, zoals ze had geëist, in elkaar gedoken op een bankje naast de rare kiosk met Maya-kunstvoorwerpen. Hij heeft geen oog voor het passerende verkeer en staart naar zijn handen, die hij tot één grote vuist in elkaar heeft gedraaid en tussen zijn knieën klemt.

Hij kijkt pas op als ze op de claxon drukt.

Ze doet het portier open en hij stapt in.

'Alles oké?'

Hij kijkt haar niet eens aan.

'Gordel,' zegt ze.

Ze rijdt de weg weer op. Hij trekt aan de veiligheidsgordel en klikt hem vast. De knokkels van zijn rechterhand zijn rauw, alsof hij zich gebrand heeft. Ze wil ernaar vragen, maar bedenkt zich; in plaats daarvan verzint ze een andere invalshoek.

'Heeft je vader je ingehaald?'

Hij gromt min of meer instemmend.

Ze wacht af, maar hij zegt niets meer. Ze laat haar blik weer op zijn gezwollen knokkels vallen, kijkt weer op de weg. In werkelijkheid wil ze eigenlijk niet weten wat er is gebeurd.

Ze dwingt zichzelf het toch te vragen, ervan uitgaande dat ze geen antwoord zal krijgen.

'Wat is er gebeurd?'

Stilte.

'Waar is hij?'

'Boeit me niet.'

Ze zucht. 'Oké, Sam.'

Ze rijdt verder. Het zonlicht is heiig, de middag loopt ten einde. Ze rijden langs de Elks Club en de bowlingbaan, die binnenkort waarschijnlijk wordt gesloten omdat jongelui tegenwoordig liever achter hun computer hangen dan samen iets te ondernemen. Ze rijden langs Fanelli's, een kroeg waar ze zich nooit thuis heeft gevoeld. En langs Gray's ijssalon, waar Sam en zijn vriendjes, toen ze nog klein waren, op gloeiend hete zomermiddagen wedstrijden hielden wie een hele dubbele hoorn met zwartebessenijs kon opeten zonder te morsen. Na afloop waren hun gezichten zo paars als clownskoppen. Voor zover ze zich herinnert heeft hij nooit gewonnen, maar misschien was dat het hele punt wel.

De ene herinnering gaat over in een andere, nog ouder en nog onverklaarbaarder: Sam en zijn vader op het strand in Cotuit bezig met een ingewikkeld wedstrijdje *wipe-out*. Dwight is de zelfverklaarde kampioen, en laat zich op komische wijze als een levensgrote lappenpop door de ene golf na de andere van de surfplank slaan, tot groot vermaak van zijn zoon, die zo hard moet lachen dat hij zeewater in zijn neus krijgt.

Terwijl in de serre van een huis dat lang geleden is verkocht haar moeder tegen haar spreekt vanuit het graf: *In godsnaam, Ruth Margaret, verzet je niet altijd zo tegen het leven! Zo win je nooit.*

Ze laat opgelucht de bedrijfsgebouwen achter zich en de weg loopt bijna twee kilometer lang kaarsrecht tussen grijze stenen muren, steekt daarna de kreek over en nadert met een flauwe bocht Wyndham Falls. Een stadje dat zeer vertrouwd voor haar is, zo niet haar eigen stadje is. Een stadje uit een kwaliteitscatalogus voor stadjes. Een stadje dat zo georganiseerd is dat al die losse herinneringen er in een leefbaar patroon worden geperst, herinneringen die je anders tot bloedens toe pikken, zoals de vogels van Hitchcock, terwijl je tevergeefs probeert te leven zoals de gezonde mensen die een vrije keus hebben.

Helaas is ze lang geleden tot de conclusie gekomen dat zij niet zo'n gezond persoon is. Ze is niet zo goed in het keuzes maken. Ze is van het soort stugge dakloze: ze heeft al haar bezittingen altijd bij zich, bewaart het verleden niet omdat het beter is, maar omdat dat het enige is wat ze heeft.

'Mam?'

Sams stem klinkt zacht, bijna smekend, heel anders dan zijn superheldenlijf. Maar ze rijdt over een druk stuk weg en durft niet naar hem te kijken. Ze klemt haar handen om het stuur. De banden denderen op het ijzeren bruggetje over de kreek. Ze draait aan het stuur en de auto maakt een scherpe bocht, gevolgd door nog meer stenen muren en de propere witte huizen van een van de mooiste stadjes in Connecticut.

# DWIGHT

Ik ren tot ik niet meer kan. Ik ren voor mijn eigen handen, die me achtervolgen – er is geen ontkomen aan. Ik ren tot het zweet van mijn hoofd gutst en ik kromgebogen in de bevuilde berm van Route 44 sta.

Auto's denderen langs, in oostelijke en westelijke richting. Uiteindelijk kom ik overeind en tuur de weg af, met mijn handen in mijn zij. Twee voetbalvelden verderop is de kroeg waar ik vroeger altijd kwam. Fanelli's, een kroeg voor na het werk, met een poolbiljart en tv. Lui van de staatspolitie uit de kazerne in Canaan kwamen er in hun vrije tijd ook vaak iets drinken, net als bouwvakkers, wegwerkers en een enkele ambtenaar. Daar loop ik nu heen. Mijn longen worden langzaam rustiger, het zweet droogt op mijn gezicht. Achter het ongewassen raam flikkert een neonreclame voor Pabst-bier. De zaak is open, ik ga naar binnen.

Het duurt even voordat mijn ogen gewend zijn aan het duistere licht. In de lange, smalle zaak staan twee mannen aan de bar over hun drankjes gebogen, en achterin zit een jong stel aan een tafeltje bier te drinken. Niemand zegt een woord. De kleinmodel pooltafel, waar volwassen kerels speelden om stapeltjes kwartjes, staat er ongebruikt bij. De oude jukebox is verdwenen; uit luidsprekers in het nicotinebruine plafond komt easylistening countrymuziek.

Ik neem een kruk aan het eind van de bar, zo ver mogelijk verwijderd van de aan de muur gemonteerde tv, waarop Oprah te zien is. Een jongeman van Sams leeftijd met een *soulpatch* onder zijn onderlip komt aangeschuifeld om mijn bestelling op te nemen. Hij draagt een heavy-metal-t-shirt onder een openhangend flanellen hemd, en heeft een tabakspruim in zijn mond. Onderweg naar mij toe blijft hij staan en spuugt met chirurgische precisie een stroom bruin sap in een lege vruchtensapfles achter de bar.

'Wat zal het zijn?'

Ik bestel een dubbele Jim Beam en een glas bier.

Hij blijft even staan, kijkt me iets te lang aan op een manier die me niet bevalt. Ik wil hem vragen of er iets mis is, als hij een stapel servetjes voor me neerlegt.

'Je lip bloedt,' zegt hij op vertrouwelijke toon.

Ik bedank hem voor de informatie.

Hij gaat weg om mijn bestelling klaar te maken, terwijl ik met een servetje mijn mondhoek dep. Er blijft een rode vlek op achter. Ik blijf deppen tot het bloeden ophoudt, en inmiddels is het servet helemaal rood. Het bloeden is opgehouden en de barkeeper komt terug met mijn drankjes. Hij kijkt naar het bebloede servet en niet naar mij, en gaat weer weg.

Ik drink mijn consumptie op. Als de glazen leeg zijn steek ik een vinger omhoog, en voordat ik het weet arriveert er een nieuw rondje, dat ik ook opdrink.

Ik zie mijn eigen hand, opgericht in de lucht, terwijl ik naast de weg sta. Mijn hand die zich tot een vuist heeft gebald. Het geweld erin is ontwaakt. Terwijl de rest van me, die altijd oppassend heeft willen zijn, gewoon dode huid is, gespannen over mijn oude, ware ik, en dat is die vuist. De huid wordt ogenblikkelijk afgeworpen en toont de vuist, en alle vuisten daarvoor. De vuist die in het afnemende licht van de avond door mij wordt geheven tegen mijn zoon.

# PENNY

Toevallig heeft het holle, knagende gevoel in haar maag op de dag na Dwights bekentenis en daaropvolgende vertrek, terwijl ze haar jaarlijkse college geeft over de laatste dagen in het leven van Sylvia Plath, weinig te maken met de tragische gebeurtenissen in andermans gasoven. Het is alleen haar eigen drama, en daardoor des te verwarrender. Er lijkt zich een onaanvaardbaar en zelfs beschamend hiaat te hebben gevormd tussen haar begrip en haar hart. Ze kende de jongen natuurlijk niet die door Dwight is doodgereden, en hoe ze ook haar best doet, ze kan zich geen beeld van hem vormen. Het is de leegte in haarzelf die haar volgt van de collegezaal naar haar kantoor, en van haar kantoor naar haar auto. Die haar vergezelt op weg naar huis. Die ervoor zorgt dat het eten voor haar dochter te gaar is. Die samen met haar onder de douche gaat, en samen met haar naar *The Wire* kijkt. Die het grootste deel van de nacht met haar opblijft, omdat die ook niet kan slapen. De leegte zit ongeveer daar, zo meent ze, waar haar oordeel over hem omslaat in morele verontwaardiging. Maar in plaats van een oordeel is er een vreemde, dringende opwelling van medeleven voor hem, een medeleven dat veel weg heeft van liefde.

# SAM

Als hij laat in de middag thuiskomt, loopt hij met twee treden tegelijk de trap op, recht naar zijn kamer.

Zijn vader is nog niet terug.

Hij blijft midden in de kamer staan. Het daglicht, enigszins gefilterd maar nog niet afnemend, valt door de twee voorramen naar binnen op zijn nostalgische uitstalling van trofeeën en sportartikelen, en toont hun ware aard: overblijfselen van een mislukt project waarvan hij zich nu pas realiseert dat hij er ooit voor gemotiveerd is geweest.

Hij gaat achter zijn bureau zitten omdat het er staat. Na een poosje trekt hij de la open, waarin twee balpennen en een stomp potlood liggen die ooit toebehoorden aan een jongetje dat hij kende. Hij legt ze op een rij, alsof hij de oplossing zoekt voor een zelfontworpen puzzel. Er liggen ook losse paperclips, die hij in hoopjes schuift, kaartjes voor een oude wedstrijd van de Sox, en een zwart-wit gespikkeld cahier dat de jongen, toen hij dertien was en op de rand van een diepe dreigende duisternis stond, een paar weken lang gebruikte als dagboek.

Het cahier, dat nooit vol geschreven is, boezemt hem nu weerzin in, net als het handschrift op het omslag, de slordige hanenpoot van een ongeschoold kind.

Vlak voordat de zon achter de bomen verdwijnt, opent hij zijn laptop en ontdekt haar e-mail:

Sam,
Ik ben de hele zomer hier.
Neem contact op als je wilt.
Ik hoop dat je het doet.
Emma

Hij staart een hele tijd naar haar bericht, terwijl het in zijn kamer – overal behalve op het scherm met de vijf regels tekst – langzaam maar zeker donker wordt.

Uiteindelijk tikt hij het volgende bericht:

Heb je plannen vanavond?

En met een diepe zucht drukt hij op 'Verzenden'.

# RUTH

Het water begint te zingen, die laatste seconden voor het koken. Ze is op tijd bij het fornuis voordat het gekrijs van de ketel de stilte in huis verscheurt. Ze schenkt op en stoomwolken kolken omhoog...

'Mam?'

Met de kalmerende geur van citroenverbena nog in haar neus draait ze zich om en ziet hem in de deuropening staan. Hij staat met een van zijn voeten in de keuken, de andere heeft hij dwars neergezet, als bij iemand die wil touwtrekken, zich afzet en al op weg is naar de voordeur, naar een verkeerd geïnterpreteerd idee van vrijheid. Hij heeft zijn nette kleren voor de bespreking met Jack Cutter verwisseld voor een gescheurde, vale spijkerbroek, een grijze hoody en stevige werkschoenen.

'Mag ik de auto?'

Ze werpt een blik op de wandklok – bijna negen uur. 'Waar wou je nu nog heen?'

'Naar een vriendin.'

'Iemand die ik ken?'

De lichte beweging van zijn hoofd betekent ja – of misschien ook niet, dat is moeilijk te zeggen. Ze is een oude rot en wacht zijn reactie af.

'Gewoon een meisje,' zegt hij tegen de vloer.

Ze bekijkt hem aandachtig, zijn jukbeenderen zijn rood, alsof hij koorts heeft. 'Alles goed met je?'

'Ja, hoor.'

Ze laat zijn antwoord in de lucht hangen en houdt het tegen het licht, zodat ze allebei de gaten zien die erin zitten. 'Waar hebben jullie afgesproken?'

'Bij Fanelli's.'

'Sam, vind je het echt verstandig om in deze omstandigheden naar een café te gaan? Lijkt dat je echt slim?'

Hij haalt zijn schouders op, alsof hij geen flauw idee heeft.

Ze begint een hekel te krijgen aan haar eigen stem, aan haar eigen idee van wat een vraag is of de zin ervan. Ze pakt een lepel uit het afdruiprek, schept het theezakje uit de beker en laat het in de gootsteen vallen. Ze gebruikt geen zoetjes meer, maar ze heeft nu wel zin in iets zoets.

'De sleutels liggen op het dashboard. Twaalf uur thuis.'

Hij loopt de keuken in, lijkt haar te willen omhelzen om zijn erkentelijkheid of misschien zijn medelijden te tonen, maar ze wil nu niet worden aangeraakt, zelfs niet door hem. En dat is het verdrietigste van alles.

'Ga maar,' mompelt ze, en ze gebaart dat hij moet gaan, net als toen hij nog klein was, een wegwuivende beweging die betekent: *Toe maar, schatje, ik moet nog muffins bakken*; alleen klinkt er nu iets smekends in haar stem, onmiskenbaar voor hen beiden.

Nou ja, ze is nog steeds zijn moeder, toch? En dat blijft ze zolang ze leven. Hij gaat.

Ze drinkt haar thee, zet water op voor nog een kop. Ze laat de televisie aanstaan, het kleine keukentoestel met de konijnenoren en de wazige ontvangst, dat staat afgesteld op *Law & Order*, met het geluid zacht en – althans op tv – een gegarandeerde oplossing voor alle problemen.

Eerder die avond was ze naar zijn kamer gegaan en had door de deur gevraagd of hij iets wilde eten, en toen hij met zachte, vermoeide stem nee zei, had ze met hem te doen en geloofde ze dat hij net zo was als zij: in zak en as door wat er die middag was gebeurd. Maar nu beseft ze dat ze zich heeft vergist – hij is helemaal niet zoals zij. Ze zit al sinds het einde van de middag in de keuken, waar ze als verdoofd naar praatprogramma's, nieuwsbulletins en herhalingen kijkt, de ene beker kruidenthee na de andere drinkt, en telkens als een vrouwelijke Buster Keaton naar de ketel probeert te grijpen voordat die oorverdovend begint te gillen, uiteindelijk een eenpersoonsblikje linzensoep eet, terwijl hij zich al die tijd op zijn kamer zit voor te bereiden op een avond in de kroeg. Ze heeft hier in gedachten de hele vertoning met Jack Cutter zitten herhalen, zijn argeloze, harde, maar ongetwijfeld accurate voorstelling van de juridische feiten die haar zoon te wachten staan – ze twijfelt niet aan Cutters intelligentie, wel aan zijn hart –, terwijl de zoon zelf die feiten al achter zich heeft gelaten en op internet of via sms contact heeft gezocht met een meisje, en in gedachten zijn moeder al verlaten had.

Misschien is het belangrijkste en enige doel om niet alleen achter te blijven met je gevoelens, om de werkelijkheid voortdurend opnieuw te laten beginnen in de hoop dat de volgende episode een betere oplossing en een helderder betekenis schenkt; dat hoewel het programma op hetzelfde net wordt uitgezonden, alle personages anders zullen terugkomen: beter, wijzer, jonger, klaar om opnieuw te beginnen, om terug te spoelen naar het begin...

Ze gaat op haar knieën zitten, echt waar, op de keukenvloer.

# EMMA

Ze blijft staan in de deuropening van haar moeders atelier en probeert opnieuw de veranderingen te verklaren. Vanaf haar kinderjaren heeft ze een beeld voor ogen van diverse antieke landkaarten, een ingewikkeld oerwoud van spinachtige hang-planten en soepele palmbomen in potten, en een reusachtige, weelderige leesstoel met een losse hoes van groen fluweel die her en der versleten is als een favoriete spijkerbroek. Maar nu heerst er een kale industriële efficiency, geforceerde geometrie en gerichte halogeenverlichting. Alom is de afwezigheid van een ziel voelbaar. Alleen de originele tekentafel staat er nog, alsof ze wil zeggen: *Dit laat ik me niet afpakken.* Verder is al het zachte hout vervangen door hard, nieuw metaal. Dit vertrek, dat jarenlang het laatste toevluchtsoord was voor de dromen en privémomenten van haar moeder, om zich terug te trekken met de inhoud van haar hoofd of de met de hand getekende platen van een negentiende-eeuwse studie over struiken, heeft tegenwoordig meer weg van het atelier van een diamantslijper, een tempel van doelgerichte precisie.

Op een tweede tafel staat een iMac-computer met een 24 inch beeldscherm en een kleurenlaserprinter. De enige stoel is een modern Zwitsers geval dat er ongeveer net zo gerieflijk uit-ziet als een parkbank. En de weinige planten die resteren zijn scherp getekende en quasi-gebeeldhouwde cactussen: prachtig, zolang je ze niet aanraakt.

Grace Learner is hard aan het werk. Ze zit gebogen over een

tekening en merkt niets van de aanwezigheid van haar dochter. Een halogeenschijnsel als een laserstraal schijnt vanaf haar blonde hoofd in de duistere hoek van de kamer.

Emma doet nog een stap. Er kraakt een vloerplank, en haar moeder kijkt geschrokken op.

'O, ben jij het!'

'Sorry. Ik kom even gedag zeggen.'

'Ga je weg?'

Haar blik focust onmiddellijk op de strakke spijkerbroek en het sexy stretchtruitje, en verspringt dan naar de digitale klok op de computertafel.

'Het is anders al behoorlijk laat.'

'Dit was de enige keer dat Paula kon.' De leugen glipt zo gemakkelijk uit Emma's mond dat er geen spoor van achterblijft op haar tong.

'O. Hoe is het met Paula? Heeft ze nog steeds dat afschuwelijke vriendje?'

'Dat is alweer een paar jaar geleden.'

'Waar heb je met haar afgesproken?'

'Is dat je nieuwe project, waar je nu mee bezig bent?'

Een duidelijke afleidingsmanoeuvre, maar zoals te voorzien was valt haar moeder onmiddellijk voor deze zeldzame blijk van belangstelling voor haar werk.

'Ja, voor Sue Foley. Ze heeft beloofd dat ik haar hele twee hectaren opnieuw mag ontwerpen als ik met iets kom waarmee ze haar man kan overtuigen.' Haar moeder zwijgt even en verlegt het vel overtrekpapier waarop ze zat te tekenen. 'Die klus zou erg veel voor me betekenen.' Ze perst er een flauw lachje uit. 'Nou ja, het zou fantastisch zijn.'

'Ik hoop dat je de opdracht krijgt.' Emma meent wat ze zegt – maar tegelijkertijd begint ze zich fysiek terug te trekken.

'Em?'

Ze is al bijna de kamer uit en voelt dat ze wordt teruggeroepen. En vanachter de schuine tekentafel zendt haar moeder, met een ogenschijnlijk beheerste uitdrukking op haar gezicht, in morse een vertrouwd sos-signaal uit: *Ga. Nog. Niet. Weg.*

'Doe je voorzichtig? Het is het laatste weekend van de vakantie. Je weet hoe losgeslagen sommige mensen dan kunnen zijn.'

'Natuurlijk.'

'Dank je.'

'Tot je dienst.'

Nietszeggende beleefdheidsfrases die worden uitgewisseld en eindeloos kunnen worden herhaald, hoe afgezaagd ze in de loop van de tijd ook zijn geworden.

En dan zucht haar moeder diep en zegt zonder enige aanleiding: 'Ik liep vanmiddag in de supermarkt Wanda Shoemaker tegen het lijf.'

Emma wil niet onbeschoft overkomen, maar ze staat met haar voet tegen de vloer te tikken. Ze is al aan de late kant. Misschien is Sam alweer weg voordat ze aankomt. Misschien ziet ze hem helemaal niet.

'Wie is Wanda Shoemaker?'

'De vrouw die samenwoont met Norris Wheldon. Ze gaan waarschijnlijk ook trouwen, hoorde ik.'

'De stiefvader van Sam Arno?' Plotseling luistert Emma met beide oren.

'Wanda vertelde me iets wat me helemaal versteld deed staan.'

'Wat vertelde ze je dan?'

'Het schijnt dat Sam Arno een paar weken geleden, vlak voor zijn afstuderen, heeft gevochten met een andere student van UConn in een café buiten de campus.'

'Ja, en?' Emma's toon klinkt plotseling – per ongeluk of met opzet, dat weet ze zelf ook niet – bijna hooghartig. Alsof ze wil zeggen: Kerels vechten nu eenmaal in cafés. Maar als je goed oplet, zie je dat ze niet meer met haar voet op de grond tikt. Ze doet een stap verder de kamer in en wacht gespannen af.

'En...' herhaalt haar moeder, plotseling geïrriteerd, alsof het nu haar verantwoordelijkheid is om een dramatisch punt te maken. 'En de jongen die hij in elkaar heeft geslagen, ligt nog steeds op de intensive care in Hartford. En uit wat Wanda vertelde maak ik op dat hij het misschien niet redt. Dat hij misschien doodgaat, Em! En dat betekent dat Sam Arno naar de gevangenis gaat, net als die kutvader van hem.'

Er valt een stilte in de kamer; het woord 'kut' blijft hangen als een bittere nasmaak. Achter de onzichtbare aanwezigheid ervan kun je de boomtakken horen bewegen in de voortuin. Emma's gezicht wordt koud, alsof het uit een ijzeren plaat is gestanst.

Haar moeder staart haar venijnig aan. 'Heb je ook maar iets gehoord van wat ik net zei?'

Emma knikt, draait zich om en loopt de kamer uit. Ze vlucht het huis uit. Ze rijdt zo hard en roekeloos mogelijk naar Canaan, in haar veilige Zweedse wagen, die de betekenis van 'roekeloos' niet kent.

# RUTH

Ze giet een flinke dosis donkergroene zeewierbadolie in bad en ziet hoe die zich als vuur verspreidt onder het gutsende water. Er komen groen-witte zeepbellen naar de oppervlakte, alsof er onder water een onzichtbare glasblazer aan het werk is. Ze groeien snel in aantal en grootte, met een nauwelijks hoorbaar gesis, totdat het hele wateroppervlak ermee bedekt is. De lucht in de betegelde ruimte wordt vochtig, er hangt een prettige zeegeur.

Op het gesloten wc-deksel naast het bad heeft ze haar spulletjes neergelegd: de nieuwste *Vogue*, een beker verse thee, pedicurespullen en een ovaal stuk puimsteen van het soort dat haar moeder haar vijfendertig jaar geleden heeft leren gebruiken.

Ze laat de badjas van haar schouders glijden en stapt naakt en voorzichtig in bad.

Beneden klinken voetstappen op de veranda voor het huis. Even later gaat de voordeur open en dicht. Dan hoort Ruth de voetstappen – te zwaar voor die van Sam – in de vestibule.

Ze slaat het tijdschrift dat ze gretig had liggen lezen dicht en legt het weer op het toiletdeksel. Haar natte vingers hebben slakkensporen achtergelaten op het keiharde model op het omslag, en haar jurk van tienduizend dollar verpest.

Het badwater is afgekoeld. Ze wil nog niet uit bad. Ze heeft meer tijd nodig. Ze draait de kraan weer open. Het stromende warme water wordt snel heet. Ze zet de kraan verder open en voegt badolie toe. Er vormen zich nieuwe bellen, en al snel is haar lichaam er helemaal onder verdwenen.

'Sam...? Ruth...?'

Ze hoort hem beneden aarzelend roepen, en hun namen klinken op de een of andere manier als strikvragen, terwijl het gewoon namen zijn. Ze leunt achterover – het gewicht van haar hoofd rust op de afgeronde rand van de badkuip – en ze luistert terwijl hij behoedzaam de trap op komt. Met elke stap trilt het huis licht; de drank in zijn lijf is te horen in zijn zware tred. Hij komt de overloop op. Er valt plotseling een schuldige stilte in die ze herkent; hij klopt op Sams dichte kamerdeur.

'Sam...? Ben je daar...?'

Sam is er niet, en in de stilte is zijn behoefte aan gezelschap inmiddels voelbaar in het huis; ze volgt hem op zijn lange mars tegen de eenzaamheid, de gang door en in de richting van de badkamer. 'Ruth?' roept hij. 'Slaap je?' Nu niet meer, nee. Hij is net als zo'n mummie in die oude films van Peter Lorrie, met logge tred, onbedoeld komisch (als je nooit met hem getrouwd bent geweest), niet te stoppen.

'Ruth?' roept hij opnieuw – deze keer bij haar slaapkamer, amper vierenhalve meter en een gesloten deur verwijderd van de plek waar ze onaantrekkelijk ligt ondergedompeld.

Voor het geval hij gek is geworden probeert ze snel met beide handen de resterende zeepbellen tot een allesbedekkende sprei op te kloppen. Ze roept: 'Niet binnenkomen, ik lig in bad!' De waarschuwing is overbodig: ze hoort de oude springverenmatras schudden en piepen terwijl hij zich in de naastgelegen kamer op bed laat zakken – zijn volledige negentig kilo helemaal horizontaal aan de kant van het bed waar Norris ooit lag.

Arme ouwe Norris. Als hij aanwezig was geweest bij deze kleine *réunion de nostalgie*, zou hij waarschijnlijk ter plekke gedotterd moeten worden. Maar op dit tijdstip, om tien uur op een vrije avond, is hij waarschijnlijk aan het kegelen, of zit online golfschoenen te kopen, statistieken te vergelijken, of met zijn nieuwe gezin popcorn te eten uit de magnetron. Of al die dingen samen. Nou ja, alle mensen zijn nu eenmaal anders, toch? Je hebt als vrouw geen flauw idee wie er onverwacht je boudoir kan binnenlopen terwijl je een schuimbad neemt.

Ze draait de kraan weer open. Het hete water stroomt in het bad en verwarmt haar tenen.

'Waar is Sam?'

Een verrassing: toen Dwight eenmaal op bed lag ademde hij zo luid dat het leek alsof hij in slaap was gevallen.

Ze draait de kraan dicht en zegt op zakelijke toon waar hun zoon is, voor zover ze weet. Er volgt geen onmiddellijke reactie. Ze ziet hem niet, maar ze zijn zo dicht bij elkaar dat ze met zachte stem kunnen communiceren; ze hoeven niet te schreeuwen. Terwijl ze wacht tot hij haar uitdaagt, een gesprek begint, beweegt hij alleen maar op de matras, zodat de veren piepen, alsof hij niet meer is dan zijn eigen gewicht. Zijn gebrek aan strijdlust is zo tegengesteld aan zijn gebruikelijke vechtersmentaliteit dat ze medelijden met hem begint te krijgen.

Ze blijft in bad liggen en luistert naar de stilte, haar vingers maken rimpels in het wateroppervlak. Voor zover ze kan nagaan beweegt hij niet meer, en ze denkt dat hij in slaap is gevallen.

'Ik haatte mijn ouweheer,' zegt hij plotseling, alsof hij wakker is geschrokken en het laatste stukje van een boze droom vertelt. 'Jezus, wat had ik de pest aan hem. Maar ik heb hem nooit geslagen.'

Ze ligt daar en moet denken aan de rauwe knokkels van Sams rechterhand, die ze had gezien in de auto – en beseft wat er langs de weg tussen hen gebeurd moet zijn. Een verlammend gevoel van diepe droefheid overvalt haar, als een zandloper die bijna doorgelopen is.

Ze zegt: 'Dat zou je wel gedaan hebben als hij langer had geleefd.'

'Misschien,' gromt Dwight.

'Sam haat jou niet. Hij heeft het wel geprobeerd, maar hij kon het niet.'

'Hij zou er alle reden voor hebben.'

'Ja, dat klopt.'

Zijn stilzwijgen betekent instemming. Ze kent hem nog steeds. Als ze langer blijft leven, over dertig jaar misschien, zal ze beginnen te vergeten wie hij is. Er zijn overal mensen die hertrouwen en verdergaan, ouder en ouder worden, steeds verder verwijderd van waar ze begonnen zijn, en die eerst geleidelijk en daarna onherroepelijk en definitief beginnen te vergeten, tot ze alles vergeten zijn. Maar in haar geval is dat onwaarschijnlijk. Het gaat niet om liefde. Het gaat om fysica. Dwight en zij zijn als twee snel rijdende auto's die frontaal op elkaar botsten nog voordat ze iets van de wereld hadden begrepen. Wat er van hen over is, hun verbrijzelde harten, wat niet aan diggelen langs de weg en in de velden ligt, is door de kracht van de impact samengesmolten tot één geheel, dat in de kern niets meer gemeen heeft met hoe het was. Wat er nu tussen hen is, is niet bruikbaar, mooi of goed. Het is er gewoon. Het bestaat. Ze heeft zich nooit zo van hem afgekeerd als ze zich had voorgesteld.

'Sorry,' zegt hij.

Ze denkt na en reageert niet.

'Sorry voor hoe ik het vandaag heb aangepakt. Ik heb mijn verdiende loon gekregen. Erger nog. Soms...'

Hij maakt zijn zin niet af. Misschien weet hij niets meer.

'Geeft niet,' zegt ze op niet onaardige toon.

'Ik doe mijn best.'

'Dat weet ik.' Ze pakt de puimsteen van het toiletdeksel en laat die balanceren op haar opgeheven knie. Net als toen ze twaalf was en haar moeder nog leefde om haar te leren hoe het leven in elkaar zat.

'Ik deug gewoon niet, Ruth. Ik deug godverdomme niet.'

Ze zou kunnen zeggen dat hij ongelijk heeft. Maar ze kennen elkaar te goed.

Ze zwijgen, ieder in hun afzonderlijke maar aan elkaar verbonden kamer. Ze bewegen zich nauwelijks, luisteren voor het eerst sinds jaren naar elkaars intieme bewegingen.

# SAM

Er staat geen maan, maar de nacht is helder; een warme bries heeft de wolken verjaagd. Het parkeerterrein bij Fanelli's is overwoekerd door onkruid en bezaaid met de scherven van ge-broken flessen. Boven het geluid van zijn schoenen die door het zand schrapen, hoort Sam het getjirp van krekels uit het verlaten moeras en het dreunen van de bassen in de kroeg.

Hij loopt naar de Subaru van zijn moeder en speelt met de sleutelbos.

Dan ziet hij haar staan, een paar meter verderop. Ze leunt met haar armen over elkaar tegen een oude Volvo-stationwa-gon; op haar blonde haar valt het schijnsel van het licht in een telefooncel achter op de parkeerplaats.

'Ik heb een uur zitten wachten,' zegt hij, en zijn stem is een mengelmoes van boosheid en opluchting. 'Hoe lang sta jij hier al?'

Ze reageert niet. Ze slaat haar armen om zichzelf heen, hoe-wel het allesbehalve koud is.

# EMMA

Ze volgt zijn achterlichten naar het centrum van Canaan. Het is na tienen en de stad is uitgestorven. Een klein advocatenkantoor met de blinden dicht, dat kan doorgaan voor een uitvaartcentrum; Tommy's Diner, waar geen licht brandt, maakt een failliete indruk. Op de kruising met Route 7 zwaaien de verkeerslichten aan een ijzeren kabel heen en weer in de bries, als armen die zwaaien in het donker. Het publiek is naar huis. Ze zijn met z'n tweeën, in afzonderlijke auto's, en in de zwarte nacht klinkt de lokroep van roestige scharnieren.

Met zijn linkerrichtingaanwijzer geeft hij haar een teken. Ze antwoordt met de hare, en ze rijden in zuidelijke richting op Route 44 in de richting van Salisbury.

Een auto komt hun tegemoet gereden. Een ogenblik lang is zijn achterhoofd een silhouet – iets om op te richten –, gevolgd door een verblindende lichtflits en dan weer duisternis, met uitzondering van haar eigen koplampen en de twee rode lichtjes waarmee hij haar leidt.

# SAM

'Waar zijn we?' vraagt ze.

'Ergens waar ik als kind vaak kwam.'

Hij praat zacht. Zijn woorden zijn gewichtloos, maar zijn stem klinkt duidelijk in de nacht, alsof hij haar roept vanuit een schuilplaats om bij hem te komen. Het donker is een soort wildernis waarin ze zich allebei bevinden. Hij pakt haar hand, voelt hoe ze haar vingers met de zijne verstrengelt. Gedachteloos – de gedachten komen later, hij denkt alleen aan zijn woest kolkende hart.

In zijn andere hand heeft hij een kleine zaklantaarn uit het handschoenenkastje van de auto. De zwakke, beverige straal schijnt een paar meter voor hen uit op de ongemarkeerde zandpaden waarover ze hiernaartoe gereden zijn, en nu eindigen ze in een weiland. De eerste dauw geeft het dikke gras een optimistische glans. Er is een willekeurig patroon van mollengangen zichtbaar. Zijn oog valt op een soort burcht, misschien van een bosmarmot. Vóór hen de schaduwen van hoge bomen, met daartussen lage struiken. Hij is de weg kwijt, maar vermoedt dat het vlak bij Dutcher's Bridge is. De Housatonic, de rivier van zijn kinderjaren, stroomt achter die bomen.

Ze zijn wat dit betreft hetzelfde. Hij wil dit geloven: geboren op een plek die je niet zou hebben gekozen, draag je de onuitwisbare, maar levendige herinnering eraan mee op je huid terwijl je opgroeit en vertrekt, omdat je per se elders een thuis wilt stichten. De rivier blijft waar hij altijd is geweest, constant in beweging maar nooit veranderend, wachtend op de dag waarop ze onherroepelijk en smekend terug zullen komen kruipen naar zijn oevers. Want hij weet meer dan zij, en dat is altijd al zo geweest.

Hij kan zich niet herinneren wanneer hij voor het laatst zo dichtbij was dat hij het fluisterende gemurmel van de gestage stroom hoorde – zoals hij dat nu hoort. Hij loopt naast haar in het donker en houdt zijn adem in.

# EMMA

Ze komen bij de rivieroever. Hij laat haar hand los en knipt de zaklantaarn uit; tien seconden lang, die tien keer zo lang lijken te duren, is ze totaal verblind. Ze voelt lichte paniek opkomen, totdat er zich in haar hoofd een bekend beeld begint te vormen. Dik, enkelhoog gras en vochtige leem onder haar voeten. Het teerachtige water stroomt langs met mica geglinster en aards gefluister. De lange schaduwen van de vlierstruiken waaraan bosjes blauwzwarte bessen glanzen in het donker.

In de verte klinkt het droeve *oehoe* van een uil. En ze herinnert zich dat haar moeder haar ooit vertelde over inheemse culturen die geloofden dat de vlier bescherming biedt tegen heksen en het Kwaad.

*Tuurlijk.*

Sam staart naar de rivier; hij draait zich nu naar haar om. Er valt een dunne lichtstraal op een wang; ze heeft geen idee waar die vandaan komt, maar om de een of andere reden raakt ze er diep door ontroerd.

Dan hoort ze zichzelf de eerste vraag stellen van de vele waarmee ze gekomen is.

Hij vertelt het haar. Hij vertelt alles, en als hij klaar is, begint zij over verzachtende omstandigheden, over zelfverdediging. Maar hij wil het niet hebben over excuses of een ontsnappingsroute. Waar hij behoefte aan heeft is uit deze gruwelijke poel van zelfbeschuldiging een portret destilleren van zijn eigen besmette geweten, een tekening die moet aantonen dat er, volgens zijn eigen morele bewijsvoering, aan de basis van zijn gewelddadige vergissing een goedaardig persoon staat.

En alleen als dat waar is – als de röntgenfoto klopt en de schuld is ingelost – kan de goedaardige persoon verder leven met de gewelddadige vergissing in zijn hart.

Ze buigt voorover en kust de lichtvlek op zijn wang, het onbewuste brandmerk van zijn goedheid.

# SAM

Zijn handen glijden onder haar strakke truitje dat aan haar huid kleeft, zijn vingers spelen piano op haar ribben tot onder haar koele borsten. Hij kust haar, steekt zijn tong diep in haar mond; ze smaakt naar een kruid dat hij niet kan thuisbrengen, haar tong voelt stevig en tegelijk zijdeachtig aan. Haar haar is fris gewassen, en zo zacht als haar maar kan zijn. Haar schoonheid is overweldigender dan hij zich herinnert: een geheimzinnige mengelmoes van slanke, maar krachtige elementen, die, onder zijn vingers en in zijn mond, eindelijk weer voor hem openstaan.

Totdat ze haar hoofd terugtrekt en hem van een paar centimeter afstand aankijkt. 'Wat is er?'

Hij schudt zijn hoofd, probeert haar opnieuw te kussen.

Maar hij is er met zijn hart niet bij.

En zo is het bekend geworden. Hij heeft zichzelf verraden, na twee jaar dromen. Zijn fysieke verlangen een beschamende afgang, als de honkbalknuppel die op zijn schouder blijft liggen. Hij staat voor haar en voelt zich levend begraven onder deze gedachten – gevangen niet in gemijmer, maar in een verloren stad waarvan de opgraving, uitgevoerd onder haar eerlijke vragende blik, moeizaam en pijnlijk werk is dat hem uiterst treurig stemt.

Hij wil zich omdraaien, maar ze legt een hand tegen zijn wang.

'Adem eens diep in.'

Een ogenblik lang heeft hij geen idee waar ze het over heeft.

'Ruik je dat? Vlier.'

En plotseling ruikt hij het in de vochtige lucht, opstijgend uit de struiken achter hen: alsof het feit dat ze die geur noemt de sleutel vormt die zijn besef doet ontwaken. En deze simpele erkenning leidt tot een even simpele en nogal vage herinnering aan zijn moeder die een vlierbessentaart bakt. Hij weet niet meer in welk jaar, maar wel dat de taart klaar was, dat hij ervan at en hoe hij smaakte; hij weet niet meer of het leven toen goed was of eerder zoals nu; hij weet alleen maar dat zijn moeder met opgerolde mouwen in de keuken stond, met bloem tot aan haar ellebogen, terwijl hij aan de keukentafel zijn huiswerk deed en op de achtergrond de radio zacht aanstond.

Plotseling waait er een bries over de rivier, die het zwarte wateroppervlak doet rimpelen in een ingewikkeld patroon, als zilveren visjes die opspringen in de holografische nacht – totdat de bries, even plotseling als hij is opgestoken, gaat liggen en de rimpelingen worden verzwolgen in het gladde, oliezwarte water, waar alles beweegt en tegelijkertijd doodstil ligt.

Hij legt een hand op Emma's hand, tegen zijn wang.

De mogelijkheid bestaat nog steeds dat ze hem beter kent dan hij zichzelf kent, dat ze hem kan lezen zonder woorden. Als zij het niet kan, wie dan wel? Zij die toevallig bijeenkwamen toen alles fout liep in de wereld. Hij hoeft haar niet te bezitten of op te eisen, alleen maar haar bestaan te erkennen. Bij haar te staan op de geurige oever van de rivier, de dingen te benoemen die nog benoemd kunnen worden, haar hand aan te raken, tot de duisternis van de nacht eindelijk wegebt.

# RUTH

Ruim twintig minuten lang, terwijl ze uit bad komt, is Dwights diepe ademhaling het enige geluid dat uit de naastgelegen kamer komt. Zelfs het luidruchtige weglopen van het badwater slaagt er niet in hem te wekken uit de diepe slaap waarin hij, minuten- – of misschien wel urenlang – iemand anders kan zijn dan zichzelf. Bijna net als vroeger.

Staande in de badkamer smeert ze haar lichaam in met vochtinbrengende crème – overal behalve op haar borsten, die ze de laatste dagen om de een of andere reden niet meer wil aanraken. Ze trekt haar badjas aan en wikkelt haar haar in een handdoek. Op de jas zijn vergeet-mij-nietjes afgebeeld, lief en niet seizoensgebonden, die in een bepaald licht, en als je allerlei andere factoren over het hoofd ziet, de indruk geven dat ze elke leeftijd heeft die ze ooit heeft gehad.

Ze negeert de spiegel en loopt de ernaast gelegen kamer in.

Hij ligt op zijn zij en is naar het midden van het bed gerold. Op het kussen naast zijn kin ziet ze een leverkleurige vlek van opgedroogd bloed, en een grotere vlek donker verkleurd katoen waar hij heeft liggen kwijlen in zijn slaap. Zijn onderlip is gezwollen en ziet er pijnlijk uit.

Ze blijft naar hem staan kijken. Als ze hem zo weer op dit bed ziet liggen slapen, is het alsof ze een deel van zichzelf ziet dat nooit helemaal wakker is geworden. Er gaat een golf van emotie voor die jonge vrouw door haar heen. Een deel van haar is ook dierlijk; geen van beiden zijn ze statisch. Onder zijn oogleden en stoppelwangen, de bleke, verrassend onbehaarde huid bij zijn polsen, en krachtige, krampachtig bewegende schouders worden nog steeds pyrrusoverwinningen behaald: zelfs in rust trillen en razen zijn spieren om onzichtbare vijanden die nooit verslagen zullen worden.

Het verschil, begint ze ondanks haar instinctieve gevoelens te beseffen, is dat hij eindelijk heeft leren leven met zijn handen rond zijn eigen keel. De enige die hij nu in zijn droom kwetst is hijzelf.

Met fijngevoelige, bijna liefhebbende concentratie maakt ze zijn veters los en trekt zijn schoenen uit. Ze bedekt zijn onderlichaam met de sprei met het doornenkroonmotief die ze heeft geërfd van haar oma van moederskant. Als een babydeken die te lang krampachtig is vastgegrepen, is de sprei rafelig geworden aan de randen, en hij begint langzaam uit elkaar te vallen. Maar ze legt hem niettemin over hem heen. Dan doet ze het licht uit en laat hem slapen in de eens zo vertrouwde duisternis.

# DWIGHT

Ik word wakker in mijn huwelijksbed. Het is midden in de nacht of vroeg in de ochtend, ik ontdek een lampje op het nachtkastje en knip het aan. Er ligt een sprei over mijn benen. Iemand heeft mijn schoenen uitgedaan. Mijn mond en de onderkant van mijn kaak doen pijn. Ik draai mijn hoofd en zie een lelijke roestkleurige plek, daar waar ik in mijn slaap met mijn lip op het witte kussen heb gelegen.

Hoewel Ruth fysiek niet aanwezig is, ziet hij haar overal in deze kamer: haar geborduurde sjaal over een stoel, haar tv-toestel op een mahoniehouten ladekast geërfd van haar tante Marlene, haar ivoorkleurige beha aan de knop van de kastdeur, haar schoenen met de naar binnen afgesleten hakken, haar zilveren dienblad met twee flesjes lavendelwater.

'Eau-de-vie' heb ik het ooit genoemd, maar Ruth schudde haar hoofd en zei met een sluwe grijns: 'Volgens mij bedoel je de likeur.'

Hier hebben we Sam verwekt. Zijn wiegje stond in de hoek bij het raam, zodat hij de sterren kon zien twinkelen aan de blauwzwarte hemel als hij andere werelden wilde zien, wat vaak het geval was. Hij sliep en droomde onder een mobiel van een vliegtuig dat ik gemaakt had van een bouwpakket.

Na een poosje schuifel ik de badkamer in, waar het uren later nog steeds ruikt naar Ruths schuimbad – eerder krachtig dan bloemrijk, net als zij zelf. De geur van een zomerse ochtendwandeling langs de kaap, hoogwater en drogend zeewier op het gele zand, zand zo geel als het haar van mijn vrouw en mijn zoon, het vrije weekend van 4 juli in ons laatste volmaakte jaar, wij drieën van achteren gefotografeerd in een eindeloze, panoramische opname.

Ik zit op de rand van het bad en adem alles in. En dan, beest dat ik ben, sta ik zeker een minuut lang in het toilet te pissen. Ik loop naar de wastafel en staar in de heldere spiegel naar mijn vijftig jaar oude gezicht. De onderlip is dik en bebloed, in de mondhoek zit een blauw sterretje.

# EMMA

Als ze thuis is en alleen in bed ligt, voelt ze nog steeds de warmte van Sams hand. Dit is echt, gelooft ze. Ze is klaarwakker, met nog een paar uur voordat ze moet opstaan, en ze bestudeert die warmte onder de microscoop van haar gevoelens. Langzaam maar zeker draait ze aan de knop, verhoogt de mate van vergroting. Ze onderzoekt wat voor warmte het zou kunnen zijn, wat de bron is, hoe lang hij zou kunnen aanhouden. Wat hij zou kunnen betekenen, wat niet. Of er behalve vragen ook antwoorden in verscholen zitten. Of er wel iets seksueels in zit, ondanks zijn verlangen en het hare. Of dat het seksuele deel in werkelijkheid eerder een herinnering is dan werkelijkheid, een gedeeld soort aura die hen volgt vanuit het verleden, eerder een weerspiegeling van waar ze zijn geweest dan van waar ze heen gaan.

Het is ochtend, tijd om op te staan en te gaan werken, maar dan komt de waarheid in al haar triestheid en met alle mogelijke vooruitzichten op haar af: dat ze niet van Sam Arno houdt met al haar vurige hartstocht, maar als van een broer. En ze weet dat ze hem om die reden alles zal vergeven.

# SAM

Als hij 's morgens zijn ogen opendoet ziet hij de muur van zijn kamer, maar hij voelt die muur niet.

Hij beweegt zich niet. Hij ligt daar naar de muur te staren en voelt een vreemde, indringende warmte in zijn rug.

Voor zover hij zich kan herinneren had het huis van zijn moeder in zijn droom een andere kleur: donkergroen. Zonder aanwijsbare reden. Er stond een schommelstoel op de veranda. Hij kan zich zo'n stoel niet herinneren. Maar hij herinnert zich wel de donkerharige jongen die erop zit, langzaam schommelend en met de neuzen van zijn zwarte schoenen de plankenvloer rakend (alleen als hij naar voren beweegt), zijn elegante, vroeg ontwikkelde muzikale handen die gereserveerd, misschien hooghartig rusten op de zwarte vioolkist op zijn schoot.

Hij loopt langs de jongen. Ze groeten elkaar niet. Hij gaat zijn huis binnen, loopt de trap op naar zijn kamer.

De Red Sox-souvenirs zijn verdwenen. Nee, ze zijn niet vervangen door spullen van de Yankees – zijn droom is geen griezelfilm –, ze zijn gewoon weg. Kale witte muren. Nog zo'n zinloze ongerijmdheid. Hij weet nog steeds niet wie die magere, donkerharige jongen van een meter twintig beneden is. De jongen op de schommelstoel die er vroeger nooit stond. De jongen die – dat hoort hij nu duidelijk, het klinkt op vanaf de veranda en komt door het open raam zijn kamer binnen – in zichzelf zit te neuriën – ja, neuriën, met een zachte hoge stem, alsof hij de last van zijn leven van zich af wil zetten en tegelij-

kertijd de wereld zijn verhaal wil vertellen: een stem die is ge-
polijst in een kerk bijvoorbeeld, een geoefende koorstem, maar
wel met een ziel.

Sam krijgt de muziek niet uit zijn hoofd. Hij komt telkens
weer terug, als een banvloek, hier en hier en hier en hier, alsof
hij een eigen wil heeft. Alsof hijzelf degene was die alles kapot
had gemaakt.

# DWIGHT

Het was een heldere nacht, maar de ochtend is grijs. Wat ik ervan kan zien tenminste, want er komt nauwelijks licht langs de jaloezieën in Sams slaapkamer.

Ik heb zijn bureaustoel zo gedraaid dat ik naar het tweepersoonsbed in de hoek kan kijken, waarin hij op zijn zij ligt te slapen met zijn rug naar mij toe, een knie bijna tot aan zijn borst opgetrokken, alsof hij in zijn slaap een hindernis wil nemen. Zijn kleren liggen in een ongeordend hoopje op de grond. Ik zie dat er opgedroogde modder onder zijn schoenen en op de knieën van zijn spijkerbroek zit – hij is ergens in een weiland geweest, vermoed ik, of bij de rivier.

Ik zit naar hem te kijken, terwijl het klaaglijke, plechtige geluid van de duiven door het half openstaande raam naar binnen komt.

Op een bepaald moment draait hij zich om, knippert met zijn ogen en kijkt me aan. Hij lijkt niet verbaasd door mijn aanwezigheid, en ik heb het vage gevoel dat hij al een poosje wakker is, en zich volledig zichtbaar schuilhoudt. We staren elkaar aan, totdat ik mijn blik afwend en op de computer op zijn bureau richt, alsof die me iets belangrijks te melden heeft. Ernaast ligt een gespikkeld schoolschrift en op de grond naast het bureau ligt Sams honkbalhandschoen, een dure Mizuno, met in de palm een verse witte bal waarop een onleesbare handtekening staat gekrabbeld tussen het rode stiksel van de naden.

Aan de andere kant van de kamer staat de deur van zijn in-
loopkast open. Op de bovenste plank ligt, te midden van oude
kleren en sportspullen, een trompetkoffer van hard zwart plastic.

'Speel je nog weleens trompet?'

Hij schudt zijn hoofd. Hij komt langzaam overeind en leunt
zittend tegen de kraaldelen van de houten muur: ik zie hoe de
rimpels in zijn onderbuik verstrakken als hij zijn lichaam
strekt. Er zit een scheurtje in de linkerpijp van zijn boxershort.
Zijn gespierde bovenlijf is vrijwel onbehaard, en de blauwe
plekken die hij had toen hij bij me kwam in Californië zijn
verdwenen.

'Ik kon er niks van,' zegt hij na een poosje.

'Ik vond het altijd wel goed klinken.'

'Maar jij was waarschijnlijk niet de aangewezen persoon om
dat te beoordelen.'

'Nee,' stem ik in.

We zwijgen weer. Sam begint met zijn lange vingers aan de
bedsprei te pulken. En alleen maar om iets te doen en ondanks
alles de stemming wat te verlichten, sta ik op, loop naar het
raam en trek de witte jaloezieën op. En door het metro-achtige
geluid van de katrol moet ik plotseling en met veel pijn denken
aan de laatste dagen van mijn moeder. Die treurige, oppassende vrouw, die elke ochtend tijdens de maanden dat ze aan huis
gekluisterd was terwijl ze stierf aan maagkanker, de jaloezieën
in haar slaapkamer optrok zodat ze me naar school kon zien
gaan. Ze zwaaide altijd naar me als ik in de gele schoolbus
stapte, zelfs als mijn ouweheer riep dat ze in bed moest blijven.

Het weer klaart op. Het gras moet gemaaid worden en de duiven zijn weggevlogen. Ik kijk om en staar naar mijn zoon, die
naar zijn handen zit te staren.

'Je kunt me alles vragen wat je wilt, Sam.'

Hij blijft zitten staren, er beweegt een spiertje in zijn wang.

'Droom je van hem?'

'Ja.'

'En van zijn familie?'

'Van iedereen,' zeg ik.

'En dan? Wat doe je dan?'

'Wat ik kan doen. Ik sta op en ga naar mijn werk.'

Hij kijkt me aan. 'Haat je jezelf?'

Mijn mond is droog. Ik ga behoedzaam op de rand van zijn bed zitten.

'Soms. Op andere dagen gaat het wel wat beter.'

Hij knikt, alsof hij begrijpt wat ik bedoel, waardoor ik nog triester word dan om al het andere dat hij had kunnen zeggen.

Hij is mijn zoon. Hij is nu binnen bereik. Het duurt niet lang meer, mijmer ik, voordat ik zal proberen hem aan te raken, maar nu nog niet.

# RUTH

Ze doet bij de gootsteen de afwas van de vorige avond en staat met haar rug naar de ramen die uitzien op de voortuin. Toen ze al die jaren geleden het huis kochten, was het een geschilpunt tussen hen: hoe oneerlijk en zelfs gemeen het was dat degene die een aanzienlijk deel van haar leven zou doorbrengen met maaltijden bereiden en afwassen voor haar gezin onder het werk een redelijk fraai uitzicht zou worden onthouden. Na maanden tegenspartelen gaf Dwight toe en beloofde dat hij, zodra ze er het geld voor hadden, de keuken zou herinrichten en het aanrecht zou plaatsen zoals zij het wilde. Het geld kwam er uiteindelijk, maar ondanks al zijn beloften kwam de nieuwe keuken er niet. Ze zag hoe Dwight een fraaie werkplaats voor zichzelf bouwde in de kelder en een heleboel sportartikelen kocht voor Sam, die toen nog geen meter lang was. Ze zag hoe de Newmans naast hen een grondige interne verbouwing lieten uitvoeren, compleet met een wijnkelder en de nieuwste Duitse apparaten. Dat vond ze prima, ze was niet jaloers van aard. Maar soms voelde ze dat, hoewel ze 'buiten woonden', zoals dat heette, ze de natuur net zo miste als haar moeder. Je kreeg op een bepaald moment genoeg van bruine muurtegels met het bruine patroontje van de jaren negentig. Ze wilde op een dag opkijken – gewoon haar hoofd opheffen – en zien dat de wereld groter en uitnodigender was dan de wereld volgens haar huis.

Nadat ze de laatste pan heeft afgewassen, zet ze hem op het afdruiprek en draait de kraan dicht.

Dan hoort ze het, achter zich en buiten: wat ze hier thuis heel lang niet meer heeft gehoord. Het duurt een paar tellen voordat ze het doorheeft.

Norris had er geen aanleg voor. Hij stelde het niet op prijs als er dingen naar hem toe werden gegooid. De enige bal waar hij ooit iets mee had was piepklein en bewoog alleen als hijzelf besloot ertegen te slaan.

Ze draait zich om en kijkt door het raam naar buiten.

Ze ziet de keiharde witte honkbal die zich in het ochtendlicht met hoge snelheid in de richting van haar zoon begeeft.

Ze ziet hoe haar zoon, kalm, alsof hij zich even onder zijn kin wil krabben, zijn handschoen opheft als in een nonchalante groet en de bal opvangt en laat verdwijnen. Hij kijkt er niet eens naar – hij is een tovenaar – en haalt zijn vertrouwde bal weer tevoorschijn; grijpt hem stevig vast, neemt een werphouding aan en gooit het leer naar waar het vandaan kwam.

Ze ziet de bal terugvliegen in de tijd.

Ze ziet zijn vader aan de andere kant van het grasveld staan en de bal vangen zonder enige moeite of spijt.

# PENNY

Terwijl ze op woensdagavond in een pan misosoep roert, valt haar blik rechts van het fornuis op een hoekje van een geel papiertje dat onder de blender uitsteekt. Ze pulkt eraan met een nagel, en er komt een Post-it tevoorschijn. Er staat in Ali's hanenpoot op gekrabbeld: *Dwight heeft gebeld.*

Op het briefje zitten een vetvlek en kinderachtige kriebels met paarse inkt. Het is duidelijk niet recent.

Er staan geen boodschappen meer op het antwoordapparaat, afgezien van een automatisch bericht van de verzekeringsmaatschappij waarin Penny erop wordt gewezen dat de vervaldatum voor de kwartaalpremie van haar autoverzekering aanstaande is, en haar wordt geadviseerd de betaling online – de gemakkelijkste en veiligste methode – af te handelen. Wat Dwight tegen haar te zeggen had is door haar dochter gewist.

Ze slaat zo hard op het apparaat dat het twee keer kantelt en het plastic dekseltje van de batterijhouder losschiet. Ze bekijkt het kleine slagveld dat ze heeft aangericht alsof het de ellende van een ander betreft. Ze denkt erover naar de kamer van haar dochter te benen, haar weg te sleuren van haar favoriete tv-programma en te eisen dat ze haar vertelt wat precies, woordelijk, het bericht was dat is ingesproken door een man die misschien op zoek was naar wat troost.

Ze pakt haar tas die op het aanrecht ligt, en roept naar Ali dat ze weggaat.

Er volgt geen reactie.

Het licht boven Dwights voordeur brandt en het schijnsel valt tot op het kleine grasveld: een voorzorgsmaatregel bij zijn afwezigheid, zo lijkt het, bedoeld om inbrekers af te schrikken. Een voorbeeld van een beroerde psychologische conditionering, mijmert Penny, maar misschien is het ook gewoon een kwestie van gezond verstand.

Terwijl Penny in haar stilstaande auto in Hacienda Street zit en zijn huis beschouwt alsof het een verborgen gedicht is, probeert ze inzicht te krijgen in haar eigen psychologische situatie van de laatste tijd. Al die valse vooronderstellingen van haar vele jaren volwassenenonderwijs: de onophoudelijke zoektocht naar patronen en symbolen die kunnen worden uitgesplitst in samenhangende theorieën, die zich op hun beurt uiterst koel laten inventariseren en analyseren in de klinische laboratoria van de menselijke geest.

Een manier vinden, zíjn manier, om dat alles weg te werpen. Om de werkelijkheid onder ogen te zien. Om simpelweg te kunnen zeggen, vanavond, alleen maar omdat ze dat vurig wil, dat het licht in de duisternis misschien niet meer is dan dat: een licht in de duisternis – dat voldoende is om mee te leven.

# SAM

Halverwege de maaltijd verontschuldigt hij zich haastig. Zijn ouders zitten aan weerszijden van hem, tegenover elkaar, en als hij opstaat en zijn halflege bord oppakt kijken twee paar ogen hem bezorgd aan: *Laat je ons hier alleen achter? Dat meen je niet...*

Eenmaal buiten loopt hij in de snel invallende duisternis over het grasveld. Het is twee dagen geleden dat hij buitenshuis is geweest.

*Je bereikt een stadium waarin je niet meer gezien wilt worden, door wie dan ook...*

Boven de bomen schijnt de avondster als een alziend oog.

Hij staat in de hoek van de tuin op een rechthoek van drie bij anderhalve meter waar niets wil groeien: een versleten groen tapijt met bruine strepen zand.

Op deze plek heeft zijn stiefvader voor duizenden dollars aan kunstmest en speciale gazonproducten uitgestrooid. Want Norris nam simpelweg geen genoegen met het feit dat er nu eenmaal plekken zijn waarvan de roerige geschiedenis verhindert dat versterkende en helende middelen en ander graszaad hun heilzame werk verrichten. Hij nam zijn vergeefse pogingen om het gras te laten groeien persoonlijk op – als het niet zo treurig was zou je erom moeten lachen – en heeft nooit begrepen dat het eigenlijk niet zijn probleem was.

Er heeft daar ooit een speelrek gestaan, in elkaar gezet door Sams biologische vader. Sam herinnert zich vaag en fragmentarisch hoe hij speelde op de scheve schommel en gammele glij-baan, in zonlicht dat misschien verzonnen is.

En op een bepaalde leeftijd als kind – hij heeft geen idee waarom – weigerde hij simpelweg er nog bij in de buurt te komen. Dat deel van zijn jeugd was ten einde.

De stellage bleef staan, als monument voor een absurde, mechanische liefde en andere, meer gecompliceerde geheimen, tot de dag dat zijn vader het ding boos uit elkaar schroefde en alle onderdelen van het speelrek naar de schroothoop bracht.

En op dat moment besloot zijn vader met een gezien zijn achtergrond uitzonderlijk optimisme te wachten totdat het grasveld zichzelf zou herstellen, er een dik, gezond grastapijt zou groeien, net als op de rest van het gazon.

Maar hij wacht nog steeds.


Op diezelfde plek staat Sam nu in het duister op het zand en miezerige gras, als in zijn broekzak zijn telefoon overgaat. In de overigens rustige avond lijkt de herhaalde, trillende kakofonie diep vanuit zijn binnenste te komen: zijn hart rammelt in zijn ribbenkast en zijn knieën bibberen.

'Zit je op een stoel, jongen?'

'Nee, meneer Cutter.'

'Nou, ik wel, jongen. Ik zit, en ik ben een ouwe rot in het spel dat leven heet. Dus mijn advies aan jou op dit moment is om op zoek te gaan naar een goede, degelijke stoel om op te zitten en verdomd goed te luisteren naar wat ik je te vertellen heb.'

# EMMA

Op donderdagavond neemt ze afscheid van haar moeder – die denkt dat ze een afspraak heeft met een beroemde professor over een mogelijke onderzoeksopdracht in het najaar –, stapt in haar auto en rijdt Pine Creek Road uit. Maar in plaats van de korte weg naar New Haven te nemen rijdt ze naar de buitenwijken van Wyndham Falls, waar ze parkeert op de openbare parkeerplaats achter het postkantoor. Vandaar loopt ze honderd meter in oostelijke richting naar Route 44 en blijft staan bij het bordje van 50 kilometer, waarop iemand met een watervaste vilstift WAAROM IK NIET? heeft gekalkt.

Een alleszins redelijke vraag, vindt ze, terwijl ze bij het bordje wacht op haar lift – als je net als de straathoer uit die oude mop voor de hemelpoort staat en je nog één keer mag vragen wat je altijd had willen hebben. Existentieel gezien niet gek, en toepasbaar op allerlei situaties.

Een paar minuten later stopt er een witte huurauto bij haar. Sam zit achter het stuur, en ze neemt naast hem plaats.

'Nic Bellic is gisteravond van de intensive care gehaald.'

Ze draait zich naar hem toe en kijkt hem aan. Van opzij gezien is hij net zo knap als van voren. Door het flikkerende licht lijkt het alsof hij zich in een grot bevindt. Dit is dus de verklaring waarop ze heeft zitten wachten nadat hij haar midden in de nacht wakker heeft gebeld en op nonchalante toon – die ze onmiddellijk doorzag – vroeg of ze haar eventuele plannen kon wijzigen en of hij 's morgens met haar naar Hartford zou kunnen rijden. En door die toon van hem stemde ze in. Voor haar afspraak met hem had ze die ochtend in alle vroegte allerlei dingen moeten regelen, omdat in dit land niets meer eenvoudig te regelen is. Hier voorbereidingen treffen, daar een leugentje om bestwil.

'Betekent dat dat hij beter wordt?'

'Het zal een tijdje duren voordat hij weer helemaal de oude is. Maar volgens mijn advocaat "is er geringe kans op blijvend letsel".'

'Sam, dat is verbazingwekkend.'

Hij kijkt echter allesbehalve verbaasd, of opgelucht; zijn kaakspieren zijn gespannen en zijn blik is strak terwijl ze naar Hartford rijden, en om hen heen, langs deze tweebaanslandweg, verliest het idyllische landschap langzaam maar zeker de laatste idyllische kenmerken.

Ze rijden langs een meubelgroothandel met een bord OP-HEFFINGSUITVERKOOP op de gevel, een Dairy Queen-eettent en een Italiaanse T-shirtshop. En twee pompstations. De dierenwinkel waar haar vader haar ooit mee naartoe genomen heeft om vissen te kopen. Ze herinnert zich hoe de puistige winkelbediende met zijn verwijfde schepnetje door het aquarium zwierde en haar eerste guppy's tevoorschijn haalde. Hij blies een doorzichtig plastic zakje op voordat hij het dichtknoopte. En onderweg naar huis maakte ze zich voortdurend zorgen om de visjes in dat zakje met die vreemde adem, die niet van hen kwam.

Sam mindert vaart; verderop staat het verkeer stil.

'Mijn advocaat zei dat ik niet meer naar het ziekenhuis moest gaan.'

'Waarom niet?'

'Omdat – in zijn woorden – het op dit moment van het

grootste belang is dat ik, gezien het feit dat ik nog een potentiële verdachte ben in een potentieel misdrijf, afstand bewaar van de potentiële eiser. Dat zelfs de schijn van een mogelijke persoonlijke betrokkenheid met de genoemde eiser koste wat het kost vermeden dient te worden, aangezien dat een spoortje van motivatie ten gevolge zou kunnen hebben dat later door een jury geïnterpreteerd zou kunnen worden als een negatieve vooringenomenheid.'

'Dat is een van de weerzinwekkendste dingen die ik ooit heb gehoord.'

Hij schudt zwijgend zijn hoofd.

'Nou ja,' zegt hij. 'We zijn er, trouwens.'

Ze rijden verder. Haar linkerhand ligt op de armleuning, een paar centimeter van hem verwijderd. Hij rijdt alsof hij aan een uitzonderlijk lange reis is begonnen en hij nog hele continenten voor de wielen heeft. Hij rijdt alsof hij niemand kent in de wereld, zichzelf incluis. Als ze hem nu zou aanraken, denkt ze, toont ze hem haar vertrouwen, of wat ze daarvan heeft begrepen; laat ze hem iets goeds weten over hemzelf, zoiets als het nieuws dat hij net heeft ontvangen.

'Het betekent heel veel voor me dat je nu meegaat,' zegt hij na een stilte.

'Wat heb je tegen hem gezegd? Tegen die lul van een advocaat van je?'

'Ik heb hem bedankt voor het telefoontje. En toen gezegd dat hij de kanker kon krijgen.'

Ze lacht hardop – ze is plotseling vervuld van vreugde, alsof ze danst.

Hij glimlacht naar haar. Als een gouden munt die verborgen lag onder het zand en waar je al zo lang niet meer naar zoekt dat je niet meer weet waar of wanneer je de moed hebt opgegeven.

De glimlach die ze sinds hun kindertijd niet meer heeft gezien.

# SAM

Hij klopt zacht op de open deur en kijkt behoedzaam naar binnen: een tweepersoonskamer, doormidden gedeeld met een gordijn dat bijna helemaal is dichtgeschoven. Vooraan ligt een kleine man met een paar plukken wit haar in een hoek van vijfenveertig graden tv te kijken. Het geluid staat uit en het toestel is afgesteld op een nieuwslezer die onhoorbaar praat boven een stroom koersberichten.

De oude man draait met korte rukjes zijn hoofd om: bruingrijze oogjes in een uitgedroogd gezicht, witte stoppels op ingevallen vangen, een pluk grijs borsthaar die boven de ziekenhuispyjama uitsteekt. Er hangt een geur van vergeten ellende in de kamer: rottende aardappelen in een vochtige kelder.

Met een kromme vinger wijst hij naar het gordijn.

Hij mompelt een bedankje, loopt naar het voeteneinde van het bed en glipt achter het gordijn. Nog een stap, en hij blijft staan.

Op een stoel naast het bed zit een vrouw van rond de vijftig met een scherpe neus en Slavische jukbeenderen te waken bij haar slapende zoon, op wiens uitgemergelde gezicht tekens van leven opbloeien als groene scheuten uit de as: volle, roze lippen, oogleden die niet meer lijken op grijze boetseerklei. Hij ligt nog steeds aan een infuus, maar de zuurstof en kunstmatige voeding zijn verdwenen.

En Sam staat er verbijsterd bij: de onvoorstelbare paradox

dat een patiënt – nee, een slachtoffer – die op wonderbaarlijke wijze weer begint te leven meer weg heeft van een geest dan de patiënt die dood lag te gaan.

Ondertussen werpt de vrouw hem een dreigende blik toe, waartegen hij geen verweer heeft, zo overduidelijk zijn haar gezag en heerschappij. Haar eenvoudige bruine jurk – te warm voor de tijd van het jaar – en stevige stappers doen hem denken aan de Portugese vrouw in Winsted bij wie zijn moeder zeeforel kocht tegen kostprijs. Ze heeft een donkerrode sjaal onhandig over haar grijze haar geslagen. Op haar schoot heeft ze een kanariegele blouse en een klosje met geel garen.

Hij likt langs zijn droge lippen en stelt zich op zachte toon voor: 'Mevrouw Bellic, ik ben Sam Arno.'

Na deze paar woorden is hij uitgeput. Ze reageert niet en blijft zwijgen, onbeweeglijk als een fries in een verwoeste kerk.

'Mevrouw Bellic, het spijt me heel erg.'

Plotseling staat ze op; blouse en garen vallen op de grond.

...

'Ma.'

Ze draaien zich allebei om: haar zoon in het ziekenhuisbed is wakker geworden.

Het gezicht van de moeder verandert op slag van uitdrukking; je kunt je bijna voorstellen dat ze gaat lachen.

'Ma, wil je even iets te drinken voor me halen? Cola graag. Geen light maar echte. Moet je geld hebben?'

Ze schudt haar hoofd.

'Ga maar, ma.'

Ze neemt haar linnen naaitas mee. Ze loopt langs Sam zonder hem een blik waardig te keuren, verdwijnt achter het gordijn en laat de geur achter van een ander land, van cederhout en stof.

Sam buigt voorover en raapt het klosje garen en de gele blouse op. Hij staat er onhandig bij, weet niet wat hij met die dingen moet doen. Het enige wat hij weet is dat hij ze niet op de grond kan laten liggen.

'Stoel,' snauwt Bellic.

Sam legt de spullen neer en vouwt de blouse zo goed mogelijk op, hoewel een van de mouwen meteen weer losschiet.

Hij keert zich met lege handen naar het bed. 'Sorry, Nic.'

'Noem me godverdomme geen Nic. Je kent me godverdomme niet eens.'

'Dat klopt.'

'De verpleegster zei dat er een paar dagen geleden een of andere geheimzinnige figuur is komen rondneuzen op de intensive care. Dacht je soms dat ik niet wist wie dat was?'

Hij staat met zijn mond vol tanden.

'En hoe lag ik er godverdomme bij? Je hebt het zelf gezien.'

'Alsof je dood was.'

Hij spreekt gewoon de waarheid, maar door die waarheid lijkt Bellic in te storten: zijn hoofd zakt weer in de kussens. Hij kijkt hem aan alsof hij wil dat zijn moeder terugkomt.

'Sodemieter alsjeblieft op,' smeekt hij zacht, waarna hij zijn hoofd afwendt totdat Sam vertrokken is.

# DWIGHT

Terwijl ik boven in de douche de zeep van me afspoel, hoor ik dat mijn telefoon gaat. Ik stap druipend uit de cabine en neem op.

'Waar blijf je, verdomme?' valt de stem met de deur in huis.

'Hé... Tony.'

'Ik heb je gisteren thuis gebeld om te vragen of je zin had om te golfen. Jorge was er ook. Het had een leuk potje kunnen worden.'

'Ik ben in Connecticut.'

'Nog steeds? Wanneer kom je terug?'

'Dat weet ik nog niet.'

'Hoe gaat het trouwens met je zoon?'

Ik sta bij het raam van de badkamer. De ruiten waren beslagen door de stoom van mijn douche, maar terwijl ik met Tony sta te praten verdwijnt de aanslag langzaam, zodat ik duidelijk zicht heb op de oprit, waar zojuist een lichtblauw Honda-busje tot stilstand is gekomen. Het portier gaat open en er stapt een kalende, statige man in gestreept colbert en kakibroek uit. Hij blijft even staan en trekt zijn gele sokken strak over zijn melkwitte kuiten.

'Jezus, daar is Norris. Godverdomme.'

'Wie?'

'De ex van mijn ex.'

'Dat ben je zelf,' legt Tony uit.

'Ik niet, die andere vent. Hij is verzekeringsagent.'

'O ja? Heeft hij gunstige tarieven?'

'Tony, ik moet ophangen.'

'Maandag ben je weer in de winkel, oké?'

'Als ik kan.'

'Maandag!'

Ik hang op. Ik ben helemaal opgedroogd, en ik voel een koude rilling over mijn lichaam gaan. Norris is in huis: ik ruik zijn slappe, insinuerende aura als een goedkope geurkaars. Ik open de badkamerdeur en hoor Ruths stem; ze vertelt hem dat Sam niet thuis is en de hele dag wegblijft, maar ze zal hem zeker vertellen over zijn bezoek.

Ik loop op mijn tenen naar de trap om hun gesprek af te luisteren.

'Ik durf te wedden dat je hem mijn bericht niet hebt doorgegeven.'

'Ik heb hem gezegd dat je hem wilde spreken,' legt Ruth kalm uit. 'Ik heb hem je nieuwe nummer gegeven.'

'Zei hij dat hij me zou bellen?'

'Nee.'

'Ik heb hem iets belangrijks te melden.'

'O ja? Wat dan?'

'Dat vertel ik hem liever persoonlijk, als je het niet erg vindt.'

Ik daal uiterst behoedzaam een paar treden af en buig zo ver voorover dat ik de situatie kan overzien door de kieren in de trapleuning.

Ik zie dat Norris maar één voet over de drempel heeft weten te krijgen. Ruth, die er knap en zelfverzekerd uitziet in haar eenvoudige donkerblauwe jurk, staat voor hem met haar armen over elkaar – haar strijdbare houding, die ik me maar al te goed herinner uit onze gouden tijd.

Norris snuift hard en emotioneel. 'Wanda en ik gaan trouwen.'

'Dat heb ik gehoord, ja,' zegt Ruth op neutrale toon. 'Gefeliciteerd, Norris. Ik ben heel blij voor je.'

'Dank je.' Hij kan de teleurstelling op zijn gezicht niet verbloemen. 'Ik zou graag willen dat Sam op de bruiloft komt.'

Ruth kijkt hem aandachtig aan.

'Het zou heel goed voelen als hij erbij is,' vervolgt Norris.

Ik krijg pijn in mijn rug van het bukken. Ik probeer een meer comfortabele positie in te nemen en doe nog een stap naar beneden. Op de volgende trede ligt een plank los, die onder mijn gewicht luid kraakt – en ik zie dat Norris zich razendsnel omdraait en zijn mond openschiet als een menselijke kauwgomballenautomaat.

Ruth staart me met wijd open ogen aan, en niet bepaald uit bewondering. 'Jezus, Dwight. Trek even wat aan, wil je?'

Ik kom overeind en daal nog een paar treden af.

'Norris,' begroet ik hem.

Hij staat als aan de grond genageld en kijkt naar Ruth, die als reactie met een hand langs haar gezicht wrijft, naar de grond staart en ons allebei zichtbaar vervloekt. Dit duurt even, totdat Norris zijn keel schraapt en zich vermant.

'Dwight... Wat een verrassing, zeg.'

'Ik ben hier voor mijn zoon,' zeg ik op ietwat verdedigende toon.

'Bedoel je Sam?'

'Precies, Norris. Mijn zoon.'

'Dat is interessant, Dwight. Ik bedoel, dat is een hele poos geleden, niet?'

'Dat weet je heel goed. En je weet ook waarom.'

'Inderdaad, Dwight, zeg dat wel,' zegt Norris vriendelijk. 'In ieder geval deels. Maar wat me enigszins verbaast – sorry dat ik me ermee bemoei – is waarom je nú op bezoek komt. Zo plotseling. Ik bedoel, er zijn tien jaar voorbijgegaan zonder dat je je gezicht hebt laten zien.'

'Hij heeft me nu nodig.'

'Hij heeft je nodig. Hmm.' Norris' mond neemt een hardere trek aan dan ik ooit bij hem heb gezien, en hij zet een stap verder het huis in. 'Goed, ik neem aan dat we daar een herenakkoord over kunnen sluiten. Maar nu we het er toch over hebben, Dwight, leg me dit eens uit: waar was je toen Sam echt een vader nodig had? Waar was je al die jaren, Dwight? Dat is de hamvraag, lijkt me, vind je niet?'

Ik kijk hem aan. De koude rilling die ik boven kreeg en die wegtrok toen ik naar hem keek en hem in gedachten belachelijk maakte, komt nu met volle kracht terug: ik ril bijna.

Maar het stelt niets voor; dat doe ik zelf.

Ondertussen lijkt Norris steeds dreigender en vastberadener in de deuropening te staan, waar hij zo-even bijna zonder plichtplegingen weggestuurd was. Voor het eerst in waarschijnlijk zijn hele persoonlijke geschiedenis lijkt hij zichzelf volledig onder controle te hebben. Zijn hele leven lang zijn domme jovialiteit en machteloos gezwatel zijn handelsmerk geweest, maar die indruk is nu zichtbaar afwezig. Het lijkt alsof de verzamelde mislukkingen van ons drieën – de talloze manieren waarop wij onafhankelijk van elkaar en gezamenlijk alles telkens verkeerd aanpakken – er eindelijk toe leiden dat hij zijn onschuld heeft verloren.

Ik hoor hem wegrijden. Ik ga ter plekke op de trap zitten. Ik word overvallen door moeilijke gedachten, en door vragen die ik niet kan beantwoorden.

# RUTH

Ze is bijna trots op Norris om zijn toespraakje – en uiteraard is ze opgelucht dat hij weg is.

Ze draait zich om en ziet Dwight op de trap zitten. Met zijn handdoekrokje, zijn grote beschaamde hoofd en primitieve blote borst lijkt hij wel de afgezette koning van een of andere atol in de Grote Oceaan. Hij heeft zijn hoofd in zijn handen gelegd en kijkt nogal sip.

Niet haar probleem, houdt ze zichzelf dapper voor, en ze besluit naar haar kamer te gaan. Ze zal zich zo rustig mogelijk houden totdat Sam terugkomt uit het ziekenhuis. Ze heeft behoefte aan bevestiging, en wel zo snel mogelijk, en ongeveer tien paar handen om te duimen onder het wachten. Ze heeft geen tijd om zich zorgen te maken over Dwight. Ze loopt naar de trap.

'Sorry.'

Ze probeert langs hem te lopen. Maar hij maakt geen aanstalten om opzij te gaan, en met zijn brede lijf blokkeert hij de doorgang. Het is duidelijk dat ze hem moet negeren en gewoon moet doen alsof er niets is gebeurd...

Maar om de een of andere reden – nummer één op de lijst van onverklaarbare zaken – blijft ze staan en kijkt hem aan.

Zijn blote schouder, die nog vochtig is van de douche, is als vanzelf van haar knie tot halverwege haar dij in aanraking gekomen met haar jurk. Ze heeft geen idee of de hitte die ze voelt op de plaats van aanraking uit zijn huid komt of uit de hare, alleen dat ze er na al die jaren tot in haar botten door geschokt is en dat het haar alle kracht ontneemt om verder te lopen. Het enige wat ze kan bedenken is blijven staan waar ze staat, tegen hem aan geleund met alles wat ze in zich heeft in een poging deze bezegeling tussen hen te verdiepen en nog meer warmte te creëren, die rode vlam die uit het niets is ontstaan, uit twee levenloze elementen die elk op zichzelf koel en ongevaarlijk zijn, maar uiterst brandbaar indien met elkaar in contact gebracht.

'Wat ben jij van plan?' vraagt ze hijgend, alsof ze beledigd is.

Voor het eerst in al die jaren dat ze hem kent heeft hij een verbaasde, jongensachtige blik in zijn ogen.

*Ik niet*, zegt zijn blik. *Jij.*

Dat weet ze zelf ook, maar ze is niet van plan zichzelf in te houden. Haar hand schiet uit en grijpt hem in zijn nek. Ze buigt zich voorover en kust hem vol op de mond.

# DWIGHT

Ze klimt van me af. Ik ruik de seks die we zojuist hebben gehad, en daaronder de zachte, geruststellende geur van het lavendelwater dat ze gebruikt en aan mij heeft overgedragen. Haar verkreukelde jurk is tot haar middel opgekropen en ze trekt nu aan de zoom om zichzelf te bedekken. Ze heeft haar blik al van me afgewend en kijkt om zich heen.

'Kijk eens op de trap,' stel ik voor, haar onderbroek bedoelend, want ik weet dat ze daarnaar op zoek is. Ik probeer mijn stem zo neutraal mogelijk te laten klinken en alleen behulpzame informatie te geven. Maar zo klinkt het blijkbaar niet. Ze fronst haar wenkbrauwen, en ik zie de spijt in haar ogen terwijl ze de slaapkamer uit glipt.

Als ze een paar minuten later terugkomt, heeft ze haar jurk gladgestreken tot over haar knieën, en ze heeft blijkbaar besloten me aan te kijken zoals een kleuterjuf of een witteboordencrimineel. Het probleem is alleen dat ik nog steeds naakt op bed lig, half onder een laken.

'Ik heb geen idee hoe dat kon gebeuren,' zegt ze met gemaakte kalmte. 'En jij ook niet.'

'Volgens mij bedoel je "waarom",' antwoord ik met een soort luchtigheid die ik niet echt voel. 'Het "hoe" lijkt me nogal voor de hand te liggen.'

'O, worden we geestig? Dat waren wij niet, Dwight. Dat waren twee andere mensen. En als je mij probeert wijs te maken dat wij dat wél waren, zal ik dat glashard ontkennen.'

'Ik was het wel, hoor,' zeg ik simpelweg.

Ruth staart me aan. 'Het was duidelijk een vergissing. Zo'n kamikazeactie van mensen in een oorlog om te laten zien dat ze nog in leven zijn.'

'Nou, reken maar dat wij nog in leven zijn. Dat geef ik je op een briefje. Maar er is geen wet die voorschrijft dat we erover moeten praten. We kunnen gewoon doorgaan met deze dag; dan zien we later wel hoe het voelt. Dat zou mijn voorstel zijn.'

'Jouw levensfilosofie in een notendop.'

'Als je het prettig vindt om een schietschijf op mijn borst te schilderen, ga gerust je gang.'

Ze zwijgt. Hoofdschuddend als een ontdekkingsreiziger die, na zich jarenlang een weg te hebben gehakt door een van malaria vergeven wildernis, plotseling ontdekt dat de Nieuwe Wereld in werkelijkheid de Oude Wereld is met nieuwe kleren aan (of zonder kleren aan).

Ze loopt naar me toe. Ik kijk haar aan. Ze komt naast me op bed liggen, met haar kleren aan, boven op het laken, en na een poosje grijpt ze mijn hand, die tussen ons in ligt, en pakt die met beide handen vast.

'Ik zal niet zeggen dat ik je heb gemist, want strikt genomen is dat niet waar. Maar dit voelt wel goed. Voor vandaag.'

Ze legt haar hoofd op mijn borst, en ik voel haar last in me vloeien, zodat het mijn last wordt; totdat ik me uiteindelijk voel zweven.


Als ik wakker word, is ze weg. Het bed is leeg, zelfs terwijl ik er nog in lig, en ook de kamer. Ik roep haar naam, maar er komt geen reactie. Ik loop naakt naar de studeerkamer en trek mijn kleren aan. Omdat ik iets te doen wil hebben, loop ik de keldertrap af.

In een vorig leven heb ik daar een hobbyruimte gebouwd die is uitgerust met een elektrische afkortzaag met een hardmetalen blad van 25 centimeter, een professionele schuurmachine en een dubbel wandrek vol hoogwaardig Craftsman-gereedschap om van te watertanden. Ik heb die werkplaats in de loop van een paar maanden in de weekends opgebouwd. Het was een dure, tijdverslindende hobby, maar wel mijn levensdoel. Toen het klaar was ben ik er hoogstens tien keer bezig geweest, en alleen met kleine, onbetekenende dingen, kleine klusjes, niet een van de grote ambachtelijke projecten die ik van plan was – geen handgemaakte tafels, rodelsleeën of indiaanse kano's van berkenbast, niets wat de tand des tijds zou weerstaan of in het geheugen zou blijven hangen. Waarna mijn verblijf in dit huis tot een vroegtijdig, maar verdiend einde kwam.

En omdat mijn hele bestaan hard aan een grondige reparatie toe was, leek het geen zin te hebben mijn gereedschap mee te nemen om ergens anders van die kleine klusjes op te knappen. Wat stelt een scheur in een mouw voor als de hele jas vervangen moet worden? Waarom een nieuw leertje in de kraan als het water tot aan je knieën staat? Wie maakt zich druk om een hobbyruimte als het huis tot de grond toe is afgebrand? En als je je eenmaal hebt teruggetrokken in je schuilhol begin je te denken – altijd een vergissing – dat al dat prachtige Amerikaanse gereedschap misschien nooit heeft bestaan, laat staan die schitterende bouwtekeningen voor de vervaardiging waarvan je het had willen gebruiken; dat er nooit een tafel, een rodelslee of een indiaanse kano van berkenbast zou komen, dat het allemaal een excuus was dat de vorm aannam van een droom, een nietszeggende reden om de weekends niet door te hoeven brengen met je vrouw en je zoon, een ontsnappingsluik in de grond, een trap naar de kelder in je hoofd.

Ik hoor voetstappen en draai me om. Ruth staat halverwege de keldertrap. Achter haar is de deur naar de rest van het huis open. Het daglicht valt vanuit een onzichtbare bron over haar schouders, zodat ze scherp wordt afgetekend in het felle schijnsel. Ik heb een schuurblok in mijn hand en leg dat op de werkbank.

'Sorry voor de herrie.'

'Ik heb niets gehoord. Ik heb een lange wandeling gemaakt.'

'Waarheen?'

'Nergens speciaal heen.' Ze slaat haar handen in elkaar en kijkt me schuin aan. 'Wat doe je?'

In plaats van antwoord te geven doe ik een stap opzij zodat ze het vogelhuisje kan zien dat ik bijna af heb. Het soort simpele klusje dat je op elke school bij handenarbeid leert. Ruim zeventien jaar geleden hebben Sam en ik er ook een gemaakt – dat wil zeggen, ik maakte het en Sam gaf me urenlang gereedschap aan; hij keek en praatte, ging zich vervelen, liep weg, kwam terug en ging weer naast me staan, op deze plek, terwijl ik zaagde en timmerde en schuurde en beitste. Toen we klaar waren, wikkelden we het vogelhuisje in bruin pakpapier, deden er een touwtje om en gaven het met Moederdag aan Ruth.

'Och,' zegt Ruth. 'Kijk nou.'

Ik vond wat hout in de ketelruimte, waar ik het jaren geleden had achtergelaten. Ik ben bijna klaar met schuren.

Ik ben hier vanavond nog wel, denk ik. Dan beits ik het vogelhuisje en timmer het in de achtertuin tegen een boom, naast het oudere huisje dat vergaan is door het weer.

# SAM

Het is laat in de middag als hij parkeert naast de auto van zijn moeder. Tot zijn ontsteltenis zitten zijn ouders op de veranda met een glas in de hand. Ze zitten niet pal naast elkaar – ongeveer een halve meter scheidt hen –, maar ze drinken hetzelfde drankje, door dezelfde persoon bereid – rum-tonic schat hij, te oordelen aan de goudbruine vloeistof in de glazen en de zichtbare partjes limoen – en uit hun houding spreekt een onheilspellende kalmte, ontspanning zelfs, waardoor de paradoxale indruk ontstaat van een zekere ongemakkelijke eensgezindheid, een nieuwe onduidelijke geschiedenis die in zijn afwezigheid is geschreven, en hij blijft zeker een minuut lang in de schijnbare veiligheid van de auto zitten, kijkt naar hen door de voorruit en weet niet zeker of hij, na alles wat er vandaag is gebeurd, het einde van de dag onder ogen kan zien.

Zijn vader zet zijn glas op de veranda. Ze kijken ook naar hem en wachten tot hij uitstapt.

Hij sluit het portier en als een aangestoken lucifer vliegt er een rode kardinaalsvogel op van het grasveld. Een konijn zit hem als bevroren aan te staren – het kan niet voor- of achteruit. En hij begrijpt alles. Hij voelt het overduidelijk, kan zijn positie niet langer verdedigen; al zijn verdedigingsmechanismen zijn hem wat dat betreft uit handen geslagen. Hij is zonder huid. Hij doet nog een paar stappen. De zon gaat onder.

Zijn moeder glimlacht bezorgd. Zijn vader schudt zijn hoofd alsof hij zijn ongeloof wil uitbannen.

Omdat Sam plotseling beseft dat die voor hem is bedoeld, gaat hij zitten in de ruimte tussen zijn ouders.

Er gaat een poosje voorbij: ze zitten gedrieën naast elkaar en kijken de tuin in.

Dan voelt hij de arm van zijn vader om zijn schouders. Niet meer en niet minder. En dan breekt hij.

# DWIGHT

Hij snikt. Hij laat zich voorovervallen alsof hij zich los wil worstelen van zijn eigen lichaam. Zijn hoofd belandt in mijn schoot en ik sluit hem in mijn armen. Ik houd hem zo lange tijd vast. Hij is mijn kind; de pijn vloeit uit hem, in mijn kleren.

# Deel vier

# RUTH

De afspraak staat al wekenlang op haar kalender: vrijdag 2 juni, 11.30 uur, dr. Orenstein.

Daarna volgen er meer, regelmatig, om de drie maanden, vijf jaar lang, de rest van haar leven. Maar eerst moet je zover zien te komen. Deze aardige oude arts, die zijn vrouw heeft verloren aan datgene waartegen zij nu vecht, zal zijn handen op haar moeten leggen, op zoek naar donkere plekken in haar lichaam. Ze zal haar schort moeten openslaan en zich onderwerpen aan de machine. Röntgenstralen zullen in haar zien zoals geen menselijke ogen kunnen. *Rustig, mijn hart, rustig.* De rest is een kwestie van het lot. Of gewoon domme mazzel. Je ontbloot jezelf en zegt: *Doe uw best, zie maar wat u kunt vinden.* Als ze niets vinden, blijf je in leven en kom je terug. Maar als de sterren zich tegen je keren, als de donkere massa terugkomt, dan houden ze snel op met zoeken. En dat is dan het einde.

Leven betekent dus voortdurend haar binnenste openstellen voor klinisch onderzoek. Een andere keus heeft ze niet: *Leg uw handen op me. Keer me binnenstebuiten. Maak uw inschatting. En daarna, hoe het ook uitpakt, laat me weer vrij.*

Ze herinnert zich de dag waarop ze de afspraak maakte, ze stond aan de balie van de afdeling Borstonderzoek op de eerste verdieping van het Smilow Cancer Hospital en keek in haar agenda. Ze koos een vrijdag omdat het haar waarschijnlijk leek dat Sam, die nog geen duidelijke plannen had voor na zijn studie, dan misschien met haar mee kon gaan. Ze koos een tijdstip laat in de ochtend in de hoop dat als hij thuis was, hij misschien eerst wilde uitslapen, net als anders.

Ze roept naar boven vanuit de hal en vraagt of hij klaar is.

Hij staat meteen boven aan de trap. Ze maakt zich al zorgen om wat haar te wachten staat, maar door zijn enthousiasme – en het feit dat hij zich speciaal voor haar heeft geschoren – zou ze helemaal de moed verliezen. Het lijkt alsof er een doodskop met gekruiste knekels boven haar hoofd zweeft. In plaats daarvan lacht ze naar hem, waardoor haar humeur direct verbetert.

Op dat moment komt Dwight uit de studeerkamer. Ook hij heeft zich geschoren. Hij aarzelt in de deuropening en durft haar niet echt aan te kijken.

Uiteindelijk zegt ze op neutrale toon, om iedereen gerust te stellen: 'In 's hemelsnaam, jongens, het is maar voor controle.'

# DWIGHT

Als je alleen woont, breng je waarschijnlijk minder tijd door in wachtkamers dan de meeste mensen. Dat kan natuurlijk komen doordat je minder mensen kent, misschien wel helemaal niemand, op wie je hoeft te wachten. Je bent je eigen stoïcijnse boodschapper die alleen maar aan je eigen deur bezorgt: wat het nieuws ook is, je draagt het als een man.

Maar op een dag kom je in een onderzoekskamer waar een hoogopgeleide medisch specialist je een verhaal vertelt dat gebaseerd is op een grafiek of een tekening. Een verhaal met een aantal mogelijke uitkomsten, waarvan er misschien niet één de uitkomst is die je zelf had willen schrijven. Maar zo gaat het nu eenmaal. Je bedankt de arts en kleed je aan. Je loopt de wachtruimte weer in, deze keer vanaf de andere kant. En de ruimte zit vol met vreemden, die stuk voor stuk wachten op iemand, en die iemand ben jij niet.

Vergelijk dat eens met vandaag, met dit spinnenweb van overdrachtelijke liefde dat je in zijn greep heeft.

Iemand die je veel dierbaarder is dan jijzelf is de onderzoekskamer binnengegaan en is daar vastgebonden aan een machine. De uitslag laat op zich wachten; zo gaat dat altijd. En jij zit hier vast, je wacht te midden van tijdschriften van een maand oud, neurologisch verantwoorde kunst en hier en daar een plastic plant, totdat ze weer naar buiten komt en haar verhaal vertelt.

'Schoon,' zegt Ruth. 'Hij zei dat ik schoon ben.'

Ze staat tegenover ons in de wachtruimte en glimlacht. Langzaam blaast ze haar wangen op en laat de lucht ontsnappen.

We naderen haar auto op de parkeerplaats van het kankerziekenhuis en ze geeft mij de sleutels.

Ik neem plaats achter het stuur, Ruth gaat naast me zitten en Sam achterin.

Ik start de motor en rijd langzaam naar het hek.

Mijn voet houdt zich aanvankelijk rustig op het gaspedaal. We rijden New Haven uit, een stad waar ik altijd de pest aan heb gehad, tot vandaag, en vertrekken in noordwestelijke richting naar Route 8.

Wij met z'n drieën, op weg naar huis: alsof dat uiteindelijk toch lijkt te bestaan.

Onze zwaar bekritiseerde staat Connecticut glijdt aan ons voorbij en ziet er vandaag ongewoon uit, prachtig zelfs.

# EMMA

Op vrijdagmiddag zet ze haar moeder af bij Sue Foley en rijdt door naar de boomkwekerij. Ruim een uur lang kiest ze struiken volgens het lijstje van haar moeder: Indiase meidoorn, Chinese hazelaar, zwarte appelbes, schijnels, sneeuwbal. Daarna laadt ze zes zakken met vijftien kilo compost in de auto, gaat naar de gereedschapswinkel en koopt een nieuw plantschepje. Als ze terugrijdt naar Foley is het even over vier. Ze heeft het raampje open, de wind in haar haar en de radio hard aan.

Het nummer eindigt precies als ze op haar bestemming is. Ze stapt uit de auto, leunt tegen de warme, tikkende motorkap en laat haar blik over het terrein gaan.

Het L-vormige, met overnaads getimmerde cederhouten planken bedekte huis is vanaf de weg nauwelijks te zien door een oude ligusterhaag. Langs de oprit staan coniferen – sommige ziek, andere gezond. Er hangt een geur van coniferenhars en omgewoelde aarde, en de klimrozen tegen de voorkant van het huis vormen een zee van slecht bij elkaar passende kleuren. Aan één kant van het huis is een kleine, overwoekerde vijver, waar het krioelt van de libellen. Aan de andere kant een hellend, onregelmatig stuk grond waarop stapels metalen palen en een soort hooimijt van wit dekzeil liggen te wachten om te worden samengesteld tot een feesttent voor het aanstaande huwelijk.

'Ik hoop dat je niet lang hoefde te wachten.'

Haar moeder staat op de veranda met een paar tuinhand-schoenen in één hand en een strohoed op haar hoofd.

'Een paar minuutjes maar.'

'Hoe gingen de boodschappen?'

'Goed, maar ze hadden niet hetzelfde schepje, dus ik heb een ander soort gekocht.'

'Dat is vast ook wel goed.' Haar moeder neemt naast haar plaats in de auto. Emma ziet dat er rond haar mond onwille-keurig spiertjes bewegen, als een klein vogeltje dat op het punt staat van een tak te springen voor een eerste, riskante vlucht-poging.

Ze start de motor en rijdt de weg op. De radio is uit, maar 'How To Save a Life' van Fray speelt nog steeds door haar hoofd:

*And I would have stayed up with you all night*
*Had I known how to save a life*

'Ik heb de klus,' zegt haar moeder.

Ze kijkt Emma aan. Ze lacht nu voluit, bevrijd; het vogeltje vliegt nu dapper door de lucht.

'Ze gaat met alles akkoord. We beginnen meteen na de brui-loft.'

'Mam, dat is geweldig. En hoe zit het met het geld?'

'Redelijk. Prima, hoor.' Ze zwijgt even. 'Ik denk dat ik wel weer aan een flinke klus toe ben.'

Emma rijdt door. Het is het einde van de week: de lange werkdagen liggen achter hen, er zit zand onder hun nagels. Haar moeder lacht niet meer, maar kijkt voor zich uit met vooruitgestoken kin en een blik die met de minuut zachter wordt.

En dit is hun uitzicht: boven op een volmaakt rode schuur een windvaan in de vorm van een zeilboot die pal naar het noorden wijst, een bruinrode merrie en haar veulen starend over een houten hek, een man met een kruiwagen die forsythia plant.

Ze haalt diep adem, zuigt de landlucht in haar longen. Ze rijdt langs Pine Creek Road.

'Em, je hebt de afslag gemist.'

'We gaan nog niet naar huis.'

'Hoe bedoel je?'

'Supermarkt,' legt ze uit.

'Maar we hebben meer dan genoeg te eten.'

'Niet dit soort eten, mam. Dit is een bijzondere dag. We hebben iets te vieren.'

# DWIGHT

We lopen samen door de gangpaden van de Stop & Shop-su-permarkt. Het is vrijdag laat in de middag in de noordwest-hoek. Alle buren, bekend en onbekend, zijn op de been en doen onderweg van hun werk naar huis de weekendbood-schappen.

Sam duwt onze kar met daarin drie lendenbiefstukken, een zak afkokers voor de puree, kruiden voor op het vlees, een zak voorgewassen sla, een kant-en-klare appeltaart en een emmer-tje vanille-ijs. Een etentje om de goede gezondheid van Ruth te vieren. Ruth loopt links van Sam en speurt de schappen af naar andere traktaties voor het feestelijke avondmaal. Ze houdt haar pas in, pakt een flesje balsamicoazijn, haalt ons in en legt het in de boodschappenkar.

Het komt me voor dat ze een verende, dansende tred heeft. Het lijkt alsof ze weer trek heeft, alsof het naderende etentje haar een genoegen zal schenken dat ze niet meer had verwacht. En als je haar zo ziet krijg je zin met haar mee te eten, wat er ook op tafel komt, bij haar aan te schuiven, goed op te letten en geen seconde te missen.

Er klinkt bedwelmende muzak uit onzichtbare luidsprekers, een medley van aanstekende Amerikaanse klassiekers. Op het moment klinkt 'Take Me Out to the Ball Game' – waarvan geen van beide componisten, heb ik ooit in een tijdschrift gele-zen, ooit een honkbalwedstrijd had bezocht voordat ze hun klassieker schreven. Bij hen ging het om de mythe van het spel, niet een specifieke wedstrijd, en zeker niet de wedstrijd waarin mijn zoon op een zondagmiddag op Fenway aan het einde van de derde inning op miraculeuze wijze zijn eerste *foul ball* ving.

Maar telkens als je dat deuntje hoort, waar je ook bent, zelfs in een supermarkt, weet je dat de zomer in aantocht is. Dat het voorjaar alleen maar een brug is waar je in je slaap overheen loopt naar de plek waar dat liedje wordt gezongen. Binnenkort branden alle barbecues weer en kun je met iedereen die je tegenkomt weer over honkbal praten.

Ik probeer me te concentreren op dit moment, geen plannen te maken. Er is geen verleden en geen toekomst, er is alleen vandaag. Al lopend laad je je kar vol, en dat is alles.

Ik ben daar nooit erg goed in geweest.

*Schoon. Hij zei dat ik schoon ben.*

Het hart kan het nauwelijks allemaal bevatten.

Sam is met de kar aan het einde van het gangpad gekomen. Ruth loopt vlak naast hem. Ik zie dat ze aan de haarspeldbocht naar rechts beginnen, naar het volgende gangpad – diepvriesartikelen, geloof ik –, en plotseling, alsof ze tegen een muur aan lopen, blijven ze als aan de grond genageld staan.

# SAM

Hij ziet hoe haar gezicht ineenschrompelt. De moeder van Josh Learner. Ze draait zich om en rent weg. De supermarkt uit, door het gangpad dat zo lang is als een kegelbaan, en overal om haar heen andere vrouwen, moeders verzonken in gepeins over merken vissticks en de prijzen van roomijs, hun boodschappenkarren gedachteloos schuin of dwars geparkeerd, sommige met kleine kinderen in de stoeltjes, een doolhof van verkeer en obstakels die de doorgang belemmeren, waardoor ontsnappen des te moeilijker of misschien wel onmogelijk wordt. Maar ze blijft rennen. Hij heeft nog nooit zoiets gezien, een elegante vrouw die een schokkerige sprint trekt, haar schouders schuddend onder het rennen, haar linkerhand voor haar gezicht, alsof ze zojuist in haar voorhoofd is geschoten. En overal blijven mensen staan en kijken haar na. Kutstad. Niet het brandende huis, maar de moeder binnen, die levend verbrandt.

Ze komt bij de uitgang en verdwijnt door de automatische deuren naar buiten, het zonlicht in.

Haar dochter blijft achter en buigt haar hoofd.

De seconden tikken traag voorbij.

Al het leven is weggetrokken uit het gezicht van zijn vader.

Jaren later zal hij zich deze ademloze ogenblikken het beste herinneren: de nauwe ruimte tussen wat hij weet van de wereld en wat hij van plan is te doen, de voorbereidingsfase.

Hij heeft er schoon genoeg van om geen troost te bieden aan hen die het echt nodig hebben.

'Emma.'

Ze kijkt hem aan.

Hij loopt naar haar toe. Hij legt zijn handen op haar schouders en drukt zijn wang tegen de hare.

'Ga achter haar aan,' zegt hij.

En dat doet ze.

# EMMA

Door het keukenraam ziet Emma haar moeder in de vallende schemering op haar knieën in de tuin zitten: haar rug als een gesloten schelp, haar furieus bewegende armen, en naast haar een berg gewied onkruid.

Ze knipt een schakelaar naast het aanrecht aan, en buiten valt het licht op de gebogen, biddende rug van haar moeder, die daardoor dichterbij komt.

Haar moeder reageert niet. Ze blijft wieden.

Duizendknoop is uiterst schadelijk, dat weet iedereen, en hardnekkig: je moet voortdurend op je hoede blijven, geen dag je waakzaamheid verliezen.

En zo is de tuin één grote metafoor, of niet soms? En toch ook weer niet.

Het zand is echt. Het onkruid ook. Deze vrouw met haar handen in de grond en haar hart vol pijn.

Ze zal haar moeder een kop thee brengen. Ze zal een glas wijn voor haar inschenken. Ze zal...

Ze gaat naar buiten: rond de lichtvlek van de buitenlamp valt de schemering. Onherroepelijk. De heerlijke geur van bloemen hangt in de lucht. De vogels denken erover te gaan slapen.

Al dat wieden zou uiteindelijk nog tot iets kunnen leiden. Je weet het maar nooit.

'Mam.'

Haar moeder weet niet van ophouden. Telkens als ze het onkruid uittrekt, klinkt er een geluid: één leven in deze kleine dood.

Emma gaat op haar knieën zitten om haar te helpen.

# PENNY

Aan het einde van de dag, languit in haar Eames-fauteuil, met een glas witte wijn naast zich en haar dagboek opengeslagen op haar schoot, draait Penny de dop van haar vulpen en schrijft:

*Een hand tast naar een andere hand, niet wetend dat die al vol is.*

Ze kijkt op. Ali staat in de deuropening, gekleed in haar pyjama met bloemmotief. Haar ogen staan zacht en hulpbehoevend. Haar gezicht heeft weer een kwetsbare uitstraling.

Penny legt haar pen en dagboek terzijde.

Ali komt de kamer binnen. Ze gaat op een meter afstand van haar moeder op een stoel zitten, met haar rug naar het bureau. Ze trekt haar knieën op tot onder haar kin.

'Wat is er, liefje?'

Penny buigt voorover en probeert zo dicht mogelijk bij haar dochter te komen. Ze bedenkt dat liefde ook een herinnering heeft en de weg terug naar huis weet te vinden.

# DWIGHT

We maken het eten klaar en proberen dat zo goed mogelijk te doen. We nemen plaats aan de eettafel. Ik schenk wijn in voor ons drieën.

Maar het feestmaal is voorbij voordat het goed en wel begonnen is, en niemand eet of zegt veel.

Ruth staart naar een hoek van de kamer, alsof daar iets te zien is.

Uiteindelijk kijkt ze onze zoon aan.

'Ik ben gewoon nieuwsgierig. Hoe lang heb je al contact met haar?'

'Zo zit het niet,' zegt hij.

'Hebben jullie iets met elkaar?'

'Nee.'

Hij zwijgt.

Zegt dan: 'We begrijpen elkaar.'

En: 'Ik kan het niet uitleggen.'

Ruth neemt een laatste slok van haar wijn; ze vouwt haar servet op en legt het op tafel. Ik doe hetzelfde. Alsof we normale mensen zijn die net gezellig hebben gegeten in een familierestaurant. Maar we zijn niet in een restaurant. We zijn gewoon onszelf in dit huis waar zoveel en zo weinig is gebeurd, waar alles mogelijk is en waar alles nooit genoeg is.

Ik zie Grace Learner staan onder het kille licht van de supermarkt: ze staart me aan, geschokt en vol haat, geschrokken en woedend omdat ik terug ben en haar de stuipen weer op het lijf kom jagen, omdat ik altijd in de buurt zal blijven en haar nooit meer met rust zal laten.

Ik zie haar lichaam, bevroren in de tijd. Het gezin dat ze door mijn toedoen heeft verloren.

We denken dat we solide en onverslijtbaar zijn, maar komen er vroeg of laat achter dat we, gezien in een onbarmhartige en onverwachte lichtval, het tegenovergestelde zijn: alleen onze dunne, doordringbare huid houdt ons bij elkaar.

Als hemofiliepatiënten die door een bos met doornige planten lopen.

Ik kijk naar Ruth. Ik kijk haar lang aan, alsof we met een koord aan elkaar zijn vastgebonden, wat we ook zijn. Ik wil haar meer laten weten dan ik ooit zal kunnen zeggen.

'Ik kan hier niet blijven, Ruth. Dat kan ik hun niet aandoen. Ik vertrek morgenochtend.'

Ze zwijgt, haar gezicht is uitdrukkingsloos. Ze schuift haar stoel naar achteren en staat langzaam op.

'Het spijt me echt heel erg.'

Sam zit naar zijn handen te staren. Nu kijkt hij me aan.

'Ik ga met je mee.'

# RUTH

Ze herinnert zich dat haar moeder jaren geleden tegen haar zei: *Ruth Margaret, alles wat je krijgt moet je verdienen, want anders is het het niet waard dat je het hebt.*

Het is een wijze raad die niet valt tegen te spreken. Hoewel ze nu pas in haar tollende hoofd een tegeneis durft te stellen: *Jawel, maar heb ik het nog niet verdiend dan?*

En zo ja, flinke meid, wat dan nog? Ze laten je toch in de steek. Voor die andere ouder, die over langere tijd bekeken niet de helft heeft verdiend, zich niet half zoveel heeft opgeofferd als jij. Ze laten je in de steek met één blik en een quasi-nonchalante opmerking. Ze laten je in de steek terwijl je net verslaafd begint te raken aan hun gezelschap. Ze laten je in de steek zoals je altijd al hebt voorspeld. Ze laten je in de steek als je het ze eigenlijk niet meer kwalijk kunt nemen dat ze je in de steek laten. Ze laten je in de steek met je gunstige doktersattest, dat nog niet gevierd is en slechts een kwestie is van optimistisch giswerk. Ze laten je zo volslagen en abrupt in de steek dat je niet weet wat je aan moet met hun vertrek behalve het te aanvaarden en te bestuderen bij daglicht en in de schaduw, overdag en in de avondschemer; je beschouwt het als een filosofie, neemt het ter harte, maar nu zeggen ze je het ronduit, oprecht verbaasd door hoe het licht erdoorheen schijnt naar de kant waar jij staat, hier, in bitterzoete en eenzame verwarring.

'Mam.'

Ze kan geen woord uitbrengen, hem niet aankijken.

'Ik kom terug. Dat beloof ik.'

Ze wrijft met een hand langs haar niet-ziende ogen.

Dwight zegt: 'Ik stuur je wel een ticket om over te komen, Ruth.'

Een ticket. Ze heeft een ticket nodig om haar zoon te kunnen zien. Ze begint de borden op te stapelen.

'O ja, en zijn diploma,' vervolgt hij met toenemend enthousiasme. 'Ik heb een vriend die misschien een manier kan bedenken waarop Sam toch kan afstuderen aan de universiteit van Californië, Santa Barbara. Dan kom je gewoon naar zijn afstuderen.'

Zal ze dat doen? Naar Californië reizen voor Sams afstuderen? Waarschijnlijk wel, hoewel het nu nog niet voor te stellen is.

Ze is eerder in Californië geweest, en dat is niet het beloofde land.

Maar dat is het hier ook niet – Bow Mills of welke stad in Connecticut dan ook, of waar ook. Het zijn allemaal gewoon steden waar je woont. Je bent er geboren of je verhuist er op een goeie dag heen, gedwongen, vrijwillig of hoopvol. Je woont er, je trouwt er en je voedt er je kinderen op. En als je er lang genoeg blijft, gebeuren er dingen met jou en met de mensen van wie je houdt, dingen die niemand kan bedenken. En die dingen overleef je wel of niet.

Ze brengt de borden vol met het niet-gegeten voedsel naar de keuken en laat de deur achter zich dichtvallen, zodat de mannen achterblijven om de zaak samen uit te zoeken. Daar staat ze dan, alleen, en ineens bedenkt ze dat ze graag een hond zou hebben, een puppy die al deze etensresten zou opeten, met een zuivere, opgetogen eetlust, zodat er niets verspild zou worden...

Naarmate ze ouder werd heeft ze een enorme hekel gekregen aan verspilling – verspilling en onverschilligheid...

Als ze morgenochtend wakker wordt, zijn haar zoon en zijn vader vertrokken. Het huis en haar leven zijn dan weer helemaal van haar, en geen verspilling. En ze kan niet onverschillig staan tegenover dat alles, daarvan is ze overtuigd...

Zij en de pup die ze zal nemen, gaan naar buiten, en de tuin zal er zo fris en groen bij liggen als een Zwitserse wei in de zomer, en ze zal toekijken hoe de pup rondrent en dartelt...

Er zal een kardinaalsvogel fladderend naar een tak van de oude eik vliegen, en voor het eerst in maanden zal de kleur die ze in haar hoofd ziet niet die van bloed zijn, maar roze...

En dan gaat ze weer naar binnen om haar zoon een brief te schrijven en hem proberen duidelijk te maken hoeveel ze houdt van haar leven.

Ze keert terug naar de eetkamer, waar de mannen nog steeds aan tafel zitten.

Dwight heeft zijn stoel naar achteren geschoven, zijn zware stem hangt in de lucht en hij zwaait met zijn uitgestrekte armen voor zijn lichaam langs terwijl hij een denkbeeldige swing nadoet in het meest volmaakte honkbalstadion ter wereld. Het is het verhaal over een winnende homerun, dat ziet ze onmiddellijk, dat ene tijdloze verhaal, over iemands zege ergens in een stadion...

En Sam luistert toe, zijn mond staat op het punt te gaan lachen...

Ze loopt naar haar zoon, die een man is geworden, en kust hem boven op zijn hoofd.

'Ik help wel met inpakken.'

# DANKWOORD

Schrijven doe je alleen, maar nooit in een vacuüm. Mijn bijzondere dank gaat uit naar mijn redacteur David Ebershoff, die zijn indrukwekkende talent als romanschrijver op elegante wijze weet te combineren met dat van de ideale lezer. Zoals altijd was mijn trouwe literair agent, Binky Urban, mij met zijn wijze en opwekkende adviezen van begin tot eind behulpzaam. En Jen Smith van Random House verraste me opnieuw met haar glasheldere analyse van mijn manuscript in een cruciale fase van de ontwikkeling ervan.

Eveneens een warm woord van dank voor Gerry Krovatin en dr. Cara Natterson, goede vrienden en beiden experts op hun eigen terrein, die me medisch en juridisch advies gaven bij het schrijven van deze roman.

Ik draag dit boek op aan mijn vrouw, Aleksandra, en onze zoon Garrick, om alles wat ze doen en alles wat ze zijn.

Edward Hopper, 1882-1967, *Second Story Sunlight*, 1960. Oil on canvas, 40 1/8 x 50 3/16 in. (101.92 x 127.48 cm). Whitney Museum of American Art, New York; purchase, with funds from the Friends of the Whitney Museum of American Art 60.54. © Whitney Museum of American Art, NY, Photograph by Sheldan C. Collins.